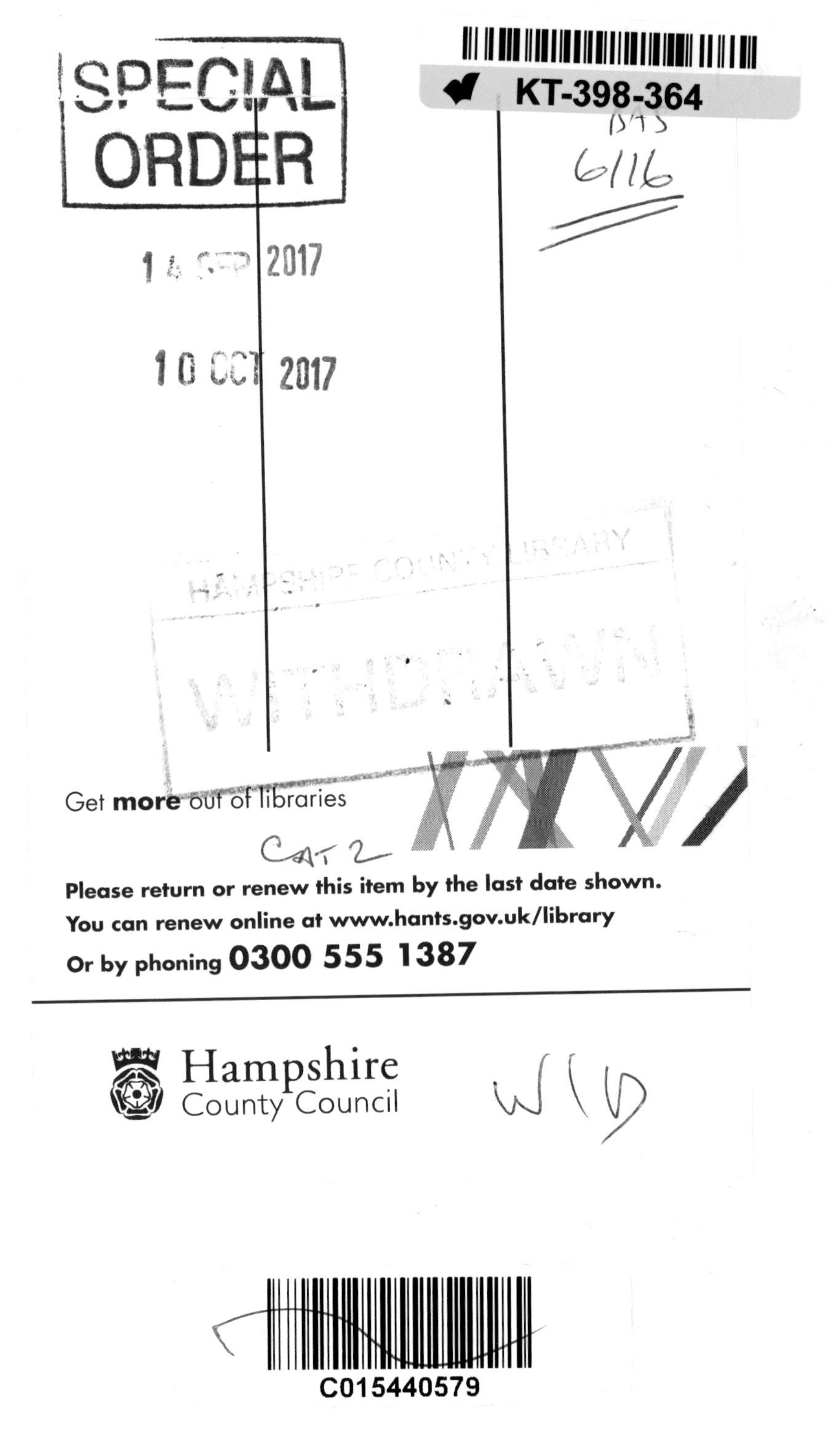

Марьяна Романова

Редакционно-издательская группа
«Жанровая литература»
представляет книги
Марьяны Романовой

Мертвые из Верхнего Лога

Болото

Старое кладбище

Приворот

Издательство АСТ
Москва

УДК 821.161.1-312.9
ББК 84(2Рос=Рус)6-44
Р69

Серия «Бестселлеры Марьяны Романовой»

Оформление обложки — Александр Шпаков

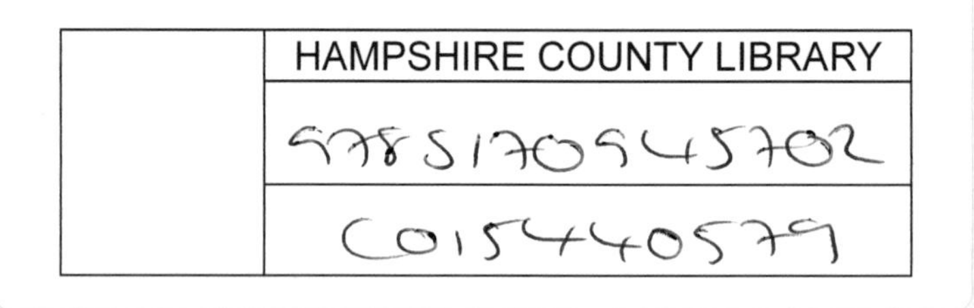

Романова, Марьяна.

Р69 Приворот : [роман] / Марьяна Романова. — Москва : Издательство АСТ, 2016. — 320 с. — (Бестселлеры Марьяны Романовой.)

ISBN 978-5-17-094570-2

Это очень страшная книга! Текст затягивает как в бездонную топь — оторваться невозможно. Страницы книги возвратят вас в детство. Ведь все мы когда-то с замиранием сердца рассказывали друг другу леденящие душу истории, а потом боялись уснуть, дрожа полночи под одеялом.

Предупреждение: если вы человек нервный, лучше не читайте эту книгу в темное время суток!

УДК 821.161.1-312.9
ББК 84(2Рос=Рус)6-44

ISBN 978-5-17-094570-2

МЕРТВЕНЬКИЙ

Жила в одной деревне женщина, Варварой ее звали, которую все считали дурочкой блаженной. Нелюдимой и некрасивой она была, и никто даже не знал, сколько ей лет, — кожа вроде бы без морщин, гладкая, а вот взгляд такой, словно все на свете уже давно бабе опостылело. Впрочем, Варвара редко фокусировала его на чьем-нибудь лице — она была слишком замкнутой, чтобы общаться даже глазами. Самым странным оказалось то, что никто не помнил, как она в деревне появилась.

После войны перепуталось всё, многие уехали, чужаки, наоборот, приходили, некоторые оставались насовсем. Наверное, и эта женщина была из числа таких странников в поисках лучшей участи. Она заняла самый крайний из пустовавших домов, у леса, совсем ветхий и маленький, и за десяток-другой лет довела его до состояния полного запустения. Иногда сердобольный сосед чинил ей крышу, а потом бубнил в прокуренные усы: никакой, мол, благодарности, у нее дождевая вода с потолка в подставленный таз барабанила, я все сделал, стало сухо, а эта Варвара мало того, что «спасибо» не сказала, так даже и не глянула в лицо.

Никто не знал, на что она живет, чем питается. Она всегда ходила в одном и том же платье из дерюжки, подол которого отяжелел от засохшей грязи. В одном и том же — но пахло от нее не густым мускусом человеческих выделений, которые не смывают с кожи, а подполом и плесенью.

И вот однажды, в начале шестидесятых, один из местных парней, перебрав водки, вломился к ней в дом — то ли его подначил кто-то, то ли желание абстрактной женственности было таким сильным, что объект уже не имел значения. Майская ночь тогда стояла тихая, ясная, полнолунная, с густыми ароматами распустившихся трав и проснувшимися сверчками — а до того всем селом отмечали Победу, играл гармонист, пахло пирогами, пили-ели-гуляли. Парня звали Федором, и шел ему двадцать пятый год.

Вломился он в дом Варвары, и уже сразу, в сенях, как-то не по себе ему стало. В доме был странный запах — пустоты и тлена. Даже у деревенского алкоголика дяди Сережи в жилище пахло совсем не так, хоть и пропил он душу еще в те времена, когда Федор младенцем был. У дяди Сережи пахло теплой печью, крепким потом, немытыми ногами, скисшим молоком, сгнившей половой тряпкой — это было отвратительно, и все же в какофонии зловонных ароматов чувствовалась пусть почти деградировавшая в существование, но все-таки еще жизнь. А у Варвары пахло так, словно в дом ее не заходили десятилетиями, — сырым подвалом, пыльными занавесками и плесенью. Федору вдруг захотелось развернуться и броситься наутек, но как-то он себя уговорил, что это «не по-мужски». И двинулся вперед — на ощупь, потому что в доме мрак царил — окна были занавешены от лунного света каким-то тряпьем.

Ткнулся выставленными вперед руками в какую-то дверь — та поддалась и с тихим скрипом отворилась. Федор осторожно ступил внутрь, несильно ударившись головой о перекладину, — Варвара была ростом невелика, и двери в доме — ей под стать. Из-за темноты Федор быстро потерял ориентацию в пространстве, но вдруг кто-то осторожно зашевелился в углу, и животный ужас, какой на большинство людей наводит тьма в сочетании с незнакомым местом, вдруг разбудил в парне воина и варвара. С коротким криком Федор бросился вперед.

—Уходи, — раздался голос Варвары, тихий и глухой, и Федор мог поклясться, что слышит его впервые.

Многие вообще были уверены, что чудачка из крайнего дома онемела еще в военные годы, да так и не пришла в себя.

Она протянула руку к окну, отдернула занавесь, и Федор наконец увидел ее — в синеватом свете луны ее спокойное уродливое лицо казалось мертвым.

—Вот еще! — Он старался, чтобы голос звучал бодро, но из-за волнения, что называется, «дал петуха», и, сам на себя за это раздосадовав, излил злобу на Варвару, ткнув кулаком в ее безжизненное лицо. — Давай, давай... я быстро.

Она не сопротивлялась, и это спокойствие придало ему сил. «Наверное, сама об этом мечтает, рада до смерти и не верит счастью своему, — подумал он. — Мужика-то, поди, уже лет двадцать у нее не было, если не больше».

Варвара вся была окутана каким-то тряпьем, точно саваном. Федор вроде бы расстегнул верхнюю кофту, шерстяную, но под ней оказалась какая-то хламида, а еще глубже — что-то, похоже, нейлоновое, скользкое и прохладное на ощупь. В конце концов, разозлившись, он рванул тряпки, и те треснули и едва не рассыпались в прах в его ладонях. Варвара же лежала все так же молча, вытянув руки по швам, как покойница, которую готовили к омовению. Глаза ее были открыты, и краешком сознания Федор вдруг отметил, что они не блестят. Матовые глаза, как у куклы

Но в крови уже кипела вулканическая лава, желающая излиться, освободив его от огня, и ему было почти все равно, кто отопрет жерло — теплая ли женщина, послюнявленный ли кулак или эта серая кукла.

Грудь Варвары была похожа на пустые холщовые мешочки, в которых мать Федора хранила орехи, собранные им в лесу. Не было в ее груди ни полноты, ни молочной мягкости, а соски напоминали древесные грибы, шероховатые и темные, прикасаться к ним не хотелось.

В тот момент сознание Федора словно раздвоилось: одна часть не понимала, как можно желать это увядшее восковое тело — страшно же, противно же, а другая, как будто околдованная, лишь подчинялась слепой воле, порыву и страсти. Коленом он раздвинул Варварины бедра — такие же прохладные и сероватые, будто восковые, и одним рывком вошел в нее — и той части сознания Федора, которой было страшно и противно, показалось, что плоть его входит не в женщину, а в крынку с холодной ряженкой. Внутри у Варвары было рыхло, холодно и влажно.

И вот, излив в нее семя, Федор ушел, по пути запутавшись в штанах. Он чувствовал себя так, словно весь день пахал на вырубке леса, но списал эту слабость и головокружение на водку. Прибрел домой и, не раздеваясь, завалился спать.

Всю ночь его мучили кошмары. Снилось, что он идет по деревенскому кладбищу, между могилок, а со всех сторон к нему тянутся перепачканные землей руки. Пытаются за штанину ухватить, и пальцы у них ледяные и твердые. В ушах у него стоял гул — лишенные сока жизни голоса умоляли: «И ко мне... И ко мне... Пожалуйста... И ко мне...»

Вот на дорожке пред ним появилась девушка — она стояла, повернувшись спиной, хрупкая, невысокая, длинные пшеничные волосы раскиданы по плечам. На ней было свадебное платье. Федор устремился к ней как к богине-спасительнице, но вот она медленно обернулась, и стало ясно — тоже мертва. Бледное лицо зеленоватыми пятнами пошло, некогда пухлая верхняя губа наполовину отгнила, обнажив зубы, в глазах не было блеска.

—Ко мне... ко мне... — глухо твердила она. — Подойди... Меня нарочно хоронили в свадебном... Я тебя ждала...

Проснулся Федор от того, что мать плеснула ему в лицо ледяной воды из ковшика:

—Совсем ополоумел, пьянь! Упился до чертей и орал всю ночь, как будто у меня нервы железные!

Прошло несколько недель. Первое время Федор никак не мог отделаться от ощущения тоски, словно бы распростершей над ним тяжелые крылья, заслоняя солнечный свет. Пропали аппетит, желание смеяться, работать, дышать. Но постепенно он как-то оправился, пришел в себя, снова начал просить у матери утренние оладьи, поглядывать на самую красивую девицу деревни, Юленьку, с длинными толстыми косами и чертями в глазах.

С Варварой он старался не встречаться, впрочем, это было нетрудно — она редко покидала свои дом и палисадник, а если и выходила на деревенскую улицу, то жалась к обочине и смотрела на собственные пыльные калоши, а не на встречных людей.

Постепенно странная ночь испарилась из памяти — и Федор даже не вполне был уверен в ее реальности. Его сознание какой-то снежный ком слепило из реальных фактов и воспоследовавших ночных кошмаров, уже и не понять: что правда, а что — страшный образ, сфабрикованный внутренним мраком.

Наступила зима.

Зимними вечерами Федор обычно столярничал — ремеслу обучил его отец, у обоих были золотые руки. Со всех окрестностей обращались: кому стол обеденный сколотить, кому забор поправить, кому и террасу к дому пристроить.

И вот в конце ноября однажды случилось странное — в дверь постучали, настойчиво, как если бы речь шла о срочном деле, а когда Федор открыл — на улице никого не было. Человека, потревожившего вечерний покой семьи, словно растворило ледяное плюющееся мокрым снегом пространство. Только на половице, придавленный мокрым камнем, белел конверт.

Оглянувшись по сторонам, Федор поднял его, заглянул внутрь и удивился еще больше — внутри были деньги. Не миллионы, но солидная сумма — столько бы он запросил как раз за строительство летней терраски. Для реалий деревни это было нечто из ряда вон — соседи, конечно, не голодали, но и откладывать деньги было не с чего, а за работу все предпочитали платить в рассрочку. Вместе с купюрами из конверта выпала записка. «Я прошу вас сделать гроб, длина — 1 метр, материал — дуб или сосна. Деньги возьмите сразу, а за готовой работой я приеду при первой возможности».

Не из пугливых был Федор и уж точно не из суеверных, но что-то внутри него похолодело, когда дочитал. Длина — 1 метр. Выходит, гроб-то — детский. Почему за него готовы столько заплатить? Если бы заказчик спросил у него цену, Федор назвал бы сумму, раз в двадцать меньшую, и то не считал бы себя обиженным. Почему выбрали столь странный способ сделать заказ? Такое горе, что от лиц чужих мутит? Но получается, ему даже выбора не оставили — деньги-то кому возвращать? Можно, конечно, так и держать их в конвертике, а когда заказчик явится, с порога сунуть ему обратно. С другой стороны... А если там ребенок при смерти. И вот человек придет, а ничего не готово. В полотенце его хоронить, что ли?

Тяжело было на душе у Федора, но все же работу он выполнил. За два вечера управился. Самые лучшие доски взял, старался так, словно ларец для императорских драгоценностей делал. Даже резьбой украсил крышку — делать-то все равно зимними вечерами нечего.

Прошла неделя, другая, а потом и третья началась, но за работой так никто и не пришел. Маленький гроб стоял в и без того тесных сенях и действовал всем на нервы. Проходя мимо него, отец Федора мрачно говорил: «Етить...», а мать, однажды о него споткнувшись, машинально ударила деревяшку ногой, а потом опомнилась, села на приступок и коротко всплакнула.

И вот уже под Новый год как-то выдался вечер, когда Федор остался дома совсем один. Родители и маленькая сестренка уехали в соседний поселок навестить родственников, там и собирались переночевать.

Вечер выдался темный и вьюжный — за плотной шалью снегопада ни земли, ни неба не разглядеть.

И вдруг в дверь постучали — тот же настойчивый торопливый стук, Федор сразу его признал, и сердце парня ухнуло — как будто с бесконечной ледяной горки.

Осторожно подойдя к двери, он спросил — кто, однако ему не ответили. Зачем-то перекрестившись, он отпер дверь — на крыльце стояла невысокая женщина, укутанная в телогрейку и большой шерстяной платок. Федор даже не сразу признал в ней Варвару — а когда разглядел ее лишенное эмоций серое лицо, отшатнулся.

— Что тебе надо? Зачем приперлась? — В нарочитой грубости он пытался черпать силы.

— Так пора, — глухо ответила она и мимо него прошла внутрь. — Я думала, еще несколько недель носить, но сейчас вижу, что нет. Пора.

— Что ты мелешь-то, дурища? Ступай откудова приперлась.

И тогда Варвара подняла на него лицо. Федор отступил на несколько шагов, взгляд его беспомощно заметался по сеням, пока не уткнулся в маленький топорик, которым они с отцом рубили щепки для растопки печи. «Бред какой-то... Не буду же я на нее, бабу слабую, с топором... Я же ее пальцем перешибить могу, что она мне сделает-то, убогая...» А женщина просто спокойно смотрела на него, и ее глаза были похожи на подернутые льдом лужи. Такие же тусклые и кукольные, как той ночью, которую он все эти месяцы пытался забыть.

Варвара усмехнулась — все так же без эмоций:

— Что же ты, Федя? Думал, поразвлечешься, а отвечать не придется? Неси воду и тряпки, рожаю я.

— Какого хрена... — И тут только разглядел под ее распахнутой телогрейкой огромный круглый живот.

— С минуты на минуту начнется, что же ты медлишь?

Она вовсе не была похожа на женщину, которую волнует появление первенца. Бескровное спокойное лицо, обветренные губы, ровный тихий голос:

— К тому же, заплатила я. Все по-честному. Сделал, что я просила? Успел?

Федор даже не сразу понял, о чем это она, а когда понял, вдруг почувствовал себя маленьким и беззащитным. Как в те годы, когда отец пугал его лешим и банником, а Федя потом всю ночь пытался успокоить дыхание — ему все мерещились шорохи и перестуки, какая-то иная, скрытая от взрослых жизнь, которая начинается в доме, когда все отходят ко сну. Хотелось броситься к матери, вдохнуть ее успокаивающее тепло, но мешал стыд.

— Зачем же тебе... гроб? — последнее слово он почти шепотом выдохнул в лицо Варвары.

— Ну как же, — усмехнулась она. — Где-то ведь ему надо спать. Мертвенький ведь родится, — и погладила себя по тугому животу.

Федора замутило.

— Воду ставь, — скомандовала Варвара. — И тряпки тащи. Начинается.

Как во сне он дошел до печи, взял чайник, потом залез в сундук матери, нашел какие-то старые простыни. Все происходящее казалось ему дурацким розыгрышем. Он не мог поверить, что деревенская дурочка и правда собирается родить в его сенях, что ему придется принимать в этом участие. И эти чертовы деньги, и этот гроб. «Мертвенький ведь родится...»

Когда Федор вернулся в сени, Варвара уже лежала на полу, задрав юбки и раскинув в стороны бескровные ноги, спина ее выгнулась дугой, как будто женщина получила удар молнии, однако лицо по-прежнему не выражало ни страха, ни боли, ни предвкушения.

Сестренка Федора тоже дома родилась — схватки начались внезапно, тоже была зима, они не успели бы доехать до сельской больницы. Он помнил раскрасневшееся потное лицо матери, ее утробный крик, больше похожий на звериное рычание, помнил, как разметались по подушке ее слипшиеся от пота волосы, и какой запах стоял в комнате — горячий, густой, нутряной, и как ему тоже было не по себе — но то был другой страх, страх присутствия некой вечной закономерности.

Мать просила то попить, то приложить к ее лбу пригоршню снега, то открыть форточку, то закрыть. А потом он услышал сдавленный плач сестренки, и они с отцом выпили по рюмочке, ликуя, и мать выглядела такой счастливой, несмотря на то, что все одеяла были пропитаны ее кровью.

Варвара же молча, сцепив зубы, производила на свет новую жизнь, она работала бедрами и спиной — ловко, как змея, и сени тоже заполнил посторонний запах — торфяного болота, перегноя, влажных древесных корней, дождевых червяков.

Вдруг из нее хлынуло, как будто бы кран открылся, — воды отошли, зеленовато-коричневые, как застоявшийся пруд. Федору пришлось отпрыгнуть — зловонной жидкости было так много, что весь пол в сенях залило. Он даже не сразу заметил, что в этой жиже выбралось из ее чрева на свет крошечное существо, младенец, такой же серый и безжизненный, как его мать.

Варвара села, тыльной стороной ладони отерла лоб, подняла младенца с пола — тот вяло шевелил руками. Его глаза были открыты и словно подернуты белесой пленкой. Федор отвел взгляд — смотреть на ребенка было отчего-то неприятно, что-то в нем было не то. Он даже не закричал, но уже вертел головой, явно пытаясь осмотреться.

—Что стоишь, — мрачно позвала Варвара. — Тебе надо пуповину перерезать. Али книг не читал.

—Я не умею, — почти теряя сознание от усталости и отвращения, промямлил Федор.

—Да что тут уметь. Вон же топорик стоит — им и переруби.

—Что ты несешь, разве ж можно так, топором? Я сейчас бабку Алексееву позову, — вдруг пришла ему в голову спасительная мысль. — Только сбегаю за ней. Она умеет это дело.

—Никого не надо звать, — остановила его Варвара. — Сам виноват, сам и отвечать будешь. Тащи топор... Я тебя научу. И гроб неси. Он уже спать хочет, видишь?

—Варвара, да зачем ему гроб, что же ты говоришь такое страшное? — не выдержал Федор. — Где же это видано, чтоб ребенок в гробу спал? Ты говорила — мертвенький родится, а он вот — шевелится.

—Так и я мертвенькая. — Серые губы растянулись, но это не было похоже на улыбку. — Али сам не понял?.. Гроб неси. И самому тебе отдохнуть надо. А то ведь он скоро проголодается. Вот проснёшься, и я научу тебя, как мертвеньких кормить.

Последним, что увидел Федор, перед тем, как его накрыло бархатным крылом темноты, был старенький, в разветвляющихся трещинках, потолок.

Когда следующим утром родители и сестра вернулись, тело парня уже остыло, но распахнутые глаза сохранили выражение недоверчивой тоски. Что с ним произошло, так никто и не понял, но весь пол сеней был залит густой болотной водой, которую отец Федора и за день вычерпать не смог.

А когда вычерпал досуха, все равно остался запах — тлена, плесени и гнили, — остался на долгие годы, иногда многообещающе утихая, но неизбежно возвращаясь к началу каждой зимы.

Варвару же в той деревне больше никогда не видели — но еще много лет сплетничали, якобы из ее опустевшего дома иногда доносится глухой и монотонный младенческий плач.

ИЛЛЮЗИЯ

В детстве мне часто снилось, что я — рыжая женщина по имени Елена, у меня есть муж, темноволосый и сутулый научный сотрудник, от свитера которого всегда пахнет табаком, дочь, которая мечтает стать астрономом, и кот, у которого сахарный диабет.

Еще была квартира — захламленная, но по-своему уютная, с пыльным хрусталем в серванте, тюлем на окнах, фиалками в разноцветных горшках и крошечным балконом — там мы хранили лыжи и дочкин велосипед.

Мне снилось, что я была бедна и не очень счастлива. Дочь казалась мне непутевой, потому что училась на тройки; когда муж прикасался к моему плечу в темноте, меня брезгливо передергивало, а однажды наш кот упал с балкона и пропал, и три последующих дня я надеялась, что это навсегда, а потом мне было стыдно за эти мысли. Кот вернулся и смотрел на меня так, как будто он все понимает.

Такой вот странный сон, часто повторяющийся. Ведь на самом деле я был мальчиком и в свои двенадцать лет ходил в лучшую языковую школу района, жил с родителями, которые все еще как минимум дважды в неделю запирали спальню на ключ изнутри, а потом, уже утром, мама жарила оладьи и фальшиво напевала «Призрак оперы», а папа задумчиво рассматривал ее обтянутый коротким махровым халатом зад. И никаких котов у нас не было никогда — только собаки. В самом раннем детстве — пудель Максим Иванович — я почти его не помнил, потом — лабрадор Будда.

По причинам очевидным я стеснялся рассказывать об этом сне родителям. Мне казалось — не поймут, будут переглядываться, смеясь. Папа скажет что-то вроде: «Не знаю, что более печально — и в самом деле быть странным или отчаянно хотеть казаться таковым. "Я не такой, как все, и мне снятся странные сны!"» А мама в шутку ударит его свернутым кухонным полотенцем, а мне скажет: «Не слушай этого дурака!», хотя в глубине души будет с ним согласна, потому что они — пресловутая «одна сатана», а я — «непонятно, в кого такой уродился». Это в лучшем случае. А в худшем — всполошатся и потащат на прием к сексопатологу. Мои двенадцать лет пришлись на середину девяностых — очередная волна сексуальной революции как раз неторопливо докатилась до России, и почти в каждом ток-шоу работал штатный эксперт-сексопатолог — подозреваю, вылупившийся из лузеров от психиатрии. Я представлял, как моя мама приходит к одному из таких, комкая в нервных пальцах носовой платок, и стесняясь начинает: «Моему сыну-подростку снится, что он — женщина по имени Елена...», а сексопатолог поправляет на носу очки с не предвещающим ничего хорошего «м-да».

Я рос, и сюжет повторяющегося сна постепенно обрастал подробностями. Как будто бы мое подсознание было сумасшедшим средневековым сказочником, который стоит на смрадной площади и за два пенса придумает кому угодно мрачный сюжетец.

Я засыпал и видел, как научный сотрудник в прокуренном свитере говорит мне в лицо, что ему все надоело и что в его лаборатории есть какая-то Светочка, ненамного старше нашей с ним дочери, которая приносит ему домашние пирожки с яйцом и, пока он ест, сидит напротив и смотрит на него, как на бога.

Мне снилось, что моя дочь, которая когда-то мечтала стать астрономом, связалась с дворовой шпаной, сделала химическую завивку, начала курить и говорить, томно растягивая гласные, — слушаешь и убить хочется. Мне снилось, что у меня варикоз и морщина на лбу, которую я маскирую челкой, и что подруги приходят ко мне только за тем, чтобы убедиться, что их жизнь намного счастливее моей, и я это прекрасно понимаю, но зачем-то продолжаю их звать.

На самом деле мне уже исполнилось восемнадцать, я с первой попытки поступил в университет, у меня появились новые друзья, с которыми почти каждый вечер мы собирались на чьей-нибудь кухне, пили чай с вареньем и дешевый портвейн и были полностью уверены, что наше поколение — и есть настоящие первооткрыватели, а все, кто жили до, просто готовили базу для наших смелых мыслей и неожиданных выводов.

Да, мне было восемнадцать, и я открыл для себя секс, что оказалось ярче каких-то там безнадежных снов. У меня появилась девушка с колечком в носу и дурными манерами. Что может быть привлекательнее дурных манер — когда тебе всего восемнадцать. Девушку звали Жанна, и я ее, вроде бы, любил.

Время шло, и мне снилось, что научный сотрудник давно ушел к своей Светочке, и у них даже родился сын; и что моя дочь, которая некогда мечтала стать астрономом, однажды в канун нового года выпила слишком много виноградной водки и потащила кого-то из своих одинаково неряшливых приятелей на крышу многоэтажки, чтобы показать ему Вегу.

Было скользко и ветрено, и эта дурища подошла к самому краю — то ли не осознавала близость пропасти, то ли пыталась бравировать, ну в общем, она поскользнулась, и секунд через семь ее жизнь оборвалась на козырьке подъезда. Мне звонили из милиции, и я понеслась к той многоэтажке в сапогах на босу ногу и в шубе поверх ночной рубашки, и успела до приезда «скорой», и увидела свою дочь, похожую на сломанную куклу, и парня, из-за которого была затеяна глупая выходка. Невысокий, с жидкой растительностью на подбородке и немытой головой — я бы такому даже сложенные в кукиш пальцы не показала, не то что Вегу.

Помню, когда в моем сне впервые появился этот сюжетный поворот, утром я обнаружил, что подушка промокла. Я понял, что плакал во сне, и мне стало стыдно. Мальчики ведь не плачут, и все такое.

Одно было хорошо — сны быстро забывались. Я научился с ними жить, никогда не возвращаться к ним мыслями днем.

А потом я закончил университет, и у меня уже была хорошая работа в банке и сначала какие-то веселые, как американские горки, романы, а потом и любимая женщина, которую родители назвали Евой, я уверен, не случайно — когда она появилась, я забыл обо всех других, что были до. А то, о чем ты не помнишь, не существует вовсе.

Все они стали призраками — я не помнил их запах, иногда даже их голос, не помнил, что они предпочитали на завтрак, чего боялись, нравилось ли мне их тело, или с его очертаниями мирила страсть. Они все исчезли, отступили серыми тенями, и Ева стала первой.

На второй год знакомства она переехала ко мне, и до того дня я думал, что живу в обычной однушке в Измайлове, а выяснилось — в Эдемском саду. У нее были рыжие волосы какого-то нежного эльфийского оттенка и в подмышках хилые золотые завитки — это казалось мне трогательным. Ее хотелось прижать к груди, напоить теплым чаем и решить все ее проблемы, хотя, положа руку на сердце, самой явной из Евиных проблем был я сам. Вел я себя как хищник, охраняющий территорию.

Я был слишком молод и еще не понимал, что лучший поводок — свобода. Дай человеку свободу, и он никуда от тебя не денется. Но я так боялся Еву потерять, что стал для нее тюрьмой, того не осознавая.

Мне было неприятно замечать даже чужие взгляды на ее лице, а уж когда однажды кто-то из коллег сказал в моем присутствии, что у нее красивое платье, я молниеносным рысьим броском повалил наглеца на землю и кулаком раскровил ему нос. Возможно, я вообще убил бы его, если бы не оттащили.

Все это произошло быстро и на уровне инстинктов, а не психологических мотивов. В тот момент я был не интеллигентным молодым человеком, банковским работником с карьерными перспективами, нет — я был просто самцом, заметившим другого самца у входа в мою пещеру. Ева в тот вечер собрала немногочисленные платья в чемодан и сказала, что уходит, но потом все-таки простила меня.

Чтобы хоть как-то сбрасывать эту темную, мрачную, разрушительную энергию, я записался в секцию тайского бокса. Бритый наголо инструктор с татуированными змеями на обоих предплечьях учил меня направлять и держать удар, учил обрушиваться на противника всей массой, как падает штормовая волна. После работы я часами пропадал в зале — сначала колотил «грушу», потом и первые спарринг-партнеры появились. Мне стало легче — едва ощутив холодок зарождающейся ревности или злости, я бросал в машину сумку со спортивной формой и мчался в зал, где всегда были такие же, как я, — неприкаянные городские воины.

Во сне же я все еще был рыжей женщиной по имени Елена, которая осталась совсем-совсем одна. В молодости одиночество воспринимается свободой, потому что это личный выбор. Когда ты юна и хороша собой, когда у тебя ямочки на щеках и смех как серебряный колокольчик, ты можешь обрести очаг в любой момент, достаточно многозначительно посмотреть через плечо на кого-нибудь, столь же свободного, как и ты. А вот когда на зов твоей улыбки пойдет разве что какой-нибудь коммивояжер в надежде впарить тебе ненужную хрень по завышенной цене, когда даже в утягивающем белье видно, что годами свободное время ты посвящала лежанию перед телевизором, когда свежести больше нет ни во взгляде твоем, ни в дыхании, ни в походке — вот тогда одиночество и становится твоей тюрьмой.

Да, свобода — это выбор, а у тебя выбора больше нет, одна только участь. Казалось бы — живешь в огромном городе, приютившем на своей груди тысячи таких же одиноких, — ходи, знакомься, общайся.

Только вот для этого свободные деньги нужны, хотя бы немного, а у меня их не было вовсе.

И вот однажды в самом начале апреля, в один из первых теплых дней — еще сугробы лежали, но молодежь уже надела футболки — я решила прогуляться.

Настроение было приподнятым — такая редкость — я даже нацепила кожаную шляпу, в годы моего студенчества считавшуюся самым писком моды, и достала с антресолей коробку с весенними ботинками.

Было решено отправиться на Арбат — когда-то мы любили гулять там с мужем, очень давно, когда еще не разучились улыбаться друг другу, когда еще ему казалось, что все те немногочисленные любовные сонеты классиков, которые некогда заставили его выучить университетские преподаватели, написаны именно обо мне. Прогуляюсь, подумала я, туда-обратно, посмотрю на то, как другие приветствуют весну, потом заверну в одну из уличных кафешек, и выпью капучино, и притворюсь хоть на четверть часа, что этот безмятежный гедонизм — и есть моя жизнь.

И вот я приехала на Арбат, но все сразу пошло как-то не так, как мне мечталось, — и ветер оказался слишком холодным, и солнце, на которое я надеялась блаженно, по-кошачьи щуриться, все время уплывало под рваные тучи, и какой-то грязный пьяница вдруг закричал мне вслед: «Какая шляпа! Прям мадам Брошкина!» И капучино в выбранном кафе стоил в три раза дороже, чем я могла себе позволить, но уходить было как-то неловко.

И вот я сидела за столиком, рассеянно смотрела в окно, и все меня раздражало — от мухи, кружившейся над столом (и это в кафе, где чашечку кофе оценивают в стоимость трехсотграммовой пачки оного), до облаков на небе. Я злилась на собственное легкомыслие, на то, что воспоминания о безмятежном прошлом выманили меня из дома.

Вот тогда я и увидела их — моего бывшего мужа и женщину, прижимавшуюся к его рукаву, якорем на нем повисшую, точно боявшуюся, что он может ускользнуть. Это было неожиданно. Кажется, мы не виделись уже лет восемь. Я была зарегистрирована на Фейсбуке и знала, что у него новая семья, сынишка, что он оставил науку ради малого бизнеса, что дела его куда лучше, чем мои.

Но одно дело — скупо подписанные фотографии, мертвые кусочки чужой жизни, и совсем другое — живой человек, как будто из прошлого вернувшийся, здесь и сейчас, перед тобою. И кажется, совсем он, в отличие от меня самой, не изменился.

Моя рука машинально взметнулась вверх — поправить волосы; глупо, конечно, потому что он не мог видеть меня — в кафе было довольно темно, и нас разделяло стекло.

Мой бывший муж выглядел веселым и беспечным, как если бы в его жизни вообще никогда не случалось ни меня, ни дочери, мечтавшей стать астрономом, ни кота, которого все-таки погубил сахарный диабет. Словно на меня одну ополчилось время, а он остался нетронутым. И как обидно стало мне в тот момент, как горько, и горло будто кто-то сжал невидимой рукой — дышать невозможно...

Закашлявшись, я попыталась встать, но перед глазами больше не было ни окна, ни облаков на не по-апрельски низком небе, ни темной пещерки кафе — только какие-то вспыхивающие круги и волны.

Последним, что я услышала, был возглас кого-то из официантов: «Вызовите «скорую»! Женщине плохо стало!»

В реальной жизни мы с Евой все-таки расстались, ибо случилось то, чего я боялся. Какой-нибудь продвинутый психолог наверняка сказал бы, что я сам и притянул этот страх, вызвал его, как заклинатель вызывает духа.

Моя Ева полюбила другого человека. Изменила мне.

Хотя я всегда считал, что слово «изменить» звучит в этом контексте как минимум глупо. Что я, родина, что ли.

В общем, я вернулся вечером домой, по пути забредя в гастроном, за бутылкой сухого чилийского и Евиными любимыми лимонными дольками в сахаре. Я предвкушал один из тех спокойных вечеров, которые и были кирпичиками нашей жизни, — мы скачаем новую серию «Борджиа», заварим пуэр с молоком и корицей, нальем по бокальчику вина. Иногда будем ставить фильм на паузу, выходить на балкон и болтать или целоваться.

Я открыл дверь своим ключом, и дальше была хрестоматийная почти водевильная ситуация — чужие ботинки в прихожей, чужое серое пальто. Либо ее любовник был пошлейшим позером, либо у него была машина, потому что кто бы иначе вышел на январский мороз в тонком пальто?

Я, конечно, втайне ставил на пошлость. Это так странно — казалось бы, мы должны радоваться, обнаружив, что соперник — хорош собой, успешен и обаятелен. Если подумать логически — это в некотором смысле поднимает и наш собственный авторитет. Но почему-то большинство людей, напротив, вздыхают с облегчением, узнав, что объект страсти их партнера — например, низкорослый неудачник с кариесом или вульгарная особь с врезающимися в ягодицы джинсовыми шортами. Когда по отношению к нему можно произнести фольклорную фразу: «И что она в нем нашла?», и чтобы все друзья, одной рукой подливая в твой стакан крепкий алкоголь, другой хлопали тебя по плечу и подтверждали очевидное: ты намного, намного, просто несравнимо лучше.

Я сначала увидел ботинки и пальто, а потом — боковым зрением — метнувшееся в сторону ванной тело.

— Денис, я думала, что ты позвонишь, — раздался из единственной комнаты, которая была нам и спальней, и гостиной, и кабинетом, голос моей Евы. — Побудь, пожалуйста, две минуты в прихожей. Он сейчас уйдет, и мы поговорим.

И я как под гипнозом опустился на скамейку для обуви.

«Он» действительно появился из ванной спустя шестьдесят секунд, уже одетый, и оказался несколько испуганным мужичонкой средних лет, чем-то напоминающим пирата, с проседью в модно подстриженной бороде.

Приблизившись ко мне, он протянул руку и назвал какое-то имя, видимо, на животном уровне почувствовал, что я слишком обескуражен и опустошен для того, чтобы вступить в самцовый поединок. Потом я вспоминал это с ухмылкой — в каких-то невинных ситуациях я готов был разорвать воображаемого противника в клочья, а когда мне дали повод проявить себя воином, растекся по пуфику, как медуза. Воин хренов.

Как в тумане все происходило, как будто бы я больше не был собою. Я даже машинально его руку пожал, за что потом изводил себя оставшуюся часть вечера. Это было даже более противно, чем сама измена, — я вел себя как слизень, а не как «настоящий мужик». Настоящий бы эту руку сломал, а я — потряс несколько секунд, да еще и с вежливым кивком.

«Он» обулся, набросил на плечи пальто и вышел, стараясь не встречаться со мной взглядом. А я отправился в спальню, чтобы наконец увидеть Еву. Хотя мне не понравилось то, каким тоном она сказала: «Он сейчас уйдет, и мы поговорим».

Ева сидела на кровати, накинув зеленый шелковый халат. Она была очень красивая — бело-розовая, распаренная, гибкая. И не то чтобы спокойная, а словно окаменевшая как Лотова жена. Какая-то часть меня хотела наброситься на нее и растерзать — что же ты, мол, делаешь, тварь, как так можно было со мною, с живым человеком. А другая часть — наоборот, сочувствовала. Бедная девочка, так трогательно пытается держать себя в руках. Спина прямая, как у начинающего йогина, которому даже поза дерева дается с усилием.

Почему в двадцать первом веке, когда к услугам въедливого сталкера и Юнг, и Фрейд, и Кастанеда, и Кроули, и Рерихи — те, кто разложил по полочкам и примерил на плечи современного человека драгоценный опыт многих поколений величайших мыслителей, — почему ревность осталась такой же едкой и жгучей, как в те времена, когда она заставляла душить, травить и втыкать клинки в сердце неверных супругов?

Есть же целая теория эволюции человеческой психики — почему же большинство из нас такие непрошибаемые собственники и зануды? Почему увидеть свою женщину в объятиях другого — так больно, так стыдно; почему чувствуешь себя таким ничтожным дураком? Что именно так болит в тот момент — часть сознания, которую мы, люди, привыкли называть сердцем? Или совсем другая часть, которую Кастанеда называл чувством собственной важности?

Разговор наш был недолгим. Ева заварила чай, я плюхнул на стол пакет с чертовыми лимонными дольками:

— Ну рассказывай.

Мне нравилось казаться спокойным, я вовсе не был уверен, что действительно хочу услышать какие-то подробности, но зато поток чужих слов послужил поводом к бездействию, за слова можно было уцепиться, как за альпинистскую обвязку, и вяло болтаться над пропастью.

Ева познакомилась с типом, похожим на пирата, на форуме путешественников. Я знал, что она давно мечтает поехать к перуанским шаманам, чтобы попробовать священную аяхуаску. Видимо, тип там уже побывал — может быть, изложил свои впечатления, прикрепил фотографии. Типы, похожие на пиратов, всегда хорошо выходят на снимках. Загорелый, в военный ботинках, в штанах с десятком карманов, туристическим топором, без которого в перуанских горных лесах делать нечего — не прорубишь себе дорогу среди переплетенных корней, стволов и лиан. Ева посмотрела на фото, тип ей понравился, она написала личное сообщение. Он ответил что-то остроумное, завязался разговор, естественным продолжением которого стало совместное распитие дрянного жидкого кофе, который подают в московских кофейнях. Ева увидела его, и он ей понравился.

Моей любимой женщине понравился тип, похожий на пирата. Ей было хорошо. Она провела замечательный вечер, а потом поняла, что помимо дружеской приязни есть еще и страсть. И с непосредственностью ребенка, пожирающего вредные конфеты, она немедленно свою страсть удовлетворила.

Моему любимому человеку было хорошо — отчего же мне тогда так хреново, отчего меня корежит и мутит? А вдруг это значит, что я люблю не саму женщину по имени Ева, а то состояние, которое испытываю рядом с ней? То есть, себя самого в состоянии влюбленности? А Ева просто запустила процесс моего самолюбия в его очередной извращенной разновидности? Люди ведь часто путают любовь с родственными ей, но куда более мелкими ощущениями.

В юности, когда я едва лишился девственности при помощи девицы с дурными манерами и колечком в носу, я совершенно очевидно путал любовь с возникающим почти каждую минуту желанием уединиться с объектом, запустить руки ей под футболку, гладить, мять и стискивать ее кожу, вдыхать ее запах, пожирать ее и испепеляться самому, чтобы потом восстать опустошенным Фениксом. Я был уверен, что люблю и что это навсегда, — на самом же деле просто желал красивую самку.

— И что же мы теперь будем делать? — наконец спросила Ева.

— Я не знаю, что будешь делать ты. Я собираюсь поехать на тренировку.

Когда я вернулся, Евы уже не было, ее пустой разверстый шкаф был похож на черную дыру.

В тот вечер мой повторяющийся странный сон был особенно тяжелым. Кажется, я даже научился распознавать, что это все не по-настоящему, однако выдернуть себя в реальность не получалось.

Во сне я был стареющей несчастной женщиной, потерявшей сознание в кафе; меня увезли в больницу, в мою вену впилась игла, затем другая. Когда я открыла глаза, надо мною был выкрашенный масляной краской потолок в трещинках, пахло мочой и вареной капустой.

Со всех сторон вздыхали, кряхтели, похрапывали — я находилась в палате как минимум на десять человек. Попробовала повернуть голову — тело не слушалось, было словно бы из камня высеченным. Каменное тело и живые испуганные глаза, и даже нет голоса, чтобы позвать на помощь.

Наконец кто-то заметил, что я пришла в сознание; позвали медсестру, потом и лечащего врача, те сначала все заглядывали в мое лицо, а потом почему-то начали вести себя так, словно меня не существует.

— Надо позвонить родственникам, — нахмурившись, сказал врач. — У нее в сумке, кажется, был мобильный. Прозвони по контакт-листу!

Медсестра кивнула и убежала, а врач наконец обратился ко мне, он старался говорить громко и медленно, словно я была интеллектуально неполноценной:

— Не волнуйтесь, мы постараемся вам помочь. Вы пока не в состоянии шевелиться, но мы сделаем все возможное.

И ушел. Ушел!

А я даже ничего промычать вслед ему не могла, даже рукой шевельнуть, чтобы остановить его. И поползли минуты. Никогда раньше я не думала, что время может казаться таким бесконечным, будто в медовом сиропе вываренным. Всю жизнь мне не хватало минут, всю жизнь провела впопыхах, не могла толком ни отдохнуть, ни выспаться, а сейчас об одном мечтала — чтобы ночь скорее пришла. Но и когда наконец заканчивалась очередная сотня лет и наступала темнота, и она не всегда становилась спасением — меня мучила бессонница. Я чувствовала себя и усталой, и не нуждающейся в отдыхе одновременно.

У меня никогда не было близких друзей. Честно говоря, большинство окружающих считали меня человеком неприятным; по твердому моему убеждению — из-за того, что я не стесняюсь говорить правду в лицо. Так было всегда — даже когда я была ребенком. Я считала себя волком-одиночкой, не нуждающимся во внимании других. И даже несколько свысока относилась к тем, кто не мог и дня прожить без того, чтобы поделиться подробностями мелких своих страстишек с теми, кто готов их выслушать. Вокруг меня кипела чужая эмоциональная жизнь: коллеги ссорились и жаловались друг на друга в курилке, влюблялись и советовались о какой-то чуши вроде того, какие трусы надеть на первое свидание.

А сейчас впервые в жизни мне захотелось рассказать кому-то о том, в каком аду я теперь вынуждена жить. Я вдруг поняла, зачем люди ищут сочувствия и внимания, — ты как будто откусываешь от своего горя кусочек и даешь его подержать кому-то, кто крепче стоит на ногах.

Но поделиться оказалось невозможно — язык стал чужим, я могла только издавать гласные звуки — наверное, это было похоже на речь первобытного человека. Неважно — я, может быть, и взглядом сумела бы рассказать все, только вот не находилось желающих меня послушать, принять на себя часть этой ноши.

Никто меня не навещал, врачи же относились ко мне как к бесчувственному куску мяса, они даже избегали смотреть мне в глаза. Нет, ухаживали за мною хорошо — никаких претензий. Три раза в день кормили через зонд, по утрам мыли, переворачивали, меняли памперсы.

Когда я уже потеряла счет времени, но по кусочку заоконного пространства поняла, что уже наступила снежная зима и город украсили новогодней иллюминацией, старшая медсестра поставила на мою тумбочку какой-то тюбик и сказала, что это швейцарская антипролежневая мазь, больнице выделили всего ничего, рекламная акция какой-то фирмы, и она решила помочь мне, потому что я одинокая. Если бы я могла заплакать в тот момент, я бы это сделала.

Просыпался я с тяжелым сердцем. Каждое утро ощупывал ноги, руки, несколько раз подпрыгивал у кровати. Какое чудо, это всего лишь сон, мрачный повторяющийся кошмар. Пусть у меня не получается от него отделаться, пусть даже сильное снотворное не помогает, но зато каждое утро я будто бы заново рождаюсь, обнаруживая настоящего себя — молодого, полного сил, красивого мужчину. Может быть, из-за этих снов я больше внимания начал уделять телу — мне хотелось чувствовать себя гибким, быстрым, способным высоко подпрыгнуть, сделать сальто, упасть в группировке и, как упругий мяч, отскочить от земли. Мне хотелось быть неуязвимым воином.

По утрам я тренировался в парке, по вечерам пересматривал азиатские боевики. Некоторые сцены — сотни раз, на замедленной скорости, пытаясь копировать движения актеров. Я подтянулся, тело стало сухим и крепким, взгляд — спокойным и жестким, походка — бесшумной, как у дворового кота.

Однажды на утренней пробежке со мною поравнялся незнакомый мужчина лет пятидесяти с небольшим — вида довольно невзрачного, но отличавшийся той особенной пластикой воина, к которой я и сам стремился. Некоторое время мы просто бежали молча, плечо к плечу, потом он заговорил, и я обратил внимание, что его дыхание остается спокойным, несмотря на нагрузку.

—Я давно наблюдаю за тобой. Если хочешь, могу научить кое-чему. Завтра в половине пятого утра, на этом же месте. В последний раз я учил кого-то сорок лет назад.

И убежал, оставив меня обескураженным.

Остаток дня я сомневался — не приснилось ли все мне? Маловероятно — последние полгода я не видел иных снов, кроме как тех, в которых был парализованной несчастной женщиной по имени Елена. С другой стороны, мужчина из парка не походил на обычного человека, и чем больше деталей его наружности рисовала мне память, тем больше я утверждался в этой мысли. У него не было запаха. Он столько километров пробежал по парку и даже не вспотел. У него было спокойное дыхание. И у него был такой взгляд, словно ему уже двести лет, а тело — молодое. Он не проявлял агрессии, но выглядел опасным.

На следующий день я пришел в парк в полпятого, как он и просил, чувствуя себя отчасти инфантильным дураком, который верит в глупые сказки. Но незнакомец уже ждал меня. На нем был простой черный спортивный костюм. Увидев меня, мужчина не удивился — поприветствовал меня коротко и сказал: «Сначала — мы пробежим километров двадцать, я посмотрю, насколько ты вынослив. Потом приступим к тренировке».

Я спросил, как его зовут, но он ответил, что это совершенно неважно, так как дружить со мною он точно не собирается.

Так у меня появился учитель. За тот год, что мы вместе провели, я так почти ничего о нем и не узнал. Видимо, он был намного старше, чем могло показаться, — иногда он упоминал какие-то события чуть ли не довоенного времени, вспоминал людей, которых давным-давно растворила старость.

Я знал, что мой учитель считает себя бессмертным. Знал, что он почти ничего не ест, спит максимум три часа в сутки и никогда не занимается любовью. Он был бесстрастным и мудрым, и все время говорил странные, с точки зрения обычного человека, вещи. Например, говорил, что истинная сила обретается полным отказом от ее применения. Говорил, что стоит стремиться только к знаниям, понимание же — придет само; что максимальная награда ждет того, кто работает вообще без жажды результата.

Мы занимались каждый день, в любую погоду. Первые два месяца были самыми сложными — мы работали над моей выносливостью. До встречи с Незнакомцем (мысленно я обращался к нему именно так) я наивно полагал, что нахожусь в хорошей спортивной форме. Но по сравнению с ним оказался жалким слабаком.

На некоторых тренировках мне хотелось заплакать от бессильной злобы — казалось, что никогда, ни при каких обстоятельствах, я не смогу обрести и сотой доли его способностей. Незнакомца веселили мои сантименты — сочувствовать он то ли не любил, то ли просто не умел. Он учил меня правильно дышать и не ощущать боли.

Однажды он сказал, что, если я буду продолжать есть мясо, он исчезнет из моей жизни навсегда. Через какое-то время я почти перестал чувствовать себя человеком. Мы были двумя волками — я и мой учитель. Только добычей, за которой мы охотились, было бессмертие, а не кровь.

Он рассказал мне о трех завесах, которые ограждают людей от понимания мира. Большинство из тех, кто увлечен мирской суетой, кто каждый день ходит в офис и принимает все это близко к сердцу, кто пытается найти свое место во всеобщей матрице — создать гетеросексуальную семью, как минимум каждую неделю заниматься сексом, и как минимум каждый год выезжать на пляж, прочесть это и это, купить то и то, мечтать о таком-то, а вот такое-то — считать по умолчанию аморальным, — находится за самой первой завесой, завесой Профанов. Если вырваться за ее пределы, можно увидеть мир настоящим, как в фильме «Матрица». Но этого недостаточно. Следующая завеса ограждает странника от Гармонии. Если у тебя хватит сил пересечь последнюю завесу — перед Бездной, — перестанешь быть человеком и присоединишься к богам.

Я привязался к нему, как к родному отцу, и мне было стыдно за это чувство, потому что Незнакомец говорил, что любовь к миру может ощутить лишь тот, кто перестал любить отдельных людей. Мне так хотелось быть на него похожим. Больше всего на свете я боялся, что настанет день, когда он исчезнет из моей жизни и я уже никогда не смогу его отыскать.

Он научил меня спать на холодной земле и при этом высыпаться так качественно, словно я провел ночь в объятиях пуховой перины. Конечно, я рассказал ему о моих странных снах, о чужих воспоминаниях, о женщине по имени Елена, которая жила где-то глубоко внутри меня и которая меня так жестоко мучила. Незнакомец выслушал, нахмурившись, а потом сказал, что я очень сильно разочаровал его, потому что бессилен тот, кто не умеет контролировать сны.

И через полгода Елена перестала появляться в моем сознании.

А однажды настал тот день, которого я и боялся, и ждал. Это случилось в конце марта — уже пахло солнцем, сугробы почернели и скукожились, как умирающие медузы, но ветер был еще ледяным, и люди были одеты по-зимнему. Мы же с Незнакомцем носили простые спортивные костюмы, наша кожа чувствовала лишь прикосновение воздуха, но никогда не воспринимала его как жар или холод.

В то утро, едва увидев Незнакомца, я сразу подумал: что-то произойдет. Он специально не учил меня тонкому искусству предчувствия, оно окрепло само собою — просто в какой-то момент я начал ощущать свое тело и сознание сложнейшим идеально настроенным механизмом, алхимической гармонией взаимосвязей.

У меня упало сердце, но я попытался сохранить бесстрастное выражение на лице — однако, конечно, Незнакомец заметил мою тревогу. В тот день я впервые увидел его улыбку. Удивился — и вдруг понял, что его эмоциональная отстраненность не имела ничего общего с холодностью, как мне иногда казалось. Это была отстраненность человека, познавшего сотни тончайших оттенков чувств, человека, чье восприятие настроено намного более тонко, чем у большинства, — настолько тонко, что все понятные среднестатистическому человеку чувства он отвергал, как гурман отвергает жареную в прогорклом жире картошку из придорожного кафе.

— Дальше ты пойдешь один, — сказал он. — Я научил тебя почти всему, что умею сам. Когда я встретил тебя, ты был обычным человеком — разве что чуть более нервным и амбициозным, чем следовало бы. Ты, конечно, не стал таким, как я. Однако мой путь — это почти сотня лет, твоему — нет еще и года. Я научил тебя не чувствовать холода и боли, прыгать с большой высоты, падать на землю и не ломать кости, драться так, как дерутся боги, быть легким и сильным. Осталось самое последнее. Сегодня ты видишь меня в последний раз, и я буду учить тебя летать.

— Что? — растерялся я. Я ожидал все, что угодно, только не это.

— Неужели я тебя переоценил? — Улыбка исчезла с его лица. — Если ты отказываешься, мы простимся прямо сейчас.

— Нет, нет! — вскричал я.

— Ну вот и хорошо. Значит, идем. Бегать сегодня не будем, тебе понадобятся все твои силы.

Я удержался от вопросов — знал, что лишние разговоры кажутся ему шелухой. Он привел меня к обычной многоэтажке на краю парка, в котором мы тренировались столько дней. Вслед за ним я вошел в обшарпанный подъезд, лифт вознес нас на самый последний этаж, и там, все так же молча, Незнакомец поднялся по шаткой металлической лестнице, ведущей на крышу, которая оказалась не заперта.

Я следовал за ним. Мне было немного страшно. Я не мог поверить в прямоту фразы — «я буду учить тебя летать» — и надеялся на подтекст. Например, что речь идет об осознанных сновидениях или хотя бы затяжном парашютном прыжке. Он спиной почувствовал мой страх и тут же обернулся:

—Я не хочу тебя заставлять. Ты можешь отказаться в любой момент. Это ничего для меня не значит.

Мне стало немного обидно. Да, я эволюционировал, но от привязанности к Незнакомцу избавиться так и не смог. На тренировках я часто пытался найти хоть нотку одобрения в его взгляде, устремленном на меня. Мне бы хотелось, чтобы он мною гордился, чтобы смотрел на меня, как отец смотрит на сына:

—Я не остановлюсь.

—Хорошо. Тогда ты должен лечь. Я объясню, что делать дальше.

Я послушно улегся прямо на крышу. Она была вся в снегу. Незнакомец наклонился надо мной и пристально посмотрел в мои глаза. У него был странный цвет глаз — в иные моменты мне казалось, что они серые, но сейчас я видел только черноту. Он молча смотрел на меня, и я послушно ждал, что будет дальше. Месяцы, проведенные рядом с ним, научили меня ценить молчание. Перебивать чужое молчание столь же неприлично, как и перебивать чужой разговор.

—Ты уже понял, что потолок существует только для тех, кто не в состоянии увидеть небо, — наконец заговорил Незнакомец. — Для тех, кто не чувствует себя в безопасности, когда не видит границ. Я надеюсь, что ты либо перешагнул то состояние, когда без потолка невозможно жить, либо вот-вот это сделаешь. На самом деле мир — это иллюзия, большая голограмма. Почему одни люди уже в тридцать лет похожи на кучу мусора, а у других и в семьдесят свежий взгляд и дыхание тоже свежее? Потому что времени не существует! Эти люди просто живут в разных измерениях. Первые проматывают минуты, а вторые — смакуют их. Почему один человек может сделать сальто назад, а другой — испугается? Нет, дело не в возможностях тела. Тело же всегда следует за сознанием. Почему один человек никогда не болеет, а другому стоит посидеть под кондиционером — и он весь в соплях? Да потому что не существует никакой реальности — все только в голове. Ты это уже понял. Но на практике еще не применял. Это и неважно. Понимание — девяносто процентов успеха. Ты же, надеюсь, усвоил разницу между знанием и пониманием?

Я хотел кивнуть, но тело не слушалось. Стало каким-то тяжелым, как будто я весил триста килограммов. Слова Незнакомца погрузили меня в транс, мир сузился до одного его лица. Ничего больше не существовало и ничто не имело значения — кроме слов, которые он говорил мне.

—Помнишь твое первое двойное сальто? Ты говорил, что не сможешь. Ты не акробат, у тебя никогда не было такого опыта. Тебе было страшно. Тебе так хотелось мне доверять, но какая-то часть тебя все равно боялась, что сейчас ты сломаешь шею. Мы тысячу раз прокрутили этот прыжок в воображении. Я точно знал, что ты готов, что ничего с тобой не случится. И у тебя все получилось. Двойное сальто, с самого первого раза. Полет — то же самое. Сейчас тебе кажется, что это невозможно. И какая-то твоя часть боится, что ты просто сорвешься с крыши и упадешь. Но если ты будешь верить мне, будешь со мной до конца, этого не случится. Ты просто станешь другим — тем, кто больше никогда не увидит потолок вместо неба.

Я молчал. Все мысли куда-то испарились. Я знал, что Незнакомец владеет техниками гипноза. Я просто смотрел на него, я видел его спокойное лицо и низкое серое небо за его головой, я не мог пошевелить даже пальцем.

— Понимаю. — Он словно подслушал мои мысли. — Я нарочно это сделал. Сейчас ты должен преодолеть себя и подползти к краю. Это будет трудно. Мы с тобой часами бегали, я заставлял тебя бежать до тех пор, пока сознание не покидало тебя. Но это все равно не было так трудно, как будет сейчас. А когда ты подползешь к самому краю, все, что будет нужно сделать дальше, — не остановиться. В том числе в мыслях. Просто сделать это. И тогда ты полетишь. Ты станешь одним из нас.

Впервые Незнакомец употребил загадочное «мы» по отношению к себе, а я даже не мог спросить у него, что это означает, кого он имеет в виду.

Он отошел, и я понял, что слов больше не будет. Мое тело было каменным, я ощущал себя Сизифом, не вполне понимающим, есть ли в его ноше смысл. С большим трудом я перевернулся на живот — давно мне не приходилось чувствовать себя таким усталым.

Я знал, что Незнакомец смотрит на меня. Очень хотелось остановиться, перевести дух. Но я понимал, что этого делать нельзя. Подтянувшись на руках, я пополз. Каждое следующее движение давалось тяжелее предыдущего. От края крыши меня отделяло каких-то десять метров, но их преодоление стало самым сложным испытанием в моей жизни. Я чувствовал тремор мускулов, я чувствовал, как крупная капля пота щекочет щеку. В глазах потемнело, изо всех сил я цеплялся мутным сознанием за реальность, чтобы не упустить ее, не провалиться в темную яму. И вдруг возле уха прозвучало: «Молодец. У тебя все получится».

Кажется, это была первая похвала, которую я услышал от Незнакомца, и она придала мне сил. Теперь я точно знал — он не подведет. Я сделаю это. Мне бы только доползти, и, без тени сомнения, вопреки всем законам привычной физики, я устремлюсь вверх. Я доверял Незнакомцу, как малыш доверяет матери, которая зовет его к себе. Чувствовал себя под его защитой. И вот наконец мои руки уткнулись в невысокий бортик, за которым крыша заканчивалась и начиналась пустота.

Подтянувшись на руках, я взглянул вниз — земля была далеко-далеко. Почему-то мне не было страшно. Одним рывком я преодолел последний барьер и полетел. Внизу раздался чей-то истошный визг, но мне было все равно — впереди было только небо.

— Убилась! Убилась!

— Позовите кто-нибудь врача, тут же больница! Из какого корпуса она выпрыгнула? Из неврологии что ли?

— Да какой, на хрен, врач, она же мертвая: смотрите, сколько крови...

Вокруг распластавшегося на асфальте тела собиралась толпа. Из окна выпала женщина — немолодая женщина с усталым лицом, одетая в больничную ночную рубашку. От удара об асфальт тело ее приняло форму свастики — руки и ноги были согнуты под неестественным углом; на грязном снегу расползалась лужа темной крови.

Некто в хирургическом костюме, растолкав толпу, протиснулся к ней, присел на корточки возле, запустил руку в окровавленные рыжие волосы, попытался найти пульс, предсказуемо не нашел, нахмурился, покачал головой. Он выглядел скорее удивленным, а не расстроенным.

—Но как же это вообще могло произойти... Она же была полностью парализована... Ее кровать находилась далеко от окна. Она даже рукой не могла пошевелить — как же ухитрилась доползти до подоконника?

Лицо мертвой женщины казалось спокойным, безмятежным и даже, пожалуй, красивым. Не было в нем ни страха, ни невротического предвкушения желанной кончины, ни переживания боли — ничего, что делает мертвые лица такими страшными для живых. Только потусторонняя красота и ясная уверенность в том, что все впереди.

КРАСНАЯ ШАПОЧКА
(Новая старая сказка)

Мать сказала семнадцатилетней Дарье:

— Съезди в бабушкину квартиру, забери шкатулку с украшениями, а то моя сестрица опомнится после похорон и завтра же утром примчится за ними. Как пролежни матери протирать, говно выносить и выслушивать упреки, так она, видите ли, занята в офисе. Если такая занятая, могла бы и сиделку нанять. Но нет, все мне пришлось делать, мне одной. А как золото делить, так она первая. Уже спрашивала, не знаю ли я, где брошка с топазом? Ей на память, видите ли. Смешно. Какая, скажи на милость, память? Она же мать не выносила, общались как кошка с собакой последние лет пять! На память я ей распечатаю фотографию. Вот ей, — и женщина потрясла перед усталым лицом Дарьи красными обветренными пальцами, сложенными в кукиш. — Возьми на тумбочке ключи и ступай немедленно. Шкатулка у бабушки в комнате, в верхнем ящике трюмо... Да, и если что еще захочешь взять, не стесняйся. Завтра все растащат.

Дарья устала до слабости в коленях, но ослушаться мать не решилась. Было холодно и тошно. Длинные, как сама вечность, дни. Накануне в пять утра девушку разбудил короткий резкий звонок телефона — еще не окончательно стряхнув морок сна, она поняла, что случилось что-то плохое. Таким тембром и в такое время звонит только Смерть. Это она и была — голосом Дарьиной матери. Ничего неожиданного.

Бабушка последние восемь месяцев провела прикованной к постели — неоперабельная опухоль печени, медленно угасание, и последние дни ее лечащий врач настоятельно советовал договориться с похоронным агентом заранее.

Последние недели мать оставалась на ночь в бабушкином доме. Метастазы проросли в мозг и уничтожили гигабайты информации, копившиеся годами, — бабушка стала пустой и наивной, как младенец. Ей было обидно и страшно спать одной. Она начинала плакать — не тихо и горько, как это делают взрослые, а протяжно, во всю силу охрипшего горла.

Соседи сначала сочувствовали, а потом начали жаловаться и угрожать принудительной психиатрической госпитализацией. Их тоже можно было понять — утром на работу, а за стеной часами воют, да так страшно. Счет шел не на недели, на дни — и все равно, когда мать позвонила на рассвете и произнесла короткое: «Ну, всё», у Дарьи сжалось сердце. Надежда на чудо — опора идиотов, подумала она.

Она хотела сразу же поехать к бабушке, но мать запретила вызывать такси — и так на похороны куча денег уйдет. Пришлось дождаться открытия метро. Когда она появилась на пороге, бабушку уже увезли.

В глубине души Дарья обрадовалась — ей было бы не по себе подойти к бабушкиной постели и увидеть ту мертвой. Мертвое лицо на старомодной знакомой наволочке в мелкий цветочек. Мать сначала целый час названивала то одному, то другому, потом ругалась с родной сестрой по поводу поминок, потом они вместе ездили в бюро ритуальных услуг покупать гроб, венки и похоронные туфли, потом заказывали отпевание.

Утром следующего дня состоялись и похороны. Быстро — потому что место на кладбище уже было, а бабушкины друзья давно лежали в могилах — большие поминки собирать было бессмысленно. Дарья решила не смотреть на бабушку в гробу, отвести глаза, но когда все по кругу шли прощаться к гробу, не выдержала.

Гример поработал хорошо — мертвая бабушка выглядела лучше, чем в последние дни жизни. Ровный цвет лица, даже румянец, подкрашенные губы склеены в полуулыбке. На бабушке было платье, которое давно покойный дед подарил ей еще в семидесятые, — из постреливающей плотной синтетической ткани, цветастое, в пол, как было модно в те годы. Бабушка его любила и берегла. В морге спросили: «А вы уверены, что в таком пестреньком хорошо будет? Обычно темное приносят». Но мама и Дарья настояли на своем — плевать на условности, хоронить следует в любимом и лучшем.

Пожилой священник ходил вокруг гроба, помахивая кадилом, из которого поднимался густой ароматный парок. Дарье было нехорошо в духоте, она не поняла ни слова из тягучей речи священника.

Потом гроб погрузили в старенький пыльный автобус, и по дороге на кладбище ей пришлось заткнуть уши плеером, потому что от набирающей обороты ссоры между матерью и ее сестрой хотелось завыть. Так было всю жизнь, сколько Дарья себя осознавала, — разве что глаза друг другу не выцарапывали. Иногда она молилась Богу, в которого не особо верила, — спасибо, мол, что хотя бы у меня нет ни братьев, ни сестер и мне некого так отчаянно ненавидеть. Потому что ненависть выжигает душу, и Дарьина мать была живым доказательством тезиса. Она родилась и росла красавицей, но уже к сорока даже глаза ее побелели и выцвели, даже волосы стали какими-то пегими и тусклыми, а кожа — желтоватой и тонкой, как будто бы кто-то уничтожал ее слой за слоем изнутри.

Первый ком земли бросила мама, затем — ее сестра, потом дошла очередь и до Дарьи. Земля была рыхлой и влажной, с глухим стуком комки упали на крышку гроба. Какое-то время присутствовавшие молча постояли над могилой, потом мать кивнула нанятым парням с лопатами, и те за несколько минут забросали зияющую яму землей.

Поминки запомнились руганью, что было вполне предсказуемо, — Дарья давно овладела искусством отсутствия. Тело ее сидело за столом, лицо сохраняло выражение вежливой доброжелательности, она могла даже улыбнуться, сказать что-то вроде «да», «нет» или «передайте, пожалуйста, хлеб», но мысли ее были где-то далеко-далеко.

И вот наконец все закончилось, и они вернулись домой на метро, и все, что хотелось Дарье, — постоять четверть часа под струями горячей пахнущей хлоркой воды, а потом забыться сном, но мать вручила ей ключи и велела забрать шкатулку. И в глубине души Дарья понимала, что доля правды в этой просьбе, которая со стороны могла показаться шакальей, была. Бабушка хотела бы, чтобы ее скудное, но все-таки золото досталось ей, Дарье. И ее матери. А не второй сестре, которая почти никогда не появлялась в ее доме.

В метро Дарья читала какую-то книгу — машинально, чтобы не уснуть. Прогуляться несколько кварталов до бабушкиного дома было даже приятно, несмотря на то, что моросил дождь. По дороге она зачем-то купила сигарет и, остановившись под козырьком какого-то подъезда, подожгла одну и сделала несколько неумелых коротких затяжек. Дарье было семнадцать, и сигарета воспринималась опорой, символом взрослости и даже почти спасательным кругом.

У бабушкиного подъезда встретила соседку, та поохала, промокнув сухие глаза краешком рукава. «Отмучилась, несчастная, царствие ей небесное!»

Ключ вошел в замок, но поворачиваться не хотел — что-то ему мешало, как будто дверь была заперта изнутри. Дарья заметила, что в дверном глазке — свет, и устало вздохнула. Неужели мать недооценила свою сестру, неужели та не поленилась приехать за драгоценностями сразу после поминок? Да ладно бы еще это были настоящие «драгоценности», но то, чем владела бабушка... Это просто смешно.

Немного потоптавшись под дверью, борясь с желанием развернуться и уйти, она все-таки надавила на звонок, и тот задребезжал под ее пальцем. В коридоре послышались шаркающие шаги, и Дарья нахмурилась — звук показался ей смутно знакомым, и это совсем не было похоже на походку маминой сестры, сухощавой энергичной женщины, в облике и повадках которой проглядывало что-то птичье.

Глазок потемнел, Дарья показала ему язык, зная, что тусклая лампочка освещает ее сзади, значит, выражение лица сокрыто мраком, различим лишь силуэт.

Наконец дверь осторожно открылась, и Дарья оказалась нос к носу... с бабушкой.

В первый момент она скорее удивилась, чем испугалась, — как же так, что это за чертовщина?

На бабушке был байковый халат, очки, войлочные тапочки, лицо ее выражало растерянность. Но этого никак не могло быть. Во-первых, бабушка была больна, она не только не ходила, но в последний месяц даже не могла сесть и откинуться в подушки — так и лежала бревном. Во-вторых, Дарья была на ее похоронах. Она подходила к гробу, она видела бабушкино неестественно нарумяненное мертвое лицо. У разверстой могилы гроб открыли в последний раз. Затем Дарья видела, как крышку приколотили массивными гвоздями. Она сама бросила горсть земли. Она стояла у могилы до тех пор, пока на ней не вырос холмик, на который они положили еловый венок с вплетенными в него пластмассовыми пионами и лентой с пошловатым «Любим и помним».

Самое рациональное объяснение — она, Дарья, сошла с ума. Почти не спала двое суток, вот и начались галлюцинации. Или... Нет, никаких «или». Не могла же бабушка пробить кулаками гроб, выбраться из могилы, попутно исцелившись, вернуться домой и пить вечерний чай как ни в чем не бывало. А сестры-близнеца у нее не имелось.

Все эти мысли за одно мгновение промелькнули в голове побледневшей Дарьи.

—Дашенька? — Бабушка беспомощно похлопала ресницами и отерла влажные руки о подол халата. — Что-то случилось? Почему ты так поздно?

—Я... Ты... — Дарья попятилась.

— С мамой поругалась, что ли? Она хоть знает, где ты?.. Да ты проходи, что на пороге стоять!

На подкосившихся ногах Дарья вошла в знакомую квартиру, в которой по необъяснимой причине больше не пахло тяжелой болезнью — лекарствами, мочой, которой пропитался матрас, дешевыми ароматическими свечками, которые были куплены, чтобы перебить все прочие запахи, но от них стало только гаже. Нет, теперь здесь стоял запах жареного теста — до болезни бабушка любила чаевничать по ночам, поджарив кучку оладьев, и плевать ей было, что врачи ругают ее за повышенный холестерин. Чтобы не упасть без чувств, Дарье пришлось ухватиться за стену и сползти по ней на пол. В глазах было темно.

Бабушка выглядела не менее испуганной, чем она сама:

— Даша... Что случилось?! Тебе нехорошо? Ты не пила?

— Нет... — побелевшими губами пролепетала она. — Нет, все в порядке, только вот...

— Только вот что? — Бабушкино лицо было совсем близко, и Дарья потянула носом: нет, никакой мертвечины, никакого ладана, земли и воска, обычный бабушкин запах.

Вдруг ей в голову пришла идея:

— Какое сегодня число?

У бабушки вытянулось лицо:

— Дашенька, ты что-то приняла? Это наркотики, да?

— Ничего я не принимала. Ответь, какое число?

— Девятое октября, конечно, — растерянно ответила бабушка. — Может быть, вызвать врача? Хочешь, я позвоню твоей матери?

Девятое октября. День, когда ее похоронили. А восьмого Дарьина мать стала свидетелем ее последнего вздоха. В свидетельстве о смерти так и написано: дата смерти — восьмое октября.

Дарья расшнуровала ботинки, сняла куртку. Несмотря на сюрреализм происходящего, она отчего-то не чувствовала себя в опасности. Все же перед ней была ее бабушка, знакомое родное лицо.

Девушка прошла в кухню — на столе стояла тарелка с горкой оладушков. Разве мертвые умеют печь тесто? Бабушка поставила чайник. Дарья вспомнила день, месяцев четырнадцать назад, когда она вместе с матерью вот так же вечером сидела на этой же кухне, а бабушка подливала им чай и говорила, что такая опухоль в наши дни — не приговор, что выкарабкиваются люди, которым повезло куда меньше, а у нее всего вторая стадия, и семьдесят лет — не «возраст», и вообще — самое главное позитивный настрой. Дарья следила за бабушкиными руками — вот та моет чашку, насыпает заварку из банки, добавляет сначала кипяток, потом сахар...

Ногти у бабушки были длинные и какие-то желтые. Это показалось Дарье странным. Бабушка всегда стригла ногти под корень, она и в молодости не отличалась склонностью к самоукрашательству. У нее было всего одно нарядное платье — в котором ее и хоронили.

«Хоронили» — мелькнувшее в сознании слово отозвалось холодком под ложечкой.

Бабушка поставила перед ней чашку, положила вишневое варенье в одну пиалу и сметану — в другую. Дарья любила так с детства — отламывать от оладушка по кусочку и макать их сначала в сметану, а потом — в варенье, но только чтобы две субстанции не смешивались.

Оладьи были вкусные, ноздреватые, и Дарья вдруг осознала, что нечеловечески голодна, — в последние дни кусок в горло не лез, и она перехватывала что-то машинально, чтобы поддержать силы. Бабушка сидела напротив и с умилением смотрела, как она ест. И, как обычно, приговаривала:

— Вот как наворачивает, как будто дома ее не кормят. И неудивительно, что отощала так. Была таким пончиком, кровь с молоком, а стала скелетиной.

Монотонная речь и теплое тесто имели эффект усыпляющий — веки Дарьи словно теплой кровью налились, захотелось хоть несколько минут вздремнуть, привалившись головой к стене, она несколько раз зажмурилась и затем открыла глаза, чтобы согнать сон. Бабушкины глаза блестели в полумраке.

Дарье хотелось и понять, что происходит, и подольше остаться в том альтернативном мире, где бабушка жива. Ей было не по себе — и от того, что она сидит в этой кухне и кусок за куском кладет жареное тесто в рот, и от того, что все это может в любой момент исчезнуть так же необъяснимо, как и появилось.

— Дашенька, да что с тобой сегодня? — Бабушка слишком хорошо ее знала, умела читать по ее лицу. — Я ведь вижу, ты расстроена.

— Ба... А у тебя когда-нибудь было так, что ты не понимаешь, спишь ты или нет?

— Что ты имеешь в виду?

Даша залпом допила переслащенный чай, но вот рту все равно было сухо:

— Ну вот например... Умер кто-то, а на следующий день ты встречаешь его живым и веселым. И не можешь понять, что неправда — то ли тебе сон дурной про его смерть приснился, то ли ты так страстно желал вернуть мертвого, что сошел с ума? Вроде бы, и то настоящее, и это. Но не могут же обе такие вещи настоящими быть...

Бабушкин взгляд уткнулся в изрезанную, выцветшую и неоднократно прожженную папиросами давно покойного деда скатерть. Она вздохнула так печально, что Дарье на какое-то мгновенье показалось: а ведь бабушка понимает все.

— Было у меня однажды такое... Только вот дело очень уж давнее, молодая я была.

— Расскажи! — потребовала Дарья.

Бабушка как-то вся сжалась и скукожилась, как будто бы была пластилиновым человечком, способным принять любую форму.

— Ба... Ну пожалуйста!

— Да в сорок втором году это было, что сейчас и вспоминать... Вообще жизнь другая была. В деревне нашей не осталось почти никого. И вот однажды пришли *они*. Их было немного — может быть, десять человек. Молодые все такие, холеные, выбриты гладко, в новеньких шинелях. Смеялись, а зубы у всех белые. Я давно смеха человеческого не слышала. С тех пор, как из мужчин в деревне остался только калека-конюх. Мы с подружкой спрятались за сеновалом, подсматривали за ними. Молодые парни, красивые, все светленькие. Мне пятнадцать лет было, а подруге моей — восемнадцать уже... *Они* о чем-то разговаривали, как будто бы и не было никакой войны. Как будто в сельский клуб на танцы пришли. И вдруг один из них взял и в корову выстрелил. Корова там стояла, уже не помню, как звали ее. Соседская. Она повалилась на бок, как мешок с мукой. А они продолжали болтать. Просто так убили ведь, шутки ради.

То ли куда-то не туда попали ей, то ли она жить хотела — очень долго в судорогах билась. А они даже не смотрели на нее. И я поняла, что если мы прямо сейчас, немедленно, не убежим в лес — как есть, босиком, — то нас, как эту корову, пристрелят. И всех остальных тоже перебьют, и мы уже ничего не сможем сделать. Они по деревне пошли. Мы услышали еще выстрелы. Я говорю подружке: бежим! А она почему-то упираться начала. Говорит: мол, ну и куда же мы там денемся, ночи уже холодные, мы замерзнем насмерть, а они, может, нас и не тронут. Возьмут еду и уйдут своей дорогой, на кой мы им сдались. Я ее за руку тяну, прямо возле нас корова бьется в пыли, никак душу выпустить на волю не хочет. Ну и нашу возню услышал один... Товарищи его уже вперед ушли, а он почему-то остался. Очень красивый был парень, я потом всю жизнь его лицо помнила. Я никогда таких не видела — как будто картинка ожившая. Высокий, плечи широкие, а глаза такие светлые, что белыми кажутся. Он в два прыжка рядом с нами оказался, мы глазами встретились, и я, сама не зная почему, улыбнулась ему. Знала, что враг он, но улыбнулась почему-то. А он как будто бы мимо смотрел. В его руке нож оказался вдруг — откуда взялся, я и не разглядела. Он одним движением полоснул, и вот уже подружка упала моя — как та корова, в пыль. Живот он ей вспорол. Но ей повезло больше, чем корове, — она сразу отошла. Может, и понять не успела, что случилось. Я от них отпрыгнула, а он уже ко мне идет, и нож блестит в его руках... Ну и не знаю, что на меня нашло. Я никогда боевитой не была. Обычная девчонка, от горшка три вершка.... Как будто бы кто-то подсказывал мне, что делать. Я к стене отбежала, там вилы стояли —

схватила их и ткнула в него. Может, не ожидал он, что девчонка отпор даст, а может, повезло просто мне. Я никогда раньше не думала, что это так просто и быстро — человека убить. Что такие мы, люди, хрупкие. Вилы в него вошли как в масло. Помню, он так удивленно и уже невидяще на меня взглянул, а потом у него изо рта кровь хлынула, темная, черная почти. Тут я вилы из рук выпустила и понеслась, дороги не видя. Понимала, что если поймают меня, то легкой смертью за такое не отделаться. Но никто за мною не гнался. И вот я добежала до леса, а что дальше делать — не понимаю. Ходила как в тумане. Вернешься — умрешь, останешься — тоже умрешь. Безысходность такая. Днем еще ничего было, а вот ближе к ночи окоченела я. Ног босых уже не чувствовала. Кое-как устроилась под деревом, умирать приготовилась. В голове так мутно было. Тело все тряслось — согреться пыталось. И вот я уже почти без сознания, и тут слышу — шаги. Я затаилась, смотрю из-за дерева... А уже смеркается, видно плохо. Но хорошо, что вечер ясный был и луна уже взошла. И когда я увидела, кто это идет, я не смогла крик в горле удержать.... Выдала себя. Но мне было уже все равно... Тот солдат это был, которого я вилами проткнула. Сначала я подумала — обозналась, может быть. Может быть, просто похож. Они же все как на подбор были — высокие, плечистые, светловолосые. Как будто бы братья. Но он ближе подошел, и я ахнула — он, это был он, никаких сомнений. Те же беловатые глаза, та же родинка на щеке, тот же немного отстраненный взгляд. Он. Но живой. И шинель целая. У меня колени ослабели, я как подкошенная в мох рухнула. Голову руками прикрыла и зажмурилась, как при бомбежках. Поняла, что убьет он меня теперь.

Но ничего не происходило. Я глаза открываю — стоит. И смотрит на меня. Молодой совсем, серьезный мальчик, и кожа у него синеватая в свете луны. Я ему шепчу по-русски — отпустите, мол, меня. А он не понимает и отвечает что-то по-немецки. А потом вдруг свою шинель снимает и мне протягивает. Увидел, что я вся синяя от холода уже. Хотя я сама перестала что-то чувствовать — так перенервничала. Если бы не он и не его шинель — я бы точно не проснулась следующим утром... Я так подумала — может, провинился он чем и свои же его прогнали... Но я мало что соображала, от холода спать очень хотелось. И он с улыбкой на меня посмотрел, а потом руку протянул и закрыл мне глаза ладонью — спи, мол. Сел рядом со мной, на мох. И приобнял меня. Мне пятнадцать лет было, и меня никогда раньше парень не обнимал. Это было последнее, о чем я подумала. Отключилась, как будто бы по голове меня ударили. Не знаю, сколько времени прошло, но проснулась я от того, что кто-то меня за плечо тряс. Открываю глаза, а надо мною мужики незнакомые склонились. «Откуда ты тут и взялась, одна в лесу и с мертвым немцем в обнимку?» — по-русски говорят. А я только глазами хлопаю, не понимаю ничего. Почему с мертвым, он же живой был, теплый, улыбался мне. И вдруг вижу — рядом что-то валяется, как будто бы тюк, и над ним мухи кружат. Пригляделась, а это он. Лежит лицом в землю. Кто-то из мужиков его сапогом перевернул. У него весь подбородок в запекшейся крови был и губы — изо рта кровь шла. И на шинели четыре черные дыры, от вил моих. Я мужикам честно все рассказала, а они пожалели меня. Дали воды и хлеба, отвели обратно в деревню. *Те* оттуда уже ушли, и я смогла вернуться домой. Но что это было, до сих пор не понимаю. Ладно, пусть мне привиделся солдат, но почему тогда его тело возле меня нашли? Он был уже мертвый, когда я убегала. И перенести не мог никто. До сих пор не понимаю. А зачем ты спросила, Дарьюшка? Ты тоже мертвого увидала?

— Нет, ба, я так...

— Бледненькая ты и сонная. Вот что, домой уже поздно, да и волноваться я буду, если поедешь. Давай я тебе тут постелю.

Дарья вяло согласилась. Пройдя в гостиную, она отметила, что тут все изменилось — не было ни раскладушки, купленной специально для сиделки, ни пластиковой тумбочки, на которой стояли лекарства, ни штатива капельницы. Этот дом не был тронут болезнью; здесь царил тот особенный сорт уюта, который часто нравится старикам — ковер с проплешинами на стене, полированная «стенка», за стеклом которой — фарфоровые фигурки балерин и клоунов, на подоконнике, раскинув лапы, красовалась драцена в керамическом горшке.

— Я тебе на бывшем дедовом диване постелю, — суетилась бабушка.

Дарье уже было все равно — она даже почти смирилась с новой реальностью, в которой выходило, что она сошла с ума и пережила то, чего на самом деле никогда не случалось. Мелькнула ленивая мысль — а может быть, матери позвонить? Что она обо всем этом скажет? Но бабушка вдруг сказала:

— А мать твою я предупредила уже. Пока ты руки мыла. Она сказала, что ляжет пораньше спать, раз уж ты сегодня не придешь. Говорит, ты до ночи музыку слушаешь, мешаешь ей.

— Да ничего я не мешаю, у меня вообще наушники, — буркнула Дарья.

Наконец бабушка оставила ее одну, удалившись в дальнюю маленькую комнату, которая служила ей спальней. Дарья разделась до трусов и футболки и юркнула под одеяло. Удивительно, но едва у нее появилась возможность отдохнуть, сон как рукой сняло.

Ночь была ясная, молочный лунный свет падал на кровать. Она подумала, что надо бы встать и задернуть шторы, но вдруг что-то заставило ее обернуться к двери. Говорят, большинство людей могут чувствовать чужой взгляд, даже если им в спину смотрят. Вот и Дарья почувствовала. У двери в комнату была стеклянная створка — Дарья глянула, и ее словно током на кровати подбросило. С другой стороны двери, в темном коридоре, стояла бабушка, на ней была простая белая ночная рубашка, седые поредевшие с возрастом волосы раскиданы по плечам, а лицо — прижато к стеклу. Дарье показалось, что глаза у бабушки какие-то странные, белые, без зрачков.

Бабушка поняла, что Дарья заметила ее, медленно подняла руку и ногтями провела по стеклу. Голова ее как-то по-птичьи наклонилась набок, она напряженно опустила нижнюю губу, а верхнюю — наоборот, подняла, продемонстрировав два ряда крупных желтых зубов, как будто бы находилась в кабинете у протезиста. Не улыбнулась, не оскалилась угрожающе, а просто показала зубы.

«Она знала, с самого начала знала все, — промелькнуло в голове у Дарьи. — Все это был спектакль, она знала, что мертвая».

Бабушка не делала попытки войти в комнату, но и не уходила — так и стояла, прижавшись лицом к стеклу, и в упор смотрела на Дарью. Та перешла в другой угол комнаты — бабушкино лицо повернулось к ней.

Дарья вдруг вспомнила, что на кухонной двери есть замок — можно закрыться изнутри. Только вот как попасть в кухню, если *оно* — прямо возле двери, как мимо *этого* пройти? А с другой стороны, если *оно* хочет Дарью атаковать, почему же ничего не делает, почему просто стоит и смотрит? В конце концов, девушка решила, что бездействие разрушает ее намного больше любого необдуманного поступка.

Зачем-то вооружившись хрустальным графином, взяв его за тонкое горлышко, как гранату, она на цыпочках подкралась к двери. Белая тень бесшумно метнулась куда-то вбок, мертвая бабушка то ли уступила ей дорогу, то ли манила в ловушку, причем второе было похоже на правду куда больше, чем первое. Затаив дыхание и держа графин, который был скорее психологической защитой, этаким атрибутом позы воина, на вытянутой руке, она открыла дверь и осторожно выдвинулась в коридор.

Никого.

Кухня всего в двух шагах, и нервное напряжение подобно ковру-самолету в прыжке пронесло Дарью над паркетом. Через секунду она уже плотно закрыла дверь кухни и заперла ее на замок. Сердце колотилось как у марафонца. Что делать дальше, Дарья не понимала. Взять нож? Высунуться в окно и позвать на помощь прохожих? Попробовать кинуть какую-нибудь чашку в окно соседей в надежде их привлечь? Просто тихо ждать рассвета?

Она решила до кого-нибудь докричаться. Окна кухни выходили на улицу, на которой, несмотря на поздний час, случались прохожие. Дарья щелкнула выключателем, кухню залил мертвенный свет энергосберегающей лампочки. И сначала девушка боковым зрением отметила какое-то копошенье и только потом подняла взгляд и увидела ее. Бабушку.

Та сидела на подоконнике, скрючившись и прижав колени к груди, ее ступни почему-то были все в комьях земли. Смотрела она прямо на Дарью, а когда поняла, что и та ее видит, снова широко открыла напряженные растянутые губы, при этом оставив зубы сомкнутыми. Первым импульсом было выбежать из кухни — там ведь уже близко входная дверь, но почему-то Дарья понимала, что не стоит делать этого сейчас, не стоит поворачиваться к *этому* спиной, безопаснее — остаться. Она попробовала успокоить дыхание и несколько раз сглотнула, отгоняя подступившую тошноту.

— Бабушка... — прошептала она. — Что же ты... Как же ты так...

Старуха не ответила и даже не пошевелилась, так и сидела на подоконнике, словно мумия застывшая. Но Дарье показалось, что она прислушивается.

— Я ведь поэтому и была нервная... Ты спросила, что со мной... А я же тебя вот только что похоронила. Горсть земли на гроб бросила...

Звук собственного голоса немного ее успокоил. Дарья подумала — а что, если такое вот естественное поведение успокоит *это*? И если она не будет показывать страх, может, и *оно* — то, что приняло форму ее бабушки, — останется неподвижным до рассвета.

Она вдруг увидела на столе тарелку с недоеденными оладушками; взяла один, откусила. Бабушка-бабушка, почему у тебя такие длинные желтые ногти? Бабушка-бабушка, почему твои ноги перепачканы землей? Бабушка-бабушка, а глаза твои отчего белы?

Несколько часов спустя, когда небо уже посветлело, на другом конце Москвы мать Дарьи вдруг проснулась от странного и неприятного ощущения. То ли сон дурной, мгновенно забытый, то ли промелькнувшая депрессивная мысль... Так бывает, когда, уже отойдя от дома на приличное расстояние, вдруг вспоминаешь, что забыл выключить утюг.

Она села на кровати, потерла виски, потом, накинув на плечи старый халат, доплелась до кухни, попила воды. Сразу поняла, что Дарья дома не ночевала, — но это как раз не было чем-то особенным. Семнадцать лет, возраст, когда дом кажется тюрьмой. В последнее время дочь часто уходила вечерами — все время говорила, что ночует у подруги, и даже предлагала позвать к телефону подружкину мать, но женщина отмахивалась, потому что некогда была школьным учителем и прекрасно знала, как бесперебойно работает детская сеть лжи и взаимовыручки.

Она прошла в комнату дочери — кое-как заправленная постель, стаканы с недопитым соком на полу, скомканные конфетные фантики, весь стол завален учебниками и бумагами. Почему-то именно в то утро ей стало страшно за дочь. Она пыталась отогнать это ощущение — приготовила нехитрый завтрак, начала читать какой-то бульварный роман, но уже через несколько минут с досадой отложила книгу и отодвинула недопитый кофе. Нарастающее чувство тревоги словно изнутри ее обгладывало. Набрала номер дочери — абонент временно недоступен. Тоже ничего удивительного — Дарья имела привычку отключать телефон на ночь.

Наконец мать решилась: надо ехать. Собралась за несколько минут, стянула пегие волосы в хвост. Уже уходя, с почти вошедшей в привычку досадой посмотрела на свое отражение в пыльном зеркале прихожей. Она ведь когда-то красавицей считалась. Недолго — время с особой жестокостью расправилось с ее чертами, но все-таки.

Ей казалось, что поезд метро движется особенно медленно, — так всегда бывает, когда торопишься. К концу пути женщина уже была готова взорваться от раздражения.

И вот перед ней знакомый дом. У подъезда встретила соседку — та сказала, что видела Дарью накануне вечером, та пришла в красной куртке с капюшоном и почему-то долго стояла у подъезда под моросящим дождем, прежде чем войти.

«Может быть, я зря ее вообще сюда отправила, — подумала женщина. — Ей семнадцать всего все-таки... Еще детская психика, и бабушку она любила так...»

Тяжело ступая, она поднялась на нужный этаж и замерла перед дверью. Как соляной столб вросла в пол — почему-то еще не открыв двери, женщина точно знала: в квартире ее ожидает нечто страшное — такое, что и предположить невозможно и от чего никогда уже не избавиться. Она осторожно повернула ключ — и сразу в прихожей заметила тяжелые ботинки Дарьи и ее красную куртку. В квартире была тишина.

— Дочь? — дрогнувшим голосом позвала женщина. — Даша?

Никто ей не ответил.

Дарьина мать была из того сорта педантов, которые не могут чувствовать себя успокоенными, пока в раковине есть хоть одна невымытая чашка, и в самые черные минуты успокаивают себя глажкой постельного белья. Это была чистоплотность на грани невроза — женщине было почти физически больно, если полотенца висели не «по росту», если на блузе была хоть складочка. Она до сих пор сама крахмалила простыни — так, как когда-то научила ее бабушка, и натирала паркет специальной мастикой, и стеклянные стаканы мыла в три этапа, чтобы они казались только что принесенными из дорогого магазина. Дарья то ли уродилась другой, то ли с возрастом вобрала отвращение к гармонии — ее успокоенность рождалась из хаоса, вокруг нее всегда были мятые бумажки и мятое тряпье.

Перед тем как зайти в квартиру, женщина сняла уличные туфли и аккуратно поставила их на полку.

Дарья обнаружилась сразу же, в кухне. В первый момент мать обрадовалась — жива, жива! — но уже в следующую секунду улыбка исчезла с ее лица, потому что дочь подняла голову и посмотрела на нее каким-то невидящим взглядом.

Дарья сидела на полу, прижав слегка расставленные колени к ушам, в этой позе было что-то обезьянье. Перед ней, на полу, стояла тарелка с горкой покрытых плесенью, полуразложившихся оладьев, склеившихся в единую кучку источающего вонь теста, в которой еще и копошились личинки. К ужасу матери, Дарья оторвала от вонючей массы кусочек и положила его в рот.

— Что ты делаешь, оставь!

Женщина в один прыжок подскочила к ней и хотела отодвинуть тарелку, но дочь вдруг зарычала, как животное, и приподняла верхнюю губу, показав зубы, между которыми застряли кусочки теста. От нее странно пахло — кислый, как будто бы многодневный или старческий, пот и земля. Густой запах влажной земли.

— Дашенька...

Но девушка не отозвалась, из ее лица ушла привычная ясность и вообще — все знакомые выражения, она была похожа на манекен. Отвернувшись к стене и закрыв торсом тарелку, она продолжила есть — жадно и неряшливо. Крупная личинка выпала из ее рта и шлепнулась на пол.

В замешательстве постояв над дочерью несколько минут, будто бы привыкая к мысли, что этот ужас действительно вошел в ее жизнь, женщина все-таки сообразила отойти к телефону и вызвать психиатрическую «скорую».

Когда врачи приехали, тесто было уже доедено и Дарья ловким прыжком взобралась на подоконник. Ее била мелкая дрожь, и мать накинула ей на плечи куртку. Дарья тотчас же надвинула на лицо красный капюшон. Врачам она далась не сразу и даже до крови укусила санитара, протянувшего к ней руку. Пришлось сделать успокоительный укол, чтобы ее, полуобморочную, увезти. Мать пустили к ней только на следующее утро.

ЧЕРНЫЙ ВЕНОК

(История, рассказанная автору врачом N)

Первым зимним утром восьмидесятилетний Петров не поднялся с постели, хотя у него был запланирован поход к гастроэнтерологу, а потом на рынок, за свежим творогом и португальской клубникой, которую он покупал мизерными порциями и потом в бумажном кулечке бережно нес домой.

Петрову нравилось баловать деликатесами жену, Нину, которую он любил уже полвека. Жена была ленинградкой и помнила, как мать варила кожаные туфли, а отец вполголоса говорил: все равно Нинка не выживет, надо *что-то делать*. Нине было всего одиннадцать, но она прекрасно понимала: «что-то делать» — это когда самого слабого приговаривают, чтобы те, кто сильнее, продолжали жить. За несколько недель до того дня, как мать стояла над кипящей водой, в которой размокали ее свадебные туфли, от соседей потянуло мясным бульоном. А их младшего сына, одноклассника Нины, щуплого мечтательного мальчика, который надеялся стать летчиком, хотя ежу было понятно, что таких близоруких в небо не пускают, больше никто никогда не видел. Соседи даже глаза не прятали, наоборот — смотрели с некоторым вызовом, как будто бы альтернативная мораль, благодаря которой на некоторое время на их щеках появился румянец, а в глазах — блеск, стала их стержнем.

У Нины тогда не было даже сил бояться и тем более сопротивляться, но мать как-то сумела ее отбить. По иронии, из всей семьи в итоге выжила только она, Нина, самая слабая.

После войны Нина ни одного дня не голодала. Но ягодам, хорошему сыру, пирожным-корзиночкам радовалась как дитя, всю жизнь, это было дороже, чем жемчуга, и теплее, чем объятия. Для Петрова было очень важно поехать на рынок за клубникой, однако он не смог встать, как будто невидимые путы его держали. Не поднялся он и во второй день зимы, и в третий, а уже к февралю стало ясно — не жилец. Угас он стремительно, как свеча, накрытая колпаком, и как-то странно — врачи так и не поняли, в чем дело.

Еще в начале осени никто не давал Петрову его лет — в нем была та особенная стать, которая выдает бывших военных. Широкие плечи, аккуратные седые усы, густые волосы, кожаный пиджак — ему и в его восемьдесят часто говорили в спину: «Какой мужчина!» А жена Петрова всю жизнь слышала: «Ты поаккуратнее, уведут ведь!» И пытались увести, много раз пытались.

В последний раз вообще смешно — наняли они женщину, чтобы та помогала квартиру убирать. У жены Петрова пальцы совсем скрутил артрит — ей было трудно мыть полы во всех трех комнатах. Вот и нашли по объявлению помощницу. Галей ее звали. Простая деревенская женщина, о таких часто говорят: без лица и возраста. Ей могло быть и двадцать пять, и пятьдесят. Кряжистая, с сухой кожей на щеках и ловкими сильными пальцами. От нее всегда почти неуловимо пахло кисловатым потом, и когда она покидала дом, жена Петрова, немного стесняясь, все же проветривала комнаты.

Галя приходила через день. Работала она хорошо — кроме всего прочего умела натирать паркет воском. Не ленилась, пылесосила даже потолок, ежемесячно мыла окна, перестирала все шторы. Но обнаружился один изъян — очень уж ей понравился Петров. Ему была присуща та дежурная галантность, которую неизбалованные женщины часто ошибочно принимают за личную приязнь. Когда он приветствовал домработницу утром: «Рад вас видеть, Галюшка!», та краснела как школьница, тайком прочитавшая главу из найденного у родителей «Декамерона». А Петров думал, что она разрумянилась от интенсивного мытья полов. Он вообще был в этом смысле довольно наивен.

Среди мужчин однолюбы встречаются так редко, что большинство даже не верит в их существование. Петров был влюблен в жену — искренне и просто. С годами чувство его стало спокойным — ушел порыв, ушла страсть, но и через пятьдесят лет он все еще иногда исподтишка любовался женой.

Нина сидела под торшером с книгой, а он делал вид, что читает «Советский спорт», а сам ее рассматривал. И такой хрупкой она была, и такими тонкими стали к старости ее добела поседевшие волосы, и так пожелтела кожа, что ему даже страшно было за эту бестелесность. Будь у Петрова крылья, он бы распростер их над женой, чтобы защитить ее от сквозняков, ОРВИ, каждую осень гулявшей по Москве, чересчур яркого солнечного света, хамоватой медсестры из районной поликлиники, извергаемых телевизором дурных новостей.

А Галя приходила мыть полы в короткой юбке из парчи и, если ей из вежливости предлагали чаю с вареньем, никогда не отказывалась. Петрову она сочувствовала. Такой статный мужик, а вынужден жить при некрасиво состарившейся жене, которую вполне можно было за его мать принять. Благородный потому что.

Долго терпела Галя. Она привыкла к инициативным мужчинам, и все ждала, когда Петров заметит ее интерес, одуреет от свалившегося счастья и потащит ее сначала в постель, а потом и под венец.

Объяснение было тяжелым. Галя нервничала — она была опытным игроком на поле кокетливого смеха, а вот слова всегда давались ей с трудом. Петров изумленно хлопал глазами. Даже если бы он был одинок, эта потная румяная женщина в неуместной нарядной юбке была бы последним человеком, удержавшим его взгляд. Побаивался он вульгарных шумных баб.

И все же неловкие признания домработницы тронули его, и Петров старался подобрать такие слова, чтобы женщина не почувствовала себя раненой. Усадил ее в кресло, налил хорошего коньяка, который Галина выпила залпом, как водку.

Кряжистая Галя не понимала, почему сок ее жизни не волнует Петрова, а сухонькая вечно мерзнущая старушонка с костлявыми ключицами, артритными пальцами и выцветшими глазами — да.

Через какое-то время она сказала, что больше не может убираться в их доме. И, честно говоря, семья Петровых вздохнула с облегчением. Все это случилось в середине октября.

И вдруг вот так.

В первый день весны Петров перестал дышать — это случилось под утро. Нина сразу почувствовала, во сне. Повернулась к мужу. Даже когда Петров заболел, она продолжала спать рядом с ним. Привычка. Мертвый Петров лежал с ней рядом и с улыбкой смотрел в потолок. За месяцы болезни он так усох, что перестал быть на самого себя похожим.

И на похоронах Петрова, и вернувшись в опустевший дом, где на прикроватной тумбочке лежали его таблетки и очки, Нина чувствовала, что муж — где-то рядом. Как будто бы у него, покинувшего тело, действительно отросли те самые крылья, которыми он мечтал ее укрывать и защищать.

Нина была спокойна — улыбалась даже. Подарила соседям новую зимнюю куртку, купленную для Петрова да так и не пригодившуюся, и антикварную фарфоровую супницу. Не будет же она красиво сервировать стол для себя одной. Это было бы слишком грустно.

На сороковой день Нина решила распустить подушку, на которой спал муж. Дорогая подушка, гусиный пух, только вот спать на ложе мертвеца — дурная примета. Пригласила знакомую швею, та обещала за час-другой управиться. Но спустя буквально несколько минут она позвала в спальню Нину, и лицо ее было мрачным.

— Смотри, что я нашла. Кто это вас так?

На кровати лежал черный венок. Подойдя поближе, Петрова увидела, что он сплетен из вороньих перьев.

— Что это? — удивилась она.

— Вас надо спросить, — криво усмехнулась портниха. — Кому так насолили, что порчу смертную на ваш дом навели. Хорошо еще, что сами на этой подушке спать не стали, — она бы вас, худенькую такую, за неделю сгубила.

Нина Петрова, когда-то выжившая в блокадном Ленинграде, точно знала, что Бога не существует. Когда она слышала церковные колокола, ей все мерещилось улыбающееся лицо соседского мальчишки, которого съели собственные родители, чтобы продержаться. И никто их не осудил, не посмел бы. Петровой казалось, что если кто в Бога верит, тот, выходит, либо малодушный человек, либо просто никогда не пытался прожевать вываренные в соленой воде свадебные туфли матери. Веру она воспринимала как слабость, суеверия — как глупость. Много лет они с мужем выписывали журнал «Наука и жизнь». В иной момент она просто посмеялась бы над темной портнихой.

Но венок из вороньих перьев — был.

А Петров — умер, и врачи так и не смогли найти причину угасания.

— Ерунда... — не вполне уверенно сказала Нина. — Да и некому было...

— А вы подумайте, — прищурилась швея, уже предвкушавшая, как она расскажет эту яркую историю коллегам и родственникам. — У вас в доме бывал кто посторонний? Помнится, вы говорили, женщина убираться приходила.

Нина как наяву увидела перед собою полное красное Галино лицо; верхняя губа трясется от гнева, зрачки сужены, как у собаки в трансе бешенства.

— Вы меня еще вспомните, — сказала она, принимая из Нининых рук свою последнюю зарплату. — Нельзя так со мною обходиться!.. Это вы тихоня, ко всему привычная, ссы в глаза — все божья роса. А я другая. Я и постоять за себя могу!

— Да за что же... — растерянно хлопала ресницами Нина. — Я не понимаю, душа моя... Разве мы вас хоть когда-то хоть чем-нибудь обидели?.. А если вы о муже моем, так он просто...

— Молчите уж! — перебила Галя, для которой ненависть была как парная в русской бане, — лицо ее раскраснелось и вспотело. — Я просто предупредила!

И вот теперь такое... Смерть, так неожиданно пришедшая в дом, венок в подушке... Нет, Нина, конечно, не поверила портнихе — ей было очевидно, что единственный факт не может быть базой для выводов. Совпадение, просто страшное совпадение.

Венок из вороньих перьев она зачем-то закопала на пустыре.

Смерть красавицы

В начале февраля хоронили самую красивую из моих подруг. Не исключаю, что она была самой красивой женщиной во всей Москве. А может быть, и за ее пределами.

Лилия знала о том, что ей предстоит умереть, — примерно за двенадцать недель до того, как урну с ее прахом водрузили на обветшалую стену колумбария унылого загородного кладбища, ей сообщил об этом лечащий врач. Должно быть, он чувствовал себя инквизитором, который и в Бога-то не особо верит, просто из таких вот причудливых наростов сложился конструктор его карьерной лестницы — может быть, он хотел всего лишь постичь нечто запредельное, но вместо этого был вынужден читать приговор измученной в пыточном подвале псевдоведьме, которой назначили публичное сожжение на городской площади лишь за то, что над ее губой чернела родинка в форме сердца. Ведь всем средневековым соседушкам, чьи мужья задумчиво прислушивались к шелесту чьей-нибудь шелковой юбки, было известно, что родинка в форме сердца — есть диавольский поцелуй.

Врачу-инквизитору перевалило за шестьдесят, у него были седые брови и умные серые глаза за аквариумами дорогих очков, и он с детства мечтал мир спасать — и спасал ведь, пусть не сам мир, а его частности, везунчиков, которые потом годами присылали ему дорогой коньяк на Рождество.

Но имелся и побочный эффект — читать приговоры. Растерянная девушка, сидевшая перед ним на самом краешке больничного стула, была хороша как сама весна, ее глаза лучились ожиданием чуда и надеждой на бесконечность будущего, а он был вынужден говорить ей о метастазах в костях. На щеках ее играл румянец, нежный, как у барышни из книжки Джейн Остин, а кости — гнили, и это было необратимо. Химиотерапия в этом случае служила тем самым пыточным подвалом, в котором мучили ведьм перед тем, как очистить их душу огнем. Лилию отпустили домой умирать, выписав сильные обезболивающие.

Умирать она не хотела и, кажется, не собиралась.

Надо сказать, за глаза Лилию часто называли пустышкой — потому что, прожив четверть века, она сумела утвердиться лишь на игровом поле безусловной красоты. Пыталась получить высшее образование, поступила сначала в «Щепку» — таких ангелоликих часто берут за фактуру, — но вылетела, не доучившись и до второго курса. Потом пристроила документы в какой-то новорожденный экономический вуз, довольно сомнительный, — но там ей стало скучно. Оплатила двухмесячные курсы мастеров маникюра — все же ремесло, — но и это не пошло, болели глаза, спина.

Лилия могла себе позволить порхать — когда у тебя лицо даже не как с обложки, а как с картины, искусство выживания не требуется. Все, что нужно, и так складывается на твой алтарь. К ней никто не относился всерьез, и зря, потому что превратить стрекозиный вальс в спринтерский забег ей мешало всего лишь ощущение ненужности конкуренции. А вовсе не отсутствие ума или навыка найти нестандартное решение.

Признаюсь, я долго не могла поверить, что Лилия говорит всерьез, когда она собрала вечеринку и, волнуясь, рассказала нам, друзьям, что решила стать бессмертной. Все документы уже оформлены, контракты — подписаны, юридические вопросы — улажены. Это была последняя вечеринка в ее короткой жизни — с каждым днем ей становилось все труднее ходить, говорить, дышать, думать.

Она лежала в кровати и маленькими глоточками пила минералку, налитую в хрустальный бокал для шампанского. А мы сидели вокруг, ели пиццу и пили сухое вино. Лилия была так худа, что почти бесплотна, но глаза ее горели. Есть одна фирма, говорила она, которая дает шанс стать бессмертным. Не гарантию, но все-таки весомый повод надеяться. Они замораживают тело и помещают его в специальное хранилище. Как муху в янтарь. Или мамонта — в ледник.

И лежишь ты там этакой спящей красавицей в хрустальном гробу — с одним только отличием, что разбудить тебя может не поцелуй принца, а развитие нанотехнологий и медицины. Пройдет лет пятьдесят, и ученые будут готовы воскресить плоть, заменив все, что вышло из строя, на новенькое, в специальных биоинкубаторах выращенное. А тут и ты, готовенький, с изморозью на ресницах.

—То есть, насчет изморози я не уверена, — нахмурившись призналась она, — но идея мне нравится. Когда-нибудь за моим воскрешением будет наблюдать весь мир. Может быть, мы с вами еще встретимся. Только вы уже, конечно, будете дряхлыми стариками, а я останусь такой же, как сейчас.

Когда все поняли, что это не дурацкий розыгрыш, посыпались вопросы. Уверена ли Лиля, что это не шарашкина контора имени лисы Алисы и кота Базилио? Наверное, такая процедура стоит баснословных денег — откуда у нее, безработной, могла найтись такая сумма? А вдруг ее обманут — деньги взяли, а в назначенный час волшебный доктор с гробом хрустальным не приедет?

Лилия отвечала спокойно и уверенно. Это не обман — уже почти триста упокоившихся романтиков спят в морозильных камерах и когда-нибудь будут разбужены. Деньги, конечно, немаленькие — тридцать тысяч долларов, но у нее была машина, пожилой «фольксваген»-жук, жизнерадостно оранжевый, остаток же суммы подарил один из тех, кто восхищался ангельской природой ее красоты издалека. Банкир какой-то. Жениться на ней мечтал, дурачок, не знал про чертовы гниющие кости.

—Можно было сохранить только мозг, это стоит гораздо дешевле, десять, — смущенно улыбнулась она, кутаясь в плед. — Тогда в будущем его смогут присоединить к киборг-телу. Ты останешься собою, только будешь выглядеть иначе.... Ну я подумала....

Фразу она не закончила, но мы и так знали, о чем она подумала. Расставаться с таким красивым сосудом, как ее тело, наверное, было мучительно. Ей хотелось обессмертить все — и личность, и ее вместилище.

—Я написала завещание. Когда мне станет совсем худо, у моей постели будут круглосуточно дежурить представители фирмы. Они смогут быстро вызвать перевозку, чтобы я... не испортилась.

Уходила она тяжело, но беззаботно. Таяла как Снегурочка, и ее прекрасное лицо совсем пожелтело. Она говорила, что боль ее похожа на осьминога — иногда засыпает, но чаще шевелит скользкими щупальцами внутри. Иногда ей хочется побыстрее уснуть в леднике.

Почему сказки о снегурочках всегда грустные. Вот и тут. Представитель фирмы — подрабатывающий студент медвуза — действительно дежурил у ее постели. Читал ей Питера Пена вслух и, кажется, почти успел влюбиться. Бархатные крылья смерти все еще казались ему поводом для размышлений романтического толка. Ему было девятнадцать лет, это была его первая работа, к мясорубке он не привык, а трупы видел только в анатомичке.

И вот однажды, около шести утра, сердце Лилии сократилось в последний раз, запищал медицинский монитор, задремавший студент переполошился и дрожащими руками начал набирать номера начальства. И вроде бы даже машина-холодильник выехала за спящей красавицей, но тут в комнату ворвалась Лилина мать, за спиной которой маячил сонный мордастый участковый.

Если честно, мы так и не поняли, чем руководствовалась эта женщина. Каковы были ее мотивы. То ли не могла простить дочери продажу «жука». То ли всю жизнь ревновала к ее красоте и вот решила отыграться. Оказалось, террористический акт готовился заранее. Она варила для Лили бульоны и киселя, меняла ей капельницы, следила, чтобы наволочки всегда были белоснежны и накрахмалены, выслушивала монологи о бессмертии, плакала в телефонную трубку подругам, а сама втихаря нашла ушлого юриста, который каким-то образом аннулировал Лилино завещание.

И получилось, что за тело ответственна теперь мать, а не контора с волшебным холодильником.

Три с половиной часа у кровати покойной продолжался скандал на повышенных тонах. Даже разъяренная заспанная соседка пришла — в бигуди и дырявых тапочках. Пришла, увидела тело и бочком, как напуганный анапский краб, уползла в свою кухню, где до рассвета пила ромашковый чай и смотрела какой-то глупый сериал, чтобы отвлечься от мысли, что все пройдет. Три с половиной часа машина-холодильник стояла во дворе Лилиного дома.

А потом руководитель проекта сказал, что время ушло. Поздно.

Студент-медик, говорят, после того случая быстро спился и пошел в кладбищенские сторожа.

А эта женщина, Лилина мать, обзвонила нас и пригласила на кремацию. И нам пришлось пойти, и слушать, как она воет и причитает, и принимать из ее рук стопки с ледяной водкой, и закусывать приготовленной ею кутьей — хотя это было так противно, так противно, так... Мы переглядывались, а на Лилину маму никто не смотрел. Потому что она была настоящим злодеем — похитила у Спящей Красавицы бессмертие, обратила его в теплый пепел, заполнила им пошлую вычурную урну и поставила на стену, среди сотен таких же урн с именными табличками. И вот это было по-настоящему необратимо.

ИНКУБ

«Когда люди начали умножаться на земле и родились у них дочери, тогда сыны Божии увидели дочерей человеческих, что они красивы, и брали их себе в жены, какую кто избрал...»

(Быт: 6:1-2)

«Существует весьма распространенная молва, и многие утверждают, что испытали сами или слышали от тех, которые испытали и в правдивости которых нельзя сомневаться, что сильваны и фавны, которых в просторечии называют инкубами, часто являются сладострастниками и стремятся вступать с ними в связь...»

(Блаженный Августин. «О граде Божьем»)

Осталась одна женщина вдовой. Целый год глаза ее разъедала соль — родные даже начали подозревать, что она умом тронулась. Плачет и плачет. На второй год слезы кончились, как будто плотину перекрыли. Женщина даже пошла работать — нанялась поваром в хороший ресторан. У нее самой аппетит безвозвратно пропал еще в тот день, когда она через силу запихивала в рот поминальную кутью — потому что «так принято» и «надо как у людей». Аппетит ушел, но остались навык, ловкость рук и склонность к монотонной работе. В ресторане ее поставили «на салаты» — никто не умел нарезать овощи такими красивыми почти прозрачными ломтиками.

Пошел год третий, и горе осталось разве что в донной части ее глаз, и разглядеть его могли только те, кто особо внимателен к настроениям и состояниям других. Все же остальные видели обычную бабу — чуть увядшую и поскучневшую, тихую, но остроумную, уставшую карабкаться, но не позволяющую садиться на шею, с выкрашенными хной волосами, в немодных юбках фасона «годэ».

Каждый год, в день смерти мужа, женщина устраивала поминальный ужин. Ставила на стол его фотографию в траурной рамке, нарочно покупала красивые свечи, вынимала из «стенки» пылившийся там дешевый хрусталь и чудом сохранившееся прабабушкино фарфоровое блюдо. Готовила что-нибудь изысканное, накрывала на двоих, покупала хорошее вино. И сама так наряжалась, как будто это было настоящее свидание. Заранее записывалась к парикмахеру и косметологу, продумывала платье.

Вдова и сама понимала, что все это выглядит странно и этот ужин больше похож не на дань памяти тому, кого ты отпустил на тот берег Стикса, а на какой-то варварский обряд. Но поделать ничего не могла — так ей было легче справляться. «Ему уже все равно, а мне проще, — думала она. — Я же никому зла не делаю, а то, что это странно... Ведь об этом никогда и никто не узнает».

И вот на третий год она, как обычно, сидела за столом — бутылка вина уже ополовинена, салат с перепелиными яичками и оладушки с икрой минтая —

съедены, впрочем, без особого аппетита, даром что на дворе были голодные девяностые и продукты она достала не без труда. В голове ощущалась тяжесть — женщина уже успела и поговорить с фотографией, и всплакнуть, и вздохнуть о том, как несправедливо быть однолюбом, тем более если тебе всего сорок два и горе красиво заострило твои скулы и добавило взгляду глубины.

Время перевалило за полночь, и она, кажется, собиралась потихонечку сложить тарелки в раковину и убрать фото туда, где оно и находилось оставшиеся триста шестьдесят четыре дня в году, — на трюмо в спальне, когда вдруг странный холодок пробежал по ее спине. Как будто сквозняк — а ведь все окна в квартире были закрыты, да и ночи стояли душные, как часто бывает в разгаре июля. Но отчего-то у нее возникло желание набросить на плечи кофту или шаль, и вдова растерянно осмотрелась по сторонам, вспоминая, куда она убрала домашний халат.

Отошла к шкафу — и вдруг ей показалось, что кто-то следит за ней взглядом. Как и большинство людей, вдова умела чувствовать чужой взгляд. Резко обернувшись, она обнаружила за спиной лишь фотографию супруга-покойника. То ли она переборщила с алкоголем, то ли так падал свет свечи, но складывалось полное впечатление, что муж следит за ней глазами. И глаза у него блестят, словно живые. И было что-то еще... что-то изменилось в фотографии, но она не сразу смогла сообразить.

Это был один из ее любимых снимков мужа. Портрет сделали почти пятнадцать лет назад, в тот июль, когда они познакомились. Она и сейчас помнила тот день — золотой, теплый, счастливый, — они шли рука об руку по Арбату, ели эскимо и ощущали себя детьми. Она увидела вывеску — «Фотоателье», — дернула мужа за рукав, тот радостно поддался.

Ввалились, веселые, и приемщица бурчала, что сейчас они тут тающим мороженым все изгваздают, а они переглядывались за ее спиной и думали о том, что о каплях растаявших сливок могут заботиться лишь те, кто не познал суть любви.

И вот ее муж уселся на вращающийся стульчик, и фотограф заметил, дескать, как молодой человек похож на Абдулова, а женщина польщенно улыбнулась, будто бы похвалили ее саму. Очень красивая фотография получилась — губы едва улыбаются, а в глазах такое счастье, что страшно даже.

Эта фотография стояла на трюмо все те годы, что они прожили вместе, и после его смерти осталась там же — только вдова отнесла ее в багетную мастерскую, чтобы рамку поменяли на черную. И теперь она смотрела в знакомое лицо и не могла понять — что в нем не так.

Вдруг пламя свечи, стоявшей на столе, заметалось-запрыгало и наконец погасло, и это тоже было странно. Она поискала взглядом спички, нашла их на уголке стола, чиркнула одной — ничего, вторая — тоже не захотела разгореться. За окном была красивая луна — чуть надкушенная, яркая, похожая на медленно уплывающий китайский фонарик.

Женщина нахмурилась и подошла к трюмо — она вдруг поняла, что изменилось в лице покойника. Улыбка. Юра никогда не улыбался для фотографий — стеснялся плохих зубов. Только слегка растягивал губы. А сейчас — улыбка появилась, — не во всю ширину рта, конечно, — но все-таки вполне различимая взглядом и даже обнажающая кончики зубов. И зубы были какие-то не Юрины — довольно белые и будто бы со слегка заостренными кончиками. Это придавало лицу хищный вид, и в глазах больше не светилось счастье, которым был исполнен тот далекий июль.

Вдова взяла в руки фотографию и удивленно уставилась на нее, прищурившись. Стекло немного бликовало, и она надеялась — может быть, просто померещилось. Страха не испытывала совсем — она была из поколения материалистов-скептиков, которых сложно смутить чем-нибудь внеземным. Вместе с фотографией вдова прошла в кухню — там была самая яркая лампочка, — включила свет и вздохнула облегченно. Ну конечно, померещилось.

Быстро собрала и помыла тарелки, сходила в душ, бросила скомканное и пропахшее кухней платье в стиральную машину и вернулась в комнату уже с блестящим от крема лицом и в стареньком махровом халате. Немного замешкалась, выбирая — посмотреть ли телевизор или отправиться спать немедленно, потому что она выпила, а завтра — рабочий день.

Вдруг ей показалось, что из спальни доносится какой-то шум — осторожные шаги, а затем и шелест шторы. Вот тогда ее сердце и подпрыгнуло — а вдруг кто в квартиру влез? Не далее, как месяц назад, обворовали ее соседку — и дубленку унесли, и все золото, и жалкие какие-то накопления, и видеомагнитофон, но соседка все равно была рада, что тем вечером дома не оказалось ее самой. В газетах часто писали о каких-то расплодившихся бандах, которыми руководят беспринципные отморозки, и убить человека для них так же легко, как свернуть шею курице.

Вдова устремилась было к входной двери — безопаснее всего будет устроить шум на лестничной клетке, кричать, звонить во все подряд двери, — но вдруг ее позвал тихий голос:

— Лена... Не бойся, это же я.

— Что за чертовщина?! — Она воскликнула это вслух просто чтобы услышать свой голос. Проверить, что не спит.

— Лена, я тут, иди сюда. Не бойся, это я, Юра, — монотонно повторил тот, кто прятался за полуоткрытой дверью спальни.

И голос, родной голос — ведь столько лет подряд это было первое, что она слышала, просыпаясь по утрам, — этот низкий с едва заметной хрипотцой голос совершенно точно принадлежал человеку, которого она любила. Правда, звучал он как-то странно, будто бы обесцвеченно. Вдова остановилась в растерянности — как же это понимать, неужели кто-то осмелился на жестокий розыгрыш, неужели ей продали плохое вино, и это галлюцинации. Но в любом случае — почему ей так хочется пойти туда, поверить и пойти, и притвориться, что ничего не изменилось, что не было ни гроба, ни кутьи, ни этого дурацкого притворного ужина на двоих.

И вдова решилась — пошла вперед, волнуясь, толкнула дверь спальни. В комнате было темно, но одна из штор — отдернута, и голубоватый лунный свет падал на кровать. Покойный муж сидел на самом краешке, спиной к двери, и на нем был некрасивый синтетический костюм из магазина ритуальных товаров. Елена сама его купила — в морге посоветовали. Юра никогда не носил строгих костюмов — не хоронить же его было в футболке и джинсах.

— Юра... — пересохшими губами позвала она. — Но как же так... Ты ведь умер. Я же сама хоронила тебя.

—Это не страшно, — сказал мужчина, не оборачиваясь. — Я и раньше бывал здесь. Просто не хотел тебя пугать.

—Абсурд какой-то... Это, наверное, вино. В «Московском комсомольце» как раз на днях писали о паленом алкоголе... Надо же, как все это глупо...

—Иди сюда, Лена. Ты же соскучилась. Ты же меня звала. Фотографию мою на стол ставила. Я и пришел. А ты ко мне не идешь.

Голос был Юрин, но говорил мужчина странно. Фразы — как обрубки, а у ее мужа была образная речь, даже, пожалуй, несколько перегруженная метафорами, что часто становилось предметом шуток для их друзей. «Витиевато излагаешь, Юрка, тебе бы прозу писать!» — говорили они.

Как завороженная женщина подошла к мужу, который так и не обернулся на звук ее шагов. Села на краешек кровати, вскинула было руку, чтобы положить на его плечо, но в последний момент передумала — смутилась, что ли. Она уже отвыкла даже от мысли, что к мужчинам можно прикасаться, — не то что от самих прикосновений. Почему-то она совсем не волновалась — наоборот, было как-то радостно и легко.

Какой-то частью сознания Елена понимала, что все это — иллюзия, то ли сон, то ли сумасшествие. Но с другой стороны — не об этом ли она просила у бумажной иконки, зачем-то купленной в день его похорон, — разве не готова была она все-все отдать за возможность хоть один еще разок взглянуть в лицо мужа, хоть несколько минут поговорить с ним, почувствовать запах его волос.

Несмело наклонившись, она ткнулась носом в макушку Юры — и тут же отстранилась, поморщившись, — нос защипало, от мужа пахло как от незакрытого флакончика с жидкостью для снятия лака.

—Формалин, — сказал он. — Мне самому не нравится. Но я так понял, что это необходимо... Ты еще любишь меня, Лена?

—Я?.. Конечно, люблю, как ты можешь спрашивать? Просто как-то это все...

—Это все неважно. Теперь мы вместе.

Она все-таки дотронулась до его волос, которые оказались непривычно жесткими, как будто мыли в ржавой воде. Муж продолжал сидеть истуканом, не подался навстречу ее ласке, не удивился, не обернулся. Просто тень, оболочка, но лучше так, чем пить коньяк перед его портретом.

Осмелев, она взяла его за плечи и развернула к себе — Юра оказался легким, как тряпичная кукла, и тело его на ощупь было мягким, ватным каким-то. А ведь он всю жизнь держал себя в форме — каждое утро, и в дождь, и в минус двадцать, выходил во двор подтягиваться на турнике. Летом — байдарка, зимой — лыжи. Ей нравилось прикасаться к его телу, литому, упругому.

Потеряв равновесие, Юра повалился на бок, даже не выставив вперед руку, как будто бы не боялся удара. С глухим стуком его голова соприкоснулась со спинкой кровати, и Лена зажала рот рукой, чтобы не закричать, но муж даже не поморщился — просто, неловко заворочавшись, поднялся и снова сел рядом с ней. Наконец она смогла разглядеть его лицо — да, это был он, Юра, может быть, чересчур бледный и осунувшийся, но бесспорно он.

Муж медленно поднял выпрямленные руки — жест манекена или пластилинового человечка из мультфильма — и его ладони опустились на плечи женщины. Она вдруг осознала, что руки — ледяные. По спине пробежала волна мурашек.

Ее Юра... Юра, который дарил ей маргаритки и варил для нее шоколад. Юра, который знал каждую родинку на ее теле и который как радар ловил тончайшие оттенки ее настроений. Который брал на работе отгул, если она гриппована. Который сейчас смотрит на нее пустыми глазами, словно под наркозом находится.

Елена и сама не помнила, как оказалась лежащей на кровати; она только видела совсем близко белое лицо мужа, склонившегося над ней. Почувствовала, как ледяное твердое бедро раздвигает ее колени, обхватила его спину, ей все ещё было страшно, что она придет в себя и перестанет его видеть. Не может же галлюцинация быть вечной.

На животе мужа был страшный черный шрам — как будто тело рассекли надвое, а потом небрежно зашили грубыми стежками.

—Что это? — потрясенно прошептала она, и тут же сама догадалась: ведь было вскрытие.

Закрыла глаза — почему-то ей было спокойно и хорошо, и если бы кто-то спросил ее о частностях счастья, она бы ответила, что счастливее вечера, чем этот, не выдавалось в ее жизни за последние годы.

Следующим утром никто ее не хватился, а еще через день забили тревогу коллеги. У Елены была репутация человека обязательного и пунктуального, она едва ли стала бы прогуливать работу, не предупредив.

В милиции сначала отказывались принимать заявление, но потом все-таки выслали наряд по месту жительства пропавшей. Дверь никто не открыл, пришлось взламывать. Женщина обнаружилась в спальне — как потом выяснилось, она была мертва уже целые сутки. Лежала обнаженная в кровати, глаза открыты, а застывший рот растянут в вечной улыбке.

Причиной смерти записали «острую сердечную недостаточность». Об этом случае потом еще годами судачили соседи — причем никто не мог объяснить, почему история кажется столь привлекательной для сплетни. Ну была женщина, тихая вдова. Ни с кем особо не общалась. Ну умерла. Ну остановилось у нее сердце. То, что обнаженная была, — так ночи-то какие теплые стояли. И то, что улыбалась, — мало ли, может, перед самой смертью сон хороший увидела. Но почему-то всех, косвенно заставших инцидент, тянуло его обсуждать.

Соседку же из квартиры напротив, некую Пелагею Тимофеевну, считавшуюся местной сплетницей, потом трижды вызывали к следователю.

—Как она стонала всю ночь, как стонала... Ночь-то жаркая была, душная, вот и не спалось мне. Вы не думайте, что я подслушивала, я не из таких... Просто на балкон вышла — хоть какой-то ветерок там... Сначала подумала, что заболела Ленка, хотела уж идти к ней. Стонет, как раненая... Мне и в голову не пришло, что мужик у нее. Она после Юриной смерти так убивалась, что сразу ясно было — не потерпит возле себя других... Пару лет назад дело было — хотела я ее с дядькой моим познакомить, свести. Холостой мужик, вдовец тоже, не пьет, руки не из жопы, все хорошо у него. Отличная пара была бы. Но Ленка так на меня зыркнула, что мне даже както стыдно стало. Как будто я на святое руку поднять посмела. Потом даже подходила извиняться — не сердитесь, мол, Пелагея Тимофеевна, просто однолюб я... Поэтому я не сразу и поняла, что стоны-то специфические. А потом и мужской голос слышала. Только что он говорил, не разобрала. Глухой голос такой, гулкий, тихий, как будто из подвала доносился. Всю ночь они развлекались. А потом, уже светать начало, Ленка так ясно и четко произнесла: «Холодно мне. Как же холодно...», и больше я ее не слышала. Еще удивилась — ну какой там «холодно», жаркие ночи-то... Хороший такой в этом году июль.

СТАРОЕ ПИАНИНО

Семье Парфеновых повезло купить квартиру в старом доме в приарбатском переулочке. Продавала старушка, которой на вид было больше ста лет, — ее лицо напоминало коричневый древесный гриб, ростом она была чуть выше письменного стола, а суставы на ее пальцах были настолько деформированы, что руки походили на сухие ветки старого дерева.

Вообще, квартиры в тех краях золотые, но старушка просила недорого — она понимала, что едва ли успеет все истратить, наследников у нее не было, и хотелось скорее получить деньги и напоследок «пожить» по-человечески.

Редкая удача, невероятная. Обычно таких старушонок пасут агенты-хищники или берут в оборот разнокалиберные мошенники, коими Москва полнится, а вот эта каким-то чудом осталась в свободном плавании. Дошла до приемного пункта объявлений некой газеты, продиктовала девушке-секретарю текст, и тем же вечером ей позвонили Парфеновы.

Это Парфенова-жена настояла «попробовать». А Парфенов-муж в чудеса (особенно в области московской недвижимости) не верил и подозревал, что его втянут в махинацию. Но старушкины документы проверили агент и юрист — все оказалось чисто. И сделка состоялась.

Старушка переехала жить к подруге, в новостройку в Бутово. Они обе были одиноки и собирались вместе предаться бесхитростному гедонизму — покупать дорогие продукты, ездить в театр на такси, а лето провести в пансионате на озере Сенеж. Все это она сама рассказала Парфеновым, пока юрист в последний раз вычитывала договор.

Старушка так торопилась переехать в новую жизнь, что половину вещей оставила за ненадобностью.

Квартира небольшая — две комнаты, — зато потолки высокие, подоконники широченные, соседи солидные. Парфеновы решили не делать ремонт — квартира была «с атмосферой», им это понравилось. Даже обои менять не стали — хотя на одной из стен обнаружилось большое и словно ржавое пятно. Супруги решили закрыть его старинным пианино, тоже оставшимся от прежней хозяйки. И шторы оставили, плюшевые, темно-бордовые. Наверное, непрактично это — такая ткань пыль копит, но Парфенова-жена наотрез отказалась менять плюш на жалюзи. Она была родом из небольшого приволжского городка, в Москве обосновалась не так давно и сразу же вышла замуж, как ей самой казалось, вполне удачно.

Все ей было в диковинку и все радовало — толпы, пробки, атмосфера вечной ярмарки и карнавала. «Как в театре», — прошептала она, оглаживая попахивающую лавандой ткань, и Парфенов-муж, умилившись ее бесхитростному восторгу, согласился оставить все как есть.

И комод остался старушкин, и дубовая кровать, и сундук, и даже вещи, его наполнявшие. Рука не поднялась у Парфеновой выкидывать все эти полуистлевшие кружева, примятые шляпки, хрустальные бусины.

В этом всем было что-то волшебное — иногда по вечерам новая хозяйка открывала сундук, перебирала «сокровища» и становилась девчонкой в ожидании чуда, хотя, во-первых, давно разменяла четвертый десяток лет, а во-вторых, в родном городке работала заведующей овощебазы, материлась не хуже портового грузчика и вообще слыла девушкой без сантиментов.

Старушкины вещи Парфеновым полюбились, но они никак не могли избавиться от запаха прежней хозяйки. И проветривали целыми днями, и освежители воздуха купили дорогие, и саше с сухими травами, и ароматические свечи. Иногда казалось, что они победили и дом обрел привычный и уютный аромат — квашеной капусты, борща, жасминовой туалетной воды Парфеновой-жены. Но каждую ночь им вновь и вновь приходилось признать: опять ничего не получилось. Почему-то по ночам квартира пахла совсем иначе. Как будто они, Парфеновы, были тут вообще ни при чем.

Отсыревшим деревом здесь пахло, немного плесенью, немного розовой водой, немного лавандой. Старушка любила лаванду — это Парфенова-жена заметила еще при генеральной уборке. Везде попадались засушенные веточки и бутоны, и все были вынесены ею на помойку.

—Знаешь, — однажды ночью прошептала Парфенова-жена, — ты сочтешь меня сумасшедшей... Но мне кажется, моя подушка пахнет ее волосами.

—Ну что за бред, — вздохнул Парфенов-муж, который злился на нее за то, что сначала не позволила вынести на помойку рухлядь и заменить ее на веселый пластик ИКЕИ, а потом сама же и жалуется. — Во-первых, и подушка, и наволочка — наши. Во-вторых, откуда ты вообще знаешь, как пахнут ее волосы? Я, например, уже даже забыл ее лицо.

Парфенов-муж соврал. На самом деле, он помнил странное старушкино лицо во всех подробностях — накануне она ему приснилась.

Жуткий был сон — будто бы проснулся Парфенов от невыносимой жажды, в глотке пересохло, рот суше пустыни и язык как наждак. Хотел встать с кровати и пойти в кухню за минералкой, но ничего не получилось — ни ногой, ни рукой пошевелить не смог, точно его парализовало. И дышать было тяжело, словно на груди кто-то сидел, душил.

Парфенов молча лежал, уставившись на очертания старинной люстры, и думал — должно быть, инсульт, какой ужас, мне всего сорок два. И только когда вдруг увидел над собой склонившуюся старуху, понял — это же сон. И сразу стало легче.

Парфенов был не из робкого десятка. С юности увлекался водным туризмом, проходил пороги пятой категории сложности, покорил белые воды Кавказа и Алтая и призраков не боялся. Люди-то страшнее, так всегда казалось Парфенову. Но склонившаяся над ним старуха человеком не была — эта мысль пришла ему в голову внезапно и совсем не вязалась с его представлениями о мире. Ему вдруг стало страшно как никогда в жизни. Как будто кто-то скрутил кишки ледяной пятерней.

Нет, старуха не выглядела как монстр из фильма ужасов — ни белых глаз у нее не было, ни запекшейся крови в волосах. И клейкая слюна не свисала мутноватой струйкой из уголка ее серой скукоженной губы. Но все-таки Парфенов смотрел на нее и сразу понимал — нежить. Наверное, дело во взгляде — он был пустым, как у мертвой рыбины. И зрачки узкие и неподвижные, несмотря на полумрак.

Он лежал ни жив ни мертв от страха, старуха же просто стояла над ним, будто бы рассматривала. А потом вдруг резко зазвонил будильник, Парфенова подбросило на кровати, он энергично потер кулаками глаза и выяснил, что никакого полумрака и тем более мертвой старухи вокруг нет, уже давно утро, из кухни пахнет блинами, жена напевает какую-то попсу.

Сердце его колотилось, он залпом выпил три стакана воды, поел блинов и успокоился. К полудню наваждение развеялось.

— Все это глупости, — сказал Парфенов жене. — Если хочешь, переедем в отель на пару недель. Наймем бригаду рабочих, и они тут все поменяют. Квартира будет как новенькая.

— Не знаю... — вздохнула та. — Жалко как-то... Я уже привыкла... Сундук... И пианино.

— Тогда прекрати надо мной издеваться, мне вставать в семь! — рявкнул Парфенов, отворачиваясь к стене.

Парфеновой же не спалось. В ее ушах звучала не существовавшая в реальности музыка, тихая и прекрасная. Как будто кто-то играл на пианино. Она энергично потерла ладонями уши, потом села на кровати, потом встала и подошла к окну, посмотрела вниз, на пустой и темный двор. Музыка никуда не делась, продолжала звучать в ее голове.

«Не буду читать на ночь, мозг не успевает переключиться на сон и выкидывает коленца», — решила она.

Почему-то ей захотелось пойти в другую комнату и посмотреть на пианино. Из коридора веяло холодом, наверное, Парфенов-муж опять забыл закрыть балконную дверь. Парфенова шла на цыпочках, затаив дыхание, словно боялась — то ли кому-то помешать, то ли обозначить свое присутствие. Она чувствовала себя одновременно героиней фильма ужасов и впечатлительной идиоткой.

Парфенов-муж видел приятный сон, что-то о пляже, теплом море и белых кораблях, когда вдруг истошный животный крик ворвался в его голову, как скифский завоеватель. Парфенов подпрыгнул в кровати и чуть собственное сердце от страха не вытошнил. Жены рядом не было. Он вскочил, бросился в гостиную. Парфенова сидела на полу, лицо ее было бледным, а губы дрожали.

—Какого хрена... — начал было он, но жена трясущейся рукой показала на старое пианино.

—Под ним кровь, кровь! Я на ней поскользнулась... Целая лужа крови, огромная лужа... У меня все тапочки в крови.

В тот момент она выглядела умалишенной. Парфенов включил свет. Разумеется, никакой крови на полу не было. Он подошел к жене и отвесил ей хлесткую пощечину — где-то читал, что так надо успокаивать истериков. Та замолчала и перестала трястись. Посмотрела на него пустым взглядом и тихо сказала:

—Я знаю, ты думаешь, что я сошла с ума... Но она была. Клянусь тебе, была кровь.

—Тебе просто приснилось... Идем в постель.

Парфенову было так трудно на нее не злиться, но он справился. Даже изобразил участие. Приобнял за плечи, помог встать, повел в спальню.

Парфенова повисла на его руке, носом уткнулась в плечо, шла на ощупь. «Дура-баба», — мрачно думал он.

На пороге спальни Парфенов остановился. Знакомое чувство ужаса ледяной пятерней сжало его сердце. Он чудом удержал в горле рвущийся наружу вопль. Понимал, что если закричит, то жена впрямь сойдет с ума и уже не оправится.

В кровати кто-то был.

Кто-то лежал в их кровати, свернувшись калачиком и отвернувшись к стене.

По подушке разметались седые волосы.

Парфенов потянулся к выключателю, как к пистолету. Стукнул по нему кулаком, и комнату залил оранжевый электрический свет.

Показалось.

Конечно, показалось.

Никаких старух, пустая остывшая кровать. Но сон все равно ушел безвозвратно.

До утра супруги не спали. Молча сидели в кухне, пили чай с шоколадкой и боялись друг на друга смотреть. Парфенов-муж вдруг подумал о том, что надо развестись. Эта женщина так и не стала ему родной. Не получилось у них того волшебного теплообмена, который в идеале наступает после фазы страсти. Страсть была, да. Но ее сменила пустота — пустота и привычка.

Парфенова-жена сидела напротив и почему-то понимала, о чем он думает. Странно, но ее это не печалило. Ей вдруг вспомнилось, как накануне она шла по Арбату и остановилась возле уличного музыканта, саксофониста. Остановилась не потому, что хотела послушать музыку, а потому что он посмотрел на нее так... как обычно смотрят не на женщин вроде

Парфеновой, а на девушек из рекламы бюстгальтеров вандер-бра. И она тогда тоже посмотрела на него *так*. И так они какое-то время стояли друг напротив друга, а потом Парфенова смутилась, кинула в кофр от саксофона сторублевую бумажку и торопливо ушла. А потом весь вечер перечитывала «Мадам Бовари», такое настроение было.

Уйдет от нее муж, так и ничего страшного. Все-таки не в чукотской деревне, а в Москве живут, которая мужиками на любой вкус полнится. Вот только непонятно, как квартиру делить.

Когда окончательно рассвело, супруги немного успокоились и даже вполне мирно позавтракали оладушками. Они уже допивали чай, когда в дверь позвонили.

На пороге стояла незнакомая женщина.

— А вы кто? — спросила она Парфеновых.

— Мы здесь живем. Это вы кто? — возмутился Парфенов-муж.

— Да, мне соседи позвонили... Сказали, что сюда люди въехали... Но вообще, это какое-то недоразумение. Это моя квартира.

— Женщина, вы с ума сошли! — выпятив полную грудь, надвинулась на нее Парфенова-жена. — Мы эту квартиру купили, у нас и документы есть! И юрист их смотрел, так-то!

— Документы... — Женщина выглядела скорее растерянной, чем агрессивной. — Очень странно... Тут моя мама жила... Евгения Петровна Миллер. Ее убили месяц назад.

— Убили? — У Парфенова пересохли губы.

Он смотрел на женщину и не понимал, почему бы не взять и не захлопнуть перед ее носом дверь. Но почему-то не мог. Что-то ему мешало.

— Да, это ужасно, — вздохнула та. — Мама музыкантом была, играла в оркестре... А когда вышла на пенсию, стала преподавать. У нее пианино стояло, и к ней постоянно ходили ученики... Вот один и... застрелил ее. — Последние слова дались ей с трудом. — Там, на стене, осталось пятно... Наверное, думал, что раз она в хорошем доме живет, то и деньги у нее водятся.

— Застрелил... — прошептала Парфенова.

— Ну да... В гостиной... Кровь по всему полу была... Мама к восьмидесяти совсем сгорбилась, крошечной бабулькой была... Даже странно, что в ней оказалось столько крови... И потом я пыталась тут жить... Но не смогла... Мне все время казалось, что она здесь, рядом... Не в хорошем смысле, — женщина нервно хихикнула, — не так, как люди ощущают присутствие любимого умершего...

— Она играла на пианино, — мрачно подсказала Парфенова. — И вы слышали ее запах.

— Ну да, — удивленно согласилась женщина. — И мне начали сниться кошмары. Я вернулась к себе... А потом мне позвонили соседи и сказали, что в нашей квартире живут какие-то люди. И я решила проверить сама. Вы говорите, есть бумаги?

Парфеновы переглянулись.

— Надо позвонить адвокату, — без эмоций сказал Парфенов-муж.

— Да... Заодно он может подготовить бумаги для развода, — так же бесстрастно ответила Парфенова-жена.

Она все еще ощущала аромат лаванды, тонкий и горьковатый, а в ее ушах звучала незнакомая музыка, как будто бы кто-то лениво перебирал клавиши старого пианино.

УТОПЛЕННИЦА

Однажды компания студентов из Ярославля наметила пикник с шашлыками. Подтекст мероприятия был формообразующим. Главному его организатору, третьекурснику Семенову, весь последний семестр нравилась первокурсница Алина, девушка крутобедрая, в полной мере осознающая свою красоту и довольно надменная. Во всяком случае, когда Семенов однажды пригласил ее в кафе, Алина посмотрела ему прямо в глаза и ответила: «хм» — причем эта хамоватая лаконичность могла нести в себе какой угодно смысл: от «с какой стати я должна идти непонятно куда и с кем попало» до «у тебя есть шанс, если темп замедлишь».

Вот Семенов и придумал — собрать небольшую веселую компанию, пригласить ее подруг, своих друзей, купить вина и мяса. С одной стороны, не свидание, с другой — есть шанс уснуть рядом в палатке, а там чем черт не шутит.

Собирались весело, кто-то взял гитару, кто-то — трехлитровую банку коньячного спирта, кто-то выпросил у отца автомобиль. Планов было много — петь шансон, жарить кур и всю ночь рассказывать страшные истории.

С погодой не повезло — с самого утра небо заволокло низкими мутноватыми облаками, к полудню начал моросить дождь. Но если тебе еще не исполнилось и двадцати пяти, угроза промочить ноги не значит ничего по сравнению с перспективой всю ночь смеяться с друзьями у костра.

Место выбрал Семен — когда-то эту поляну, в трех часах езды от города, показал ему отец. Рядом — лес, старые ели с мохнатыми темными ветками, неподалеку — крошечная деревенька с покосившимися бревенчатыми домами, небольшая полуразвалившаяся церквушка и старое кладбище.

Добрались быстро, разбили палатки, достали кастрюли с замаринованным мясом, и вдруг выяснилось, что никто не подумал о дровах. Семенов легкомысленно решил — лес же рядом, можно веток сухих наломать. Кто же знал, что моросящий дождь перейдет в серый ливень стеной.

В итоге все сидели в палатке, угрюмо нахохлившись, и кто-то из девчонок даже предложил вернуться, но тут выяснилось, что их единственный водитель уже успел глотнуть коньячного спирта. Пытались шутить и онемевшими от холода пальцами перебирать гитарные струны. Алина выглядела сердитой и на Семенова смотрела так, что мечты о сне в обнимку развеивались на глазах, как мираж.

Семенов понял, что, если он немедленно что-то не придумает, быть беде.

Он надвинул на лицо капюшон, положил во внутренний карман миниатюрный складной топорик, плотнее запахнул ветровку и, бросив друзьям: «Я сейчас!», выбрался из палатки. У него был план: добежать до деревни, попросить дров и теплый плед для Алины, вернуться победителем и получить в награду то, что большинство европейских сказок обещает за спасение принцессы.

Путь лежал через кладбище, которое выглядело заброшенным. За могилами никто не ухаживал — они заросли травой, простые деревянные кресты полусгнили и покосились.

Вдруг Семенов обратил внимание, что одна могила стоит не «в чистом поле», а под деревянным же навесом, тоже полуразвалившимся. Давным-давно кто-то решил защитить последнее ложе любимого человека от ветра и дождя и построил беседку, бесхитростную и неказистую, да видимо, потом и сам помер. Или переехал куда-то. Семенов подошел ближе. На кресте была табличка «Аглая Тимофеева. Трагически погибла в возрасте восемнадцати лет». И больше ничего — ни портрета, ни дат.

Зачем-то он протянул руку и коснулся посиневшими от холода пальцами креста. Тот был сухим. Сухое дерево. И деревня далеко. Зато совсем близко — красивая замерзшая Алина и кастрюля с мясом. Раздумывал Семенов недолго. С одной стороны, ему было не по себе. Срубить крест с могилы — это все-таки не бранное слово на заборе написать. С другой — он воспитывался в атеистической семье, а еще обладал талантом быстро договариваться с собственной совестью. Мертвые — они живут в сердце, подумал Семенов. А если так, то могилы — это фетишизм. И даже если Бог существует, разве не он привел замерзшего Семенова к единственной сухой деревяшке в округе?

Он достал топорик, замахнулся и коротким точным ударом срубил крест. Потом отделил табличку, накромсал щепок, собрал их в полы. Получилось много.

Когда Семенов вернулся, его встретили аплодисментами, а у Алины (как ему показалось) заблестели глаза. Все начали спрашивать, откуда такое чудо, ведь он отсутствовал не более четверти часа, но Семенов счел благоразумным отшутиться и промолчать.

Шашлык показался им пищей богов. Ко всем вернулось хорошее настроение. Одна только Алина была непривычно молчалива, и Семенов уже готов был записать эту томную меланхолию на свой счет, когда она вдруг вскинула голову и, нахмурившись, сказала:

— Не по себе мне.

— Почему это? — спросил кто-то.

— Сама не пойму... Мне кажется, кто-то там стоит и на нас смотрит. — Она кивнула аккурат в сторону кладбища.

Конечно, все начали ее поддразнивать, кто-то даже надел на голову спальный мешок и утробно завыл, как привидение. А Семенов решил, что этот ее детский страх темноты — отличная возможность для нового тактического хода. Он уселся рядом, прошептал «не бойся» в русый завиток на ее виске и приобнял ее за плечо, и она даже не отстранилась, но, к досаде Семенова, в этой податливости не было ни страсти, ни даже тепла.

А следующим утром всю деревню разбудили истошные вопли.

Кричала старуха Потапова, отправившаяся спозаранку за грибами. Едва дойдя до кромки леса, она увидела палатку, а возле нее — красивую девушку, которая лежала прямо на земле и невидяще смотрела в прояснившееся небо. Волосы ее были длинными, мокрыми и спутанными, как у русалки. Не надо было иметь диплом реаниматолога, чтобы понять — девушка мертва.

В палатке обнаружились и другие, всего шесть человек. Все молодые, и у всех спокойные лица, а глаза открытые.

— Нечисть это, нечисть какая-то... — бормотала старуха Потапова, но никто не отнесся к ее словам всерьез.

Вызвали милицию и машину из морга, вечером того же дня провели вскрытие тел, и обнаружилось странное — все шестеро молодых людей утонули. В их легких была вода. При этом пятерых из них нашли в сухой палатке, да и водоемов поблизости не было.

А еще через день старуха Потапова обнаружила, что с кладбища исчез один из крестов. И не просто исчез — был разрублен на куски, только табличка и осталась.

Покоившаяся под толщей заросшей крапивой и лебедой серой земли Аглая Тимофеева, когда-то, в юности, подружкой ее была. Веселая девушка и красивая, была просватана в соседнюю деревню и мечтала родить сына, только вот судьба ее оказалась несчастливой — однажды в мае решила искупаться в еще холодной Волге, да и утопла. Ногу, наверное, свело.

Табличку старуха подобрала и аккуратно положила на могилку, в изголовье.

МЕРТВЕЦЫ, КОТОРЫЕ ЗВОНЯТ ПО ТЕЛЕФОНУ

Со дня смерти младшего сына Нины Матвеевны прошла целая вечность — пять с половиной лет. Эти бесконечные дни вместили в себя взрыв умирающей звезды и рождение сверхновой. Тогда Нина стояла у гроба, уверенная в невозможности жизни «после», и все, кто был рядом, с одной стороны, ей сочувствовали, а с другой, боялись попасть в прицел ее взгляда. Как будто бы она могла пометить печатью этого горя и их самих.

Жена сына, Аля, каждый день приезжала рыдать на ее плече — вместе они в сотый раз рассматривали фотографии, на которых постепенно взрослеющий мальчик улыбался безмятежно и ясно, и не подозревая о том, что ему будет всего тридцать один год, когда врачи разведут руками над его телом, распростертым на хирургическом столе.

Спустя полтора года Аля встретила другого мужчину — познакомились в Интернете, все как-то быстро сложилось. Сначала, конечно, было недоверие к собственному счастью, потом — и стыд за него, а потом прошло и это, Аля утвердилась в новом ощущении, окрепла и даже говорить начала с какой-то новой интонацией. «Я имею право быть счастливой!» — как будто бы кто-то стоял наготове, чтобы это самое право в подходящий момент отнять.

«Конечно имеешь, я так за тебя рада!», — говорила Нина Матвеевна, а когда Аля уходила, долго не могла уснуть. Чувствовала себя и глубоко обиженной, и не имеющей права обижаться.

Але было всего двадцать шесть, вся жизнь впереди. Не может же она потратить всю молодость на попытки ощутить незримое присутствие мертвеца. А с другой стороны, когда в первые недели после похорон Аля звонила ей среди ночи в слезах и говорила: «Нина Матвеевна, я спала и кто-то меня по волосам гладил — клянусь, мне это не приснилось, я чувствовала прикосновение! Это же он приходил, правда?» — когда она так говорила, Нина вдруг чувствовала себя такой наполненной и внезапно почти счастливой.

Ничего не кончено, сын продолжает жить, просто теперь ему дано общаться с любимыми на столь тонком уровне, что попробуй распознай. И она пробовала, она помнила ежесекундно о том, что ее мальчик где-то рядом, что ему, возможно, страшно и горько от того, что самые любимые сочли его несуществующим. На какое-то время ее жизнь превратилась в квест по распознаванию тайных знаков мертвеца.

Вот занавеска в кухне колыхнулась — а форточки-то закрыты! Вот кошка как-то странно уставилась в пустоту, да еще и словно взглядом следит за кем-то. Говорят, что животные имеют дар видеть мертвых. Да и люди когда-то могли, тысячелетия назад, когда воспринимали себя одним целым с природой.

Для Нины Матвеевны сын продолжал быть рядом, и Аля своей готовностью принять это иллюзорное присутствие словно утверждала его в реальности.

Но двадцать шесть лет... Плюс смазливое личико и точеная фигурка — конечно, такая всякому понравится.

Спустя два года Аля все-таки вышла замуж. Нину Матвеевну даже на свадьбу позвали, да она не пошла, сославшись на мигрень. Передала им потом добротное покрывало из верблюжьей шерсти — Аля приехала с тортом и фотографиями, а Нина Матвеевна отводила взгляд от ее платья в белых кружевах, от ее лица, сияющего счастьем и предвкушением. Слишком сильны были воспоминания о другой свадьбе, на которой Аля вот так же сияла и так же мечтательно смотрела в никуда, надеясь на гавань и очаг.

Аля все, должно быть, поняла, звонила она теперь реже и реже, а потом и вовсе перестала, разве что по формальным поводам — день рождения, новый год... А потом у нее и ребенок появился, сын, и совсем ей стало не до Нины с ее скорбью и поиском потустороннего присутствия.

И вот прошло пять с половиной лет, и был октябрь, слякотный вечер, почти ночь. Нина сидела с чашкой какао на диване и мусолила какую-то книгу. Она всегда любила осень — непогода как будто давала право отгородиться от всего остального мира пледом и чаем, почувствовать себя единственной, почти центром вселенной. Это был какой-то особенный, торжественный сорт одиночества.

И вдруг — телефонный звонок.

Нина Матвеевна удивленно посмотрела на часы — половина двенадцатого. У нее не было знакомых, которые позволяли себе звонить в полночь, если только их личный мир не перевернулся. С другой стороны, вокруг Нины не было людей, для которых она была бы «номером один» в записной книжке. Номером, по которому звонят, когда надо спасать. Старший сын с семьей давно жил в Канаде — даже если там конец света, они бы позвонили утром. Подруги разбежались — их разогнало горе. Горе — лучший стражник одиночества, никому не интересно общаться с унылыми.

Звонила Аля.

Нина Матвеевна даже не сразу узнала ее взволнованный голос.

— Как хорошо, что вы не спите! У меня такое случилось, я схожу с ума... Нина Матвеевна, а вы можете сейчас ко мне приехать? Я оплачу такси.

— Что?.. Аля, что у тебя случилось? Ты где?

— Дома, где же еще, — всхлипнула бывшая невестка. — Я бы сама приехала, да сын простужен. Только вот уснул.

— А... Муж твой где?

— В командировке, до конца недели. Нина Матвеевна, помогите мне! Я в таком состоянии — хоть в окно выходи.

— Хорошо, хорошо... Ты только адрес скажи, я буду через полчаса. Пробок нет, я быстренько...

Она даже не стала расспрашивать, что произошло, — такого голоса Али она не слышала с тех пор, как пять с половиной лет назад та вот так же ночью сообщила ей, что Сережа попал в аварию, он в реанимации, ничего не понятно, и надо ехать.

И точно так же, как в ту ночь, Нина торопливо собралась за какие-то десять минут. Платье, кофта, пальто, платок, машинально махнуть расческой по волосам — и вот она уже бежала по улице, и ветер пытался вырвать из ее рук старенький зонт. Возле метро в любое время суток толпились «бомбилы», Нина без труда договорилась — впрочем, наверняка была обманута, потому что такси почти никогда не пользовалась и в ценах не ориентировалась. Через сорок минут она уже звонила в дверь, за которой ждала ее Аля.

—Нина Матвеевна, как хорошо, что вы приехали, — взволнованная Аля приняла из ее рук пальто и потащила ее в кухню, где пахло уютом и налаженным бытом. На столе стояла тарелка с оладьями, окна были занавешены наглаженными шторами, пол влажно блестел, на холодильнике, в керамическом горшке, цвело богато разросшееся лимонное дерево — сразу становилось понятно, что здесь живут те, для кого «очаг» — не пустое слово.

—Что случилось? С мужем все в порядке? С сыном?

—Да, да. Вы лучше сядьте.... Нина Матвеевна, мне Сережа звонил.

Нина онемела. Молча смотрела, как бывшая невестка машинально суетится, ставит на плиту чайник, наливает в пиалу протертую с сахаром малину, подает чашки.

—Аля... Это глупая шутка? Если так, то...

—Я что, похожа на идиотку-шутника? — оборвала Аля. — Я сама думала, что с ума сойду.

—Детка, но может быть, ты перепутала... Мне вот до сих пор везде мерещится Сережин голос... Как телевизор включу или радио... И на улице тоже — постоянно.

—Да при чем тут голос, — досадливо поморщилась Аля. — Номер у меня определился. Номер его мобильного. Нина Михайловна, а это правда, что вы до сих пор платите за номер Сережи?

Нина опустила взгляд. Это было глупо и так по-детски — один из ее секретов, самый странный, пожалуй, секрет. Она рассказывала об этом Але — еще в те времена, когда они вместе плакали над фотоальбомами.

Так получилось, что Нина Матвеевна помогала семье сына решать все бытовые проблемы. Считала их молодыми да безголовыми, имеющими право на безответственное простое счастье. Приезжала каждый месяц, чтобы снять показания счетчика, носила в сберкассу счета, в случае необходимости сама разбиралась с сантехниками, сама носила в ЖЭК документы, чтобы приватизировать квартиру сына. «Потом буду только с внуками помогать, — говорила она, — а пока, наслаждайтесь свободой». И мобильные счета обоих супругов оплачивала она же.

И вот Сережи не стало, и когда наступило очередное второе число, Нина Матвеевна машинально, как бесчувственный призрак, поплелась в офис телефонной компании, и только когда улыбчивая девушка попросила ее назвать номер, Нина остолбенела. Сотрудники компании даже усадили ее на стул и дали валидол — так побледнело ее лицо. Но отдышавшись, Нина вдруг приняла решение — не сейчас. Спросил бы ее кто о мотивах — она бы не смогла дать внятный ответ, даром что большую часть жизни учительствовала, преподавала школьникам геометрию и алгебру, и не понаслышке знала, что такое логика. Она вежливо улыбнулась, назвала знакомые цифры, и на телефонный счет, уже не нужный ее покойному сыну, поступили деньги.

В следующем месяце повторилось то же самое. А потом — она привыкла. И как иные бредут с пластмассовым тюльпаном к могильному холмику, пытаясь найти хоть какое-то символическое воплощение невыразимому, так и она шла в офис телефонной компании. Каждый месяц, второго числа, все эти пять с половиной долгих лет.

А однажды... Это случилось как раз в минувшем мае, в день рождения Сережи... Нина Матвеевна выпила пятидесятиграммовую стопку водки, зажгла церковную свечу у фотографии сына, а потом что-то нашло на нее, и она набрала номер, которым давно никто не пользовался. И так сердце ее колотилось — едва из груди не выпрыгивало, когда чужой вежливый голос сообщил ей предсказуемое — абонент находится вне зоны действия сети. И новым смыслом наполнились для Нины Матвеевны эти механические слова. Вне зоны Сережа — и действия, и постижения, и, должно быть, даже любви. Она-то, дура, столько лет пытается нащупать его присутствие, а он — вне.

— Нина Матвеевна, с вами все в порядке?

Бледная Аля сидела напротив нее, на шаткой кухонной табуреточке, перед ней стоял остывающий чай, к которому она и не притронулась.

— Я просто подумала — если вы не платите за номер, он мог перейти кому-нибудь... Ну наверняка же невостребованные номера передают новым абонентам. Но даже и так — откуда этот новый абонент узнал мой номер? Почему решил так жестоко пошутить??

— Алечка, ты расскажи по порядку. Как это случилось? — Нина старалась говорить спокойно.

Аля и рассказала. Было начало одиннадцатого, сын температурил и капризничал весь вечер, и вот наконец угомонился, она осторожно вышла из детской, прикрыв за собою дверь, когда вдруг в кармане халата завибрировал телефон. Аля ничуть не заволновалась — когда муж был в отъезде, они созванивались часто, в том числе иногда и по ночам.

Но в трубке молчали. И молчание сразу ей странным показалось — ни помех на линии, ни шороха, ни дыхания, одна растворяющая и как будто бы затягивающая внутрь пустота. В конце концов Аля поймала себя на мысли, что уже минуту тупо стоит в коридоре с трубкой возле уха, слушает, хотя ей никто ничего и не говорит. Как будто загипнотизировали.

И только тогда она догадалась взглянуть на экран мобильного, и у нее горло сжалось — этот номер она знала наизусть, принадлежал он Сереже, ее погибшему первому мужу. «Может быть, Нина Матвеевна решила пользоваться этой симкой», — успокоила себя Аля. Набрала номер, но ей ответили, что абонент недоступен.

Как-то она себя успокоила, сходила в душ, приготовила наскоро оладушки — Аля была из тех, кого успокаивает теплая жирная еда. И тут телефон зазвонил снова.

На этот раз она не сразу подняла трубку — завороженно смотрела на знакомые цифры. Наверное, минуты полторы — и все это время телефон не прекращал вибрировать. «Настоящий человек не стал бы столько слушать гудки», — мелькнула мысль, которая в следующую секунду заставила ее, схватившись за сердце, подпрыгнуть. Але стало страшно — по-настоящему. И вот тогда она решила позвонить бывшей свекрови.

— Деточка, да это, наверное, сбой на линии. — Нине Матвеевне было не по себе, но хотелось и Алю успокоить, было так жаль ее, бледную, заплаканную, похожую на тень прежней себя.

— Если бы вы только слышали эту тишину, — уставившись в стену, сказала Аля. — Я никогда ни с чем подобным не сталкивалась. Как будто бы сама Вечность хочет, чтобы ты ее услышала... Вот так живешь, будничными своими делами какими-то занята, волнуешься обо всякой хрени, а о ней, вечности, и не думаешь. А она же существует... Она умнее и древнее тебя, она таких, как ты, миллионы видела. И иногда кому-то напоминает о себе — мол, думаешь, ты тут хозяин жизни? А ты тут на самом деле никто, из праха вышел, в него и обратишься.

— Аля, милая... Давай валокордину тебе накапаю! Ну почему это случилось, когда мужа твоего дома нет. Тебе было бы спокойнее.

Бывшая невестка посмотрела на нее, как побитая жизнью и имеющая единственную амбицию — не спиться бы — воспитательница детского сада посмотрела бы на пятилетку, важно заявившего, что он вырастет и станет владельцем заводов-газет-пароходов. Неприятный взгляд.

— Вы издеваетесь? Он ведь нарочно выбрал час. Не стал бы звонить, когда муж рядом.

Уехала Нина Матвеевна только утром — Аля категорически отказалась ее отпустить. К старости сон становится хрупким, а когда еще и в чужой постели... Всю ночь она следила за тенями на потолке, на душе было неспокойно.

Нина Матвеевна никому не собиралась говорить, но так вышло, что неделю или другую спустя к ней зашла на кофе соседка.

Женщину звали Анфисой, и во дворе ее считали странной. Во-первых, у нее как будто бы не было возраста — то есть, ее желтоватое лицо было исполосовано морщинами, но с другой стороны — местные старожилы вспоминали, что и четверть века назад она выглядела точно так же. Во-вторых, она все время была одета одинаково — и в зной, и в мороз на ней было длинное черное, похожее на монашескую рясу платье и шерстяная кофта, на все пуговицы застегнутая. В-третьих, она почти никогда ни с кем не разговаривала, могла проигнорировать обращенное к ней приветствие, однако иногда что-то на нее находило, она звонила в чью-нибудь дверь и равнодушно выдавала в лицо хозяевам, испуганным уже самим фактом ее появления: вам бы, мол, лучше местечко на кладбище прикупить, скоро покойник в вашей семье ожидается. Или: заприте вашу дочь, она скоро познакомится с бандитом, влюбится в него, и он всю жизнь ей испоганит, будет его годами с зоны ждать.

Все, что эта Анфиса оглашала, сбывалось. И покойник случался в семье, где не было стариков и никто ничем не болел. И дочка тихих филологов проколола шину своего велосипеда аккурат напротив скамейки, на которой сидела компания крепких татуированных парней, — один из них подошел помочь, и слово за слово — уже осенью сыграли свадьбу, а за несколько дней до нового года, когда молодая жена уже ждала первенца, его взяли за вооруженный грабеж.

А когда Анфису просили — скажи мне, что будет, — и даже деньги большие предлагали, она только передергивала плечами и молча уходила.

И вот Нина Матвеевна неделю собиралась, но в итоге подошла к ней во дворе, за рукав схватила, чуть ли не на колени упала, торопливо рассказала все. Она ни на что не надеялась — ее обращение было похоже скорее на конвульсии утопающего, чем на продуманный план спасения. Но случилось чудо: Анфиса сжала ее руку и сказала: вари кофе к полуночи, я зайду, поговорим.

Кофе она, к слову, так и не выпила — хотя долго и с явным удовольствием вертела остывающую чашку в руках и, прикрыв глаза, втягивала носом ароматный парок. Нина Матвеевна сидела напротив и шелохнуться не смела — боялась обидеть странную соседку, спугнуть. Специально пирог яблочный испекла — но он так и остался на столе нетронутым.

— Бывает такое, — сказала Анфиса, выслушав сбивчивый рассказ. — Приходят за своими они, за собою приглашают. Раньше вот телефонов не было, просто так приходили. Во сне в основном. Да разве кто сейчас обращает внимание на сны. Мой муж часто звал меня. Тридцать пять лет нет его уже. И как настроение у меня плохое или заболею — звонит. А тогда — сама понимаешь — ни мобильных, ни определителей номера. Обычный пластмассовый телефон с диском у меня стоял, как у всех. Но я сразу понимала, что он это звонит. Правильно невестка твоя тишину описала — именно такая она и есть, зовущая. Только вот слушать долго ее нельзя, а то мертвец за тебя выбор сделает, утянет. Если ты не имеешь привычки к вечности, она тебя быстро поглотит.

— Что же делать? — Нина Матвеевна перепугалась за Алю. — Это значит, что она... умереть может? Но у нее семья, ребенок маленький, да и вообще...

— Да не психуй, — поморщилась Анфиса. — Что же вы все как дети, стоит о смерти с вами заговорить. Ты ей только скажи, чтобы долго не слушала, если еще позвонит. Это уже не тебе, а ей решать — пойти на зов или пока тут остаться. Я вот решила пока побыть, хотя иногда думаю — а может, зря...

Аля потом несколько раз Нине Матвеевне рассказывала, что были еще звонки. Один раз, когда она ногу в гололед сломала и толком полежать не могла — некому было ей помогать. Так на костылях по дому и прыгала, обезболивающие ела как конфетки. Очень ей тогда себя жалко было — все домашние улягутся, а она в ванной запрется, с трудом, свесив ногу в гипсе, помоется, и потом еще сидит под струей воды и плачет.

Жалость к себе — наверное, самое быстрорастущее чувство на свете. Как ядерный гриб — трансформируется на глазах, а потом еще и убивает все живое вокруг, потому что быстро превращается в претензии к другим. Тут звонок и раздался, но Аля помнила о том, что ей рассказала бывшая свекровь (хоть и не вполне поверила ей), и через несколько секунд отключилась.

И потом еще был звонок — уже через несколько лет, когда ее сын пошел в школу. Он вырос в трудного ребенка, и вот однажды так Але надерзил, что ей пришлось сбежать в ванну, потому что плакать при детях непедагогично. И снова был звонок, и снова на экране был номер Сережи-покойника.

А потом то ли совсем он исчез, то ли Аля слишком отдалилась от Нины Матвеевны, чтобы делиться с ней секретами. Да и та уже совсем старушкой стала, глуховатой к тому же — ей было трудно по телефону говорить. А может быть, Аля просто перестала о нем вспоминать. Или вспоминала — но буднично, без надрыва. Куда больше эмоций вызывал у нее второй муж, который тоже ее оставил, — но не в гроб от нее ушел, а в постель к ее подруге лучшей.

Спустя годы Аля уже и лица Сережиного не вспомнила бы в подробностях — только общие черты. А какие у него родинки, какая между бровями дорожка из более светлых волосков, какие морщинки у глаз — все это стерлось, поблекло в памяти. Видимо, мертвые зовут лишь тех, для кого они что-то значат, — так думала Нина Матвеевна, которой только то и оставалось, что целыми днями размышлять, сидя у окна.

А потом не стало и ее, и история эта и вовсе потеряла смысл, и никто бы никогда о ней и не узнал, если бы почти перед самой смертью Нина не рассказала ее сердобольной докторше, та — медсестрам, от скуки, за вечерним чаем, ну а те — понесли дальше, в конце концов утвердив ее среди других странных московских сплетен.

ЛИЦО ИЗ ЗЕРКАЛЬНОГО КОРИДОРА

Наташе было двадцать восемь лет, а Марине — тридцать, обе считали, что в личной жизни им не везет, словно их прокляли, обе работали в скучных конторах секретаршами, обе мечтали удачно выйти замуж и променять офис как минимум на пеленки и борщи. А еще лучше на dolce vita за счет прекрасного принца, который будет каждую ночь практическим путем доказывать им, что точка G все-таки существует, а каждое утро уходить на работу, на прощание бросив: «Дорогая, деньги в тумбочке, купи себе что-нибудь красивое!» Однако вместо принцев обеим попадались, прости господи, мудаки какие-то — кто жадина, кто пьяница, а кто и вовсе ночами напролет ставит пятерки с плюсом нимфеткам на сайте «Одноклассники».

Однажды в Сочельник Наташа предложила устроить ночь гаданий. Марина засомневалась — она носила на шее золотой православный крестик и точно знала, что церковь почитает ведовство за грех. А грешить впустую ей не хотелось. С другой стороны, Маринина принадлежность к православной традиции выражалась главным образом в том, что каждую Пасху она с удовольствием красила яйца луковой шелухой, а в Великий Пост меняла пельмени с мясом на пельмени с соевым мясом.

Грешила же она постоянно и со вкусом. И сквернословила (правда, ей хотелось верить, что у нее получается произносить слово «х...» с очаровательной богемной непринужденностью), и упоминала имя Бога всуе («Ах, боже мой, какие туфельки!), завидовала замужним приятельницам («Что может делать этот роскошным мужик рядом с такой овцой?!»), а каждую субботнюю ночь испытывала необъяснимый, но такой по-человечески понятный порыв возлюбить какого-нибудь ближнего то на заднем сиденье его авто, то в отеле (если «ближний» был женат), то и вовсе в сортире ночного бара, куда они с Наташей часто выбирались, — это называлось у них «хоть немного расслабиться».

В общем, Марина согласилась.

Наташа приготовила все, что (как казалось ей самой) нужно для гадания. Красное вино, несколько коробок с замороженными пиццами, блок ментоловых сигарет, а также карты, свечи, зеркала и — на всякий случай — старые стоптанные тапочки, которые можно бросить за ворота, подражая девицам из далекого прошлого, по меркам которых обе, и Наташа, и Марина, давно были безнадежными старухами.

Сначала, как водится, выпили. Обсудили всех общих знакомых, посетовали на то, что эпиляция в салоне напротив опять подорожала на двести рублей, и что единственный приличный мужик из Наташиной конторы на прошлой неделе женился, и что в Москве не водятся клоны Джейсона Стетхема, и что «почти тридцать» — это, с одной стороны, не возраст, а с другой — начинают хрустеть суставы и седеть виски.

К гаданию приступили, когда обе были уже навеселе. В картах сразу запутались. Зато в кофейной гуще, которую вытряхнула на блюдечко Марина, явственно прорисовались очертания фаллоса.

—А он большой! — обрадовалась та.

—Ну да, умещается на блюдечке, — фыркнула Наташа.

А когда Наташа выплеснула воск в тазик с прохладной водой, получилась восковая туфелька.

—Может быть, это значит, что я выйду замуж за итальянца?

—А может быть, это значит, что в гололед ты сломаешь каблук?

Потеряв интерес к воску, девицы решили попробовать увидеть судьбу в зеркальном коридоре. Идея была Наташина, Марина же сначала сопротивлялась.

—Мне бабушка в детстве говорила, что нельзя долго смотреть в зеркальный коридор — увидишь за спиной мертвяка, который позовет тебя за собою.

Наташа решила гадать первой. Она закрылась в комнате и велела подруге ни под каким предлогом не входить, пока она сама не позовет. Марина налила себе зеленого чаю, открыла какой-то дурацкий журнал, прочитала статью о том, что массивные серьги с массивными бусами — это пошлость, а красить ногти на руках и ногах одним цветом — прошлый век. Наташи все не было.

Марина разогрела кусочек пиццы, выпила еще чаю, потом вина, потом (после второй бутылки сухого красного с ней часто такое случалось) написала SMS всем своим эксам: «Я совсем не соскучилась, а ты?»

Какой-то из них, обозначенный в записной книжке ее телефона как «Не брать трубку 9», даже ответил: «Я тоже».

У Марины было восемнадцать мужчин, которых она последовательно переименовала в «Не брать трубку» и уже успела забыть, кому какой номер присвоила. Наташа все не появлялась.

Небо начало светлеть.

Марина раздраженно посмотрела на часы. «Может быть, она спьяну уснула, а я тут, как идиотка, жду?»

Она решительно покинула кухню и остановившись перед дверью Наташиной спальни, постучала — сначала осторожно, потом все более настойчиво. И только потом решилась распахнуть дверь.

Позже Марина ругала себя за то, что была такой легкомысленной. Надо было позвонить в милицию, в «скорую», соседям, любому из списка «не брать трубку» — только чтобы не видеть того, что она увидела, зайдя в спальню подруги.

Наташа лежала на спине, раскинув руки, и лицо ее было перекошено гримасой такого первобытного ужаса, что у Марины встали дыбом мелкие волоски вдоль позвоночника. В комнате было холодно, пахло растопленным воском. Рядом с мертвой девушкой лежало разбитое зеркало.

Марина закричала.

Приехавшие позже врачи покачают головой — нет, ничего сделать было нельзя, оторвался тромб, все равно Наташу не успели бы спасти.

Гример из морга отказался работать с Наташиным лицом, и хоронили ее в закрытом гробу.

МЕРТВЫЕ РУКИ

Дело было в маленьком городке на востоке России.

Одну женщину наняли сиделкой к смертельно больной старушке. Та уже несколько лет не вставала с постели и даже не разговаривала — только смотрела побелевшими, как застиранная скатерть, глазами в потолок и ждала смерть, которая никак за нею не приходила.

Работа была нетрудная. Несколько раз в день разжать пальцами твердый серый рот и маленькими ложечками вливать в него йогурт и жидкий супчик, приносить судно, переворачивать старушку, которая весом была не тяжелее большой тряпичной куклы, и протирать ее желтую, будто восковую, кожу специальным лосьоном, чтобы не появлялись пролежни.

И вот однажды сиделка подошла к старушке и увидела, что глаза у той стали совсем белыми, как у мертвой птицы, рот открылся, а челюсть набок съехала.

Женщина позвонила в «скорую», хотя и понимала, что это уже не поможет. Так и вышло — усталая женщина в замызганном белом халате строго отчитала ее за вызов к мертвячке: «Вам в морг сразу звонить надо было. Правда, все равно они раньше завтрашнего утра не приедут, на улице метель. Вы ей платочком челюсть подвяжите и окна в комнате откройте, ничего с ней не случится».

Ночевать в одной квартире с мертвой старушкой не хотелось. Но как назло, родственники покойной уехали в областной центр и тоже должны были вернуться к утру.

Делать нечего — сиделка нашла в шкафу какой-то платок, ладонью закрыла мертвые глаза, стараясь при этом не смотреть в лицо старушки и думать о своем. О светлом будущем, например, и его пленительной частности, дальнобойщике по имени Иван, с которым она встречалась уже третий месяц, и дело шло к свадьбе.

Сиделка распахнула форточку, зачем-то прикрыла старушку тонким шерстяным одеялом и вышла, затворив за собою дверь.

Как ни странно, сморило ее довольно быстро, но сон был неглубоким, тревожным. Снились женщине какие-то портовые серые города, басовитые корабельные гудки, чайки, низко парящие над штормовым морем. Вдруг ей почудилось, что сквозь сон она слышит шаркающие шаги. Как будто бы кто-то ходит по коридору, медленно, словно с трудом.

Женщина села на кровати, протерла глаза, а потом, накинув на плечи халат, вышла в коридор.

И сразу увидела ее, старушку. Та прислонилась к стене, идти ей было трудно, колени подгибались. Направлялась, кажется, она в уборную.

Сиделка сначала даже не испугалась. Первой мыслью было: неужели врач ошиблась? Ужас-то какой, а она оставила бедную старуху с распахнутой форточкой, в мороз и метель. Да еще и платок так туго повязала, чуть не удушила. Правда, странно, что бабушка шла, — ведь последние два с половиной года она с кровати не поднималась. А вдруг упадет, шейку бедра сломает? Женщина бросилась вперед, поддержала старушку за локоть.

—Осторожнее, осторожнее, что же вы меня не позвали...

Старуху шатало. Она была еще более бледной, чем обычно, и глаза ее были закрыты.

И вдруг она прошептала, слабо и хрипло:

—Помоги мне... Руки...

Кажется, сиделка услышала ее голос впервые.

—Чем помочь? Давайте я вас в постель отведу. Может быть, чаю горячего с вареньем?

—Нет, руки... — монотонно повторила та. — Помоги мне, они не разгибаются. Разогни мне руки.

Только тогда сиделка и заметила, что руки старухи сложены на груди, как у мертвой.

—Сейчас, сейчас... — Но, прикоснувшись к ладоням старушки, она отдернула руки как от раскаленной сковороды.

Они были ледяными. И твердыми. Глаза привыкли к полумраку, женщина пригляделась и увидела на старухином лице фиолетовые пятна. В три прыжка она оказалась в своей комнате, плотно прикрыла дверь и задвинула ее письменным столом. Сердце колотилось, в голове шумело. Такого не может быть. Просто не может быть.

Но это было, было по-настоящему, мертвая старуха шла по коридору, осторожно и медленно, с закрытыми глазами и побелевшим лицом. Из-за двери донесся ее слабый голос:

—Почему ты ушла? Помоги мне. Руки не разгибаются... Разогни их... Выйди... Открой дверь....

Счет времени сиделка потеряла, но когда старуха затихла, за окном уже светало. Наконец женщина решилась выглянуть из комнаты. В коридоре — никого. Она медленно дошла до комнаты старухи, дверь в которую была плотно закрыта. Женщина не могла бы объяснить, что ею руководит. Почему она просто не уйдет из этой квартиры и не забудет о произошедшем.

Старуха лежала на кровати, руки сложены на груди, челюсть подвязана платком, на белых щеках — иней.

Только вот одеяло почему-то валялось на полу, скомканное.

Женщина дождалась машины из морга, а потом ушла и больше в тот дом никогда не возвращалась.

POST MORTEM PHOTO

В антикварную лавку на Бронной Клавдия заглянула спонтанно — то ли некая мелочь, выставленная в витрине, привлекла ее взгляд и позвала за собою с гипнотической силой, свойственной пережившим не одно поколение вещам. То ли просто захотелось перевести дух и хотя бы пару минут передохнуть от раскаленного июньского города в кондиционированном оазисе.

Клавдия была небогата и едва ли могла позволить себе антиквариат.

Но в магазинчике ее словно ждали — из-за прилавка ей навстречу ринулась пожилая продавщица вида престранного. Было ей хорошо за шестьдесят, на ее щеках розовел ровный румянец, а от уголков глаз разбегались морщинки человека, который привык смеяться много и с наслаждением. Подкрашенные фиолетовым седые кудельки выглядывали из-под старой бархатной шляпки, на лоб спускалась мятая и местами порванная вуалетка.

Несмотря на тридцатиградусную жару, старушка была в плотной рубашке с жабо, клетчатом шерстяном жилете и выглядывающих из-под довольно смелой для ее лет юбки плотных хлопковых чулках.

— Ну наконец-то, милая! — Голос ее оказался певучим и молодым. — А я уж думала, ты никогда не придешь.

Клавдия попятилась:

— Вы меня с кем-то перепутали...

Но бойкая старушка не собиралась отступать. Проворно выпрыгнув вперед, она ухватила Клавдию за рукав и потянула за собою, между полок, уставленных фарфоровыми статуэтками, латунными вазочками и полуразобранными швейными машинками. Ее скрученные артритом пальцы были цепкими и сильными.

— Ну, как же такое может быть, моя дорогая! Я ведь еще не окончательно выжила из ума... Душенька, надеюсь, ты не откажешься от мятного чая? У меня есть безе, сама утром пекла...

— Простите, — Клавдии все же удалось освободить рукав, однако под напором энергии странной старушки она чувствовала себя какой-то вялой медузой. — Я впервые вас вижу, совершенно точно... Просто шла мимо и решила заглянуть сюда. Думаю, вы ожидаете кого-то другого.

Продавщица снова рассмеялась, и это был не фасованный порционный московский смех, которым в этом городе принято затыкать неловкие паузы или реагировать на не вполне удавшуюся шутку собеседника.

— Какая же ты, право, глупенькая. Садись вон туда, за тот столик. Сейчас я подам чай. — И юркнула куда-то в сторону — впрочем, в помещении, так густо уставленном старой мебелью, нетрудно было исчезать.

Клавдия чувствовала себя неуютно. Она привыкла к жизни замкнутой. Зарабатывала на жизнь переводом текстов, почти всех собеседников с возрастом растеряла и иногда могла и неделю провести, не размыкая рта. Ей просто не к кому было голос обратить. И чужое внимание иногда начинало казаться ей вариантом атаки — Клавдия, конечно, понимала, что это нездорОво, но поделать ничего не могла.

Ей было всего тридцать пять. Безнадежно некрасивая: лицо словно наспех топором высечено, глаза запали так глубоко, что даже щедрая порция игристого вина не могла заставить их засиять звездами, а губы такие тонкие, что их почти и вовсе не было, — рот напоминал кривовато прорезанную щель. Да еще и хроническая молчунья, привыкшая жить в тени. Никто и никогда к ней не тянулся, и из всех возможных бонусов небесные проектировщики наградили ее лишь усидчивостью да въедливым, внимательным к деталям умом. К счастью, чувство зависти было ей неведомо — разве что в нежном возрасте она с легкой тоской поглядывала на длинные крепкие ноги одноклассниц и несмело примеряла на себя фарфоровость их лиц.

И вот Клавдия стояла посреди пахнущего пылью и старой тканью помещения и не знала, что делать: с одной стороны, не хотелось быть невежливой, да и перспектива мятного чая с домашним безе была заманчивой, с другой — отчего-то хотелось развернуться и убежать. И это было так странно и непохоже на нее.

Клавдия всегда молчаливо посмеивалась над теми, чье бессознательное оказывалось намного просторнее и сильнее сознания. Теми, кто не мог внятно и логично разложить чувства по невидимым полочкам, понять, что откуда произрастает, почему тут страшно, там — больно, а вон там — смешно. А теперь она и сама с нарастающей тревогой стояла посреди антикварной лавки, ощущая холодок в солнечном сплетении. И может быть, она и послушалась бы этого не постижимого логикой внутреннего паникера и ушла бы обратно в жару, если бы гостеприимная старушка замешкалась еще на пару минут. Но нет — та появилась, сияя белозубой улыбкой (хорошие протезы, должно быть) и с подносом, уставленным фарфоровой посудой:

— Милая, да ты садись, зачем же стоять. Я тебя долго не задержу.

И поставила на кованый столик с витыми ножками чашки, старинную серебряную сахарницу, блюдо с похожими на кружева пирожными.

— По рецепту моей прабабки готовила, — похвасталась старушка. — Мороки, конечно, много, но зато таких нигде сейчас не купишь.

Пожав плечами, Клавдия присела на неудобный кованый стул. И покупает же кто-то такую мебель. Старушка расположилась напротив. Клавдии вдруг стало стыдно за свою осанку, за сгорбленную годами сидячей работы спину, за неловкие руки с грубыми пальцами, за стоптанные сандалии. Казалось бы, в современном городе классового общества больше нет. Все решают деньги. Так, во всяком случае, она думала — до чаепития со старушкой. Есть у тебя деньги — покупаешь дорогие туфли, делаешь мелирование в салоне на Тверской, нанимаешь секретаря, вот ты уже и элита. А одного ее знакомого, профессора МГУ, доктора наук с дворянскими корнями, однажды не пустили на порог хорошего ресторана. Он решил отметить юбилей и пригласил жену в одно из тех заведений, где подают томленных в сливочном соусе перепелок, трюфельный крем и шампанское по цене плазменной панели, где есть швейцар в белых перчатках и парковщик. Деньги у профессора были. Но швейцар в белых перчатках, только что елейно улыбавшийся какому-то хмырю, строго преградил старикам путь. Нельзя и все. Найди, дед, что-нибудь попроще. Так и сказал — в пылающее от стыда лицо профессора.

Но в компании старушки из антикварной лавки Клавдия вдруг поняла, что очарование голубых кровей не имеет никакого отношения к сумме на банковском счете. Было в пожилой женщине что-то неуловимое — в том, как она держала голову и спину, как наливала чай, как улыбалась, как смотрела, — Клавдия чувствовала себя нерадивой горничной, пришедшей наниматься на работу и понимающей, что шансов — никаких.

Предложенное безе оказалось волшебством — таяло на языке. Сейчас такие подают разве что в ресторанах, подобных тому, куда не пустили профессора.

— Кушай, милая, — радовалась старушка. — У меня самой давно диабет, но как же я люблю смотреть на то, как молодые едят сладкое.

— И все-таки... Почему вы меня пригласили? — продолжала недоумевать гостья.

Старушку ее растерянность явно веселила. Выдержав паузу и подождав, пока Клавдия доест очередное безе, она извлекла из кармана небольшой потрепанный фотоальбом — видимо, очень старый:

— Ладно, дорогая, не буду более тебя томить. Вот то, за чем ты пришла. Это твое.

Клавдия машинально приняла альбом из ее рук, открыла. На каждой странице был фотопортрет — вот похожая на куклу девочка лет десяти, в белом кружевном платье и с плюшевым мишкой на коленях. Вот младенец безмятежно спит в колыбели, и над ним склонилась усталая мать — от бессонных ночей под ее глубоко запавшими глазами залегли темные тени. Вот бородатый мужчина с тростью — серьезно смотрит в объектив, и от его взгляда почему-то не по себе. Но может быть, это просто эффект старинных фотографий. Этих людей давно нет в живых. Даже тех, кто запечатлен младенцами, унесла в могилу глубокая старость. А в лицах мертвых — и это известно всем — появляется некая особенная торжественность, космическая мудрость и что-то еще неуловимое, нагоняющее тоску. Клавдия помнила стихотворение Ахматовой:

Когда человек умирает,
Изменяются его портреты,
По-другому глядят глаза,
И губы улыбаются другой улыбкой.
Я заметила это, вернувшись
С похорон одного поэта.
И с тех пор проверяла часто,
И моя догадка подтвердилась.

Клавдия нахмуренно листала альбом. Ни одного знакомого лица. Ни одной жанровой фотографии. Ни одной улыбки. Только студийные торжественные портреты.

— Ну и что это? Зачем это мне?

— Ты не понимаешь? — лукаво улыбнулась странная старушка. — А я сразу, как на тебя посмотрела, поняла, что это твое. Твоя вещь. Твоя компания. Тебе понравится.

— Понятно. Это такой способ рекламы, — криво усмехнулась Клавдия. — Однажды мне так пытались продать пылесос. Тоже зубы заговаривали долго, еле отделалась.... Но я вас разочарую — вы ошиблись. Дело даже не в том, что я не собираюсь покупать дурацкий фотоальбом. У меня просто нет денег.

—Тю... — протянула старушка, совсем не обидевшись. — Так ты из тех, кто не умеет общаться со временем. Это печально, милая. Время — самый благодарный собеседник. Вот скажи, у тебя в доме есть хоть что-нибудь старинное?

—Послушайте, я, пожалуй, пойду. — Клавдия отодвинула чашку. — Вы же слышали — денег нет.

—Сейчас пойдешь, кто же тебя держит. Просто скажи — есть ли у тебя хотя бы одна старинная вещь.

—Ну... — Клавдия задумалась, — есть стулья на даче. И диван мамин. Я все старое на дачу везу.

—Это не считается. Сейчас я тебе дам примерить одну вещь, и ты сама все поймешь. — Старушка вскочила, у нее была на удивление легкая походка.

Клавдия тоже поднялась. И собиралась было положить фотоальбом, который машинально продолжала вертеть в руках, на стол, но старушка ее остановила:

—Это же всего три минуты. И пойдешь с миром. Ты же просто прогуливалась по городу. Неужели тебе самой совсем не интересно? Я уже поняла, что денег у тебя нет.

Клавдия вздохнула. А может быть, и не было ничего зловещего в этой причудливо одетой пожилой женщине и в этом альбоме — может быть, просто жара вот так странно подействовала на мозговые доли, отвечающие за страх.

Тело Клавдии начало производить страх, хотя объективных причин тому не было. Скорее всего, старая продавщица просто одинока — точно так же, как и сама Клавдия. Но если последней повезло уродиться интровертом, воспринимающим одиночество целительным отдыхом, то старушка наверняка некогда блистала на светских раутах, уверенная в том, что время никогда не отнимет у нее всего, чем она дорожила.

Но время было куда более опытным стратегом, чем какая-то отрицающая его жестокость светская дамочка, — оно действовало почти незаметно. Сначала стало меньше поклонников, потом и давление подскочило, потом пришлось познакомиться с двумя неумолимыми инквизиторами — мигренью и артритом. Настроение портилось к дождю. Неудачно упала и вывихнула ногу. Деньги кончились. И вот однажды наступила та новогодняя ночь, которую она встретила в компании зеркального отражения. Потом подвернулась удача — антикварный магазин, куда ее приняли консультантом. Она все еще оставалась общительной, приветливой, милой, посетителям это нравилось. И вот теперь она отчаянно цепляется за любую возможность с кем-то поговорить. Сымитировать нормальный дружеский разговор — с чаепитием, шутками.

Старушка весело тряхнула перед Клавдией какими-то изрядно помятыми кружевами.

— Вот. Это платье. Вторая половина девятнадцатого века, отлично сохранившееся. И, похоже, размер твой... Давай же, милая! Можешь переодеться вон там, за ширмой.

Вздохнув, Клавдия приняла кружева из старушкиных рук и последовала в указанном направлении. В конце концов, в ее жизни никогда не было места приключениям и спонтанности. «И правильно, что не было, это все так утомительно!» — сказал самый ехидный из ее внутренних голосов. Платье пахло пылью и старостью, но действительно оказалось совсем целым. Ни дырочки, ни затяжечки, все пуговицы на месте. «И как ей не страшно давать примерить такую ценную вещь первой встречной. А если я выбегу из магазина? А если я пахну потом? Или испачкаю кружево помадой?» Клавдия натянула платье через голову — оно село как влитое. Она посмотрела в старинное зеркало в бронзовой раме.

Клавдия никогда не была из тех, кто очаровывался вещами, — даже напротив, она молчаливо презирала и женщин, которые гонятся за «образами», и тех мужчин, которых влекут детали — чулки, кружево, шляпки, — а не то, что за ними прячут. Но сейчас, рассматривая себя, она не могла не признать — старинное платье сделало ее другой. Как будто бы другая женщина с ее чертами смотрела на Клавдию из зеркала. Чуть более глубокая, торжественная, понимающая. Прожившая какую-то другую жизнь. Не просто отсчитавшая дни и годы, растратившая их на будничность, как это сделала сама Клавдия.

—Что я вам говорила! — всплеснула руками старушка, о существовании которой Клавдия успела забыть, потому что две минуты наедине с платьем показались ей безвременьем. — Идемте, дорогая, я должна вас сфотографировать.

Как в тумане Клавдия потащилась за ней. Словно ее лишили воли. Этот день, жаркий, пыльный и бессмысленный, будто бы перестал существовать вовсе.

Старушка повела ее между стеллажами и буфетами, к дальней стене, которая была завешена слегка помятой холщовой тканью.

—Вот. Это прекрасный фон. Садитесь на стульчик... Кстати, а вы ведь поняли про фотоальбом, дорогая?

Клавдия опустилась на табурет, сложила руки на коленях. Губы ее пересохли, в голове был туман:

—Что именно я должна была понять?

—Да там же все мертвые! — расхохоталась старушка. — Мертвые люди. Вот чудачка, вы и внимания не обратили.

—В каком смысле... мертвые?

—Ну как же. Пост мортем — популярнейший жанр. Когда изобрели дагерротип, почти все этим баловались. Сначала аристократия, конечно, потом мода вышла и в народ. Как это обычно бывает с модой.

—Но... Они же сидят, у них глаза открыты... — Клавдия вспомнила и серьезную девочку в белом, и старика. — Вы меня разыгрываете, да? Пугаете?

Старушка отчего-то развеселилась еще больше:

—Что же тут страшного, дорогая? Что вы как маленькая, в самом деле. Подумаешь, люди мертвые, эка невидаль. Каждый человек бывает мертвым. — Она заговорщицки подмигнула. — Как минимум единожды. И у вас тоже будет такая возможность.

—Знаете, я, пожалуй, пойду. — Клавдия встряхнула головой.

—Одну минутку! — вскричала ее странная собеседница. — Не волнуйтесь, фотоаппарат у меня современный. Снимок будет готов через пару мгновений... Надо же, в первый раз, кажется, вижу человека, который ничего не слышал о посмертных фотографиях.

—Мою бабушку снимали, — зачем-то хмуро сказала Клавдия, тело которой вдруг стало таким слабым, словно она весь день шла в гору. Она просто физически не могла подняться с табуретки. — В гробу. Я маленькая была. Но видела. А фотографии потом куда-то исчезли.

— Ну вот, а говорите... В городах уже на похоронах не снимают, а в деревнях — еще да. Последняя фотография тела. Это ведь, если задуматься, так романтично. Как и все, к чему мы применяем слово «последний».

Клавдию ослепила вспышка, и она зажмурилась. Она была словно пьяна. «Видимо, старая дрянь что-то подмешала в чай. Не надо было... Я же чувствовала. Не надо было», — пронеслось в голове.

— А в девятнадцатом веке людей фотографировали не в гробах, а... будто бы живыми. Фотография еще не была распространена, живописный портрет — это дорого. У многих просто не было портретов. Представляете, дорогая моя, как страшно — человек прожил жизнь, а изображений не осталось. Не все же умеют качественно помнить... Попробуйте открыть глаза пошире. Да-да, вот так... Вот и делали первый и последний портрет. Наряжали в лучшее, усаживали, открывали глаза. Надо было успеть, пока тело не остыло. Сами устраивались рядом. Семейный портрет с мертвецом. Даже и не поймешь с первого взгляда, кто именно мертвец, — так забавно, да? — И снова этот жутковатый беспечный смех. — Все, еще пару секунд осталось. Много времени я у вас не отниму.... Да и нечего больше отнимать, дорогая. Времени-то у вас больше и нет.

Клавдия чувствовала себя рыбой в большом теплом океане. Голос старушки звучал словно из-под толщи воды. Страх исчез, пришло безразличие. Она попробовала пошевелить руками, но не смогла — тело стало мягким, ватным, будто бы чужим. «Да и нечего больше отнимать, дорогая».

Вдруг вспомнилось, как тридцать июней назад был такой же жаркий день, и она сидела на дощатом крылечке дачного домика, пахло клубничным вареньем, которое кипело в тазу, — Клавдия послушно ожидала, когда бабушка снимет пенку, — снимет и отдаст ей, в золотой пиале. И небо было таким высоким, и пахло скошенной травой, и вдруг бабушка подошла со спины, положила теплую ладонь ей на плечо и грустно так сказала: «Знаешь, Клавочка, я в молодости так любила июнь, а теперь так тоскливо... Стараюсь занять себя делами какими-то, огородом, варенье вот варю, а тоскливо все равно. Все такое хрупкое вокруг — иногда обманчиво кажется, что весь мир у тебя в руке, а через секунду раз — и нет ничего. Ничего... — И тут же спохватилась: — Да что же я, солнышко, ты же и не понимаешь... Идем, пенка уже готова, я чаю тебе налью!»

Почему это вспомнилось именно сейчас — так живо, так ярко, как будто случилось вчера? Бабушка умерла тем же летом, в начале августа. Во сне. Клавдию не хотели брать на похороны — ей было всего пять лет, впечатлительный нервный ребенок. Не хотели, но она как-то увязалась все равно. Правда, к гробу подходить побоялась. Все родственники унылой вереницей шли прощаться, Клавдия тоже пристроилась в очередь, но потом, в самый последний момент, юркнула в сторону — никто и не заметил. А осенью родители продали старенькую дачу, и Клавдия кажется, никогда обо всем этом не вспоминала — до этого самого дня.

— Еще чуть-чуть... Давай же, — суетилась старушка. — Давай, дорогая, что ты как амеба вареная. Тебе давно уже пора... Ну вот, наконец-то. Дай волосы поправлю. До чего же я люблю с мертвыми работать. Живые все противные и сутулые, и смотрят так, словно в лицо говорят одно, а думают — другое совсем.

Клавдия слышала все это словно бы издалека. Или даже не так — с высоты. Как будто она воспарила и над городом, и над той собою, какой привыкла быть на протяжении тридцати пяти лет, и над тем жалким будущим, которого она в глубине души побаивалась и от которого ничего хорошего не ждала.

—И ты такая же, дорогая моя. Думаешь, я не заметила, что ты меня за сумасшедшую держишь. За никчемную одинокую старуху, которая лезет с разговорами ко всем подряд. А меня, дорогая, как раз не интересуют все подряд, так что можешь смело считать себя избранной. И я не одинокая, просто проницательная. Вижу тех, кто пришел, чтобы попасть в мой альбом. Ему больше сотни лет... Да что же ты на бок валишься, глупая. И глаза некрасиво закатила. Мне и без того следует поторопиться. Жарко-то как, скоро начнешь вонять. Смерть — это красиво только в первые час-полтора... Скоро и глаза пересохнут. А нам же надо, чтобы глаза блестели, правильно? Тебе же не все равно, как ты будешь выглядеть на фотографии, правда, дорогая?

Клавдии было все равно.

СЕМЕНОВ

Всю зиму Семенов болел. Он прилег отдохнуть в тот день, когда первый мокрый снег превратил московский асфальт в чавкающую слизь, да так больше и не встал.

Врачи говорили — опухоль, а самому Семенову казалось, что внутри его живота завелся клубок змей и что они растут, питаясь негустым его дыханием и порченой кровью, капли которой, размазанные по лабораторному стеклу, заставляют врачей со вздохом качать головой. Иногда Семенову казалось, что вот-вот — и змеи переберутся из живота в сердце, обнимут его склизкими телами, а потом сожрут.

В такие дни ему становилось тоскливо и страшно. В дни же иные он просыпался с настроением, что все вокруг — бред, и в первую очередь — это тело, эти усохшие жилистые руки с желтыми ногтями и венами, изгрызенными иглой, и штатив капельницы у изголовья, и едва различимый запах мочи и лекарств. Дом лежачего больного никогда не пахнет покоем и уютом, как ни старайся. Жена Семенова старалась очень — белье постельное меняла раз в три дня, проветривала ежечасно, жгла ароматические палочки из восточной лавки, пекла пироги с корицей.

К февралю Семенов почти перестал есть, но она продолжала готовить его любимые блюда. Свиные ушки тушеные (хотя все годы, что они прожили вместе, не уставала повторять, что бросит все и уедет с первым встречным за моря-океаны, если Семенов еще хоть раз принесет в дом эту гадость). Густой гороховый суп. Какао на сливках.

Трижды в день на прикроватной тумбочке Семенова оказывался поднос со свежей теплой едой, и трижды в день он чувствовал себя виноватым за то, что не может проглотить ни кусочка. Жена же его, Наташа, говорила — это ничего, главное, чтобы ты знал, что этот дом не вычеркнул тебя из своих списков, что тут всегда играет твой любимый Армстронг и тушатся дурацкие свиные ушки.

И вот однажды, в начале апреля, вернувшись сознанием из сна в реальность, Семенов как всегда открыл глаза и несколько минут смотрел на клочок серого неба в окне, фокусируя взгляд. Он почти сразу понял — что-то изменилось, что-то в доме стало не так. Соображалось Семенову плохо — должно быть, то была своеобразная защитная реакция, потому что ярким полноводным мыслям было бы невыносимо находиться в плену этого деревянного тела.

Наконец Семенов понял — в доме не было Наташи. С трудом повернув голову, он посмотрел на часы — половина двенадцатого. Обычно жена будила его не позже девяти. Умывала, брила, давала лекарства по списку, сообщала, что вот сейчас она прогуляется до овощного рынка у метро и купит то-то и то-то, а потом вернется и почитает ему вслух.

Семенов занервничал. Наташе было под семьдесят, врачей она ненавидела, ей нравилось казаться моложавой и беззаботной. Даже оказавшись с лежачим больным на руках, она находила время и силы на то, чтобы завивать волосы, гладить платья и привычно кипятить рубашки. Между тем, у нее уже не первый год было высокое давление и сердечная аритмия. А если она упала в ванной? А если она сейчас лежит в своей постели и не может встать?

Семенов разлепил сухие губы, но вместо стона получился лишь сиплый выдох. Хотел позвать жену — ничего не вышло.

Однако стресс, как известно, пробуждает сознание, вот и Семенов вдруг ощутил себя вынырнувшим на поверхность — даже привычная комната показалась светлее и ярче. Он попробовал сжать руки в кулак — пальцы были такими слабыми, он даже не чувствовал, как ногти впиваются в ладонь. Повертел головой — что-то хрустнуло в шее. Сердце колотилось как никогда раньше — даже в те годы, когда Семенов еще применял к нему эпитет «горячее». Ему было совершенно очевидно: с Наташей случилось что-то ужасное.

Попробовал оторвать голову от подушки — на лбу выступила испарина. От ощущения собственной беспомощности хотелось плакать. Он был заперт в этом немощном теле, как в склепе. Как будто бы похоронен заживо. Столько лет все на свете держалось на плечах Семенова, столько лет он был той самой каменной стеной, охраняющей уютную, счастливую и сытую жизнь Наташи. Сколько раз, на очередной годовщине их свадьбы, она говорила собравшимся друзьям одно и то же — не могу, мол, поверить в счастье, не заслужила и не надеялась. А он всегда перебивал ее: «Ну, полно тебе, полно, избалуешь ведь», а сам с трудом прятал улыбку. Семенов был уверен, что так будет всегда. И все вокруг тоже были уверены, и все говорили, что если и есть на свете семья, в которой одно только счастье, без дурацких компромиссов, то это Семеновы. К ним тянулись люди. Люди всегда тянутся к теплу.

Где они теперь, эти друзья? Нет, сначала, конечно, все переживали, охали, предлагали помощь. Приезжали и тоскливо сидели возле кровати обездвиженного Семенова, которому было стыдно за собственный жалкий вид. Но шли месяцы, визиты друзей становились все реже, и всего полгода потребовалось, чтобы все они свелись к дежурным телефонным вопросам: «Как он?.. Ну ты там держись...»

Вдруг он услышал знакомый звук проворачиваемого в замке ключа, а следом за ним — и шаги, тоже знакомые. А потом в комнату вошла Наташа. Семенов так удивился — неужели она просто бросила его, ушла куда-то с утра, не предупредив, и капельницу не поставила, и завтрак не предложила?

Наташа выглядела усталой и больной, и он в первый момент даже не понял, почему так, а потом догадался — она явно выскочила из дома, даже не причесавшись. Грязные волосы собраны в куцый хвост обычной аптекарской резинкой, лицо бледное, на плечах — старый платок. Может быть, для кого-то это и в порядке вещей, но для его жены — апокалипсис в миниатюре. Всю жизнь Семенов подтрунивал над ее манерой принаряжаться даже ради похода к уличным мусорным контейнерам. Наташина тяга к самоукрашательству казалась ему трогательной, поскольку вроде как свидетельствовала о внутренней неуверенности и беззащитности.

Еще вчера жена желала ему добрых снов, и в мягком свете ночника ее лицо казалось таким молодым и спокойным, словно и не было этих проведенных вместе долгих лет, словно она по-прежнему была молоденькой учительницей, которую он встретил на катке и влюбился с первого взгляда. А сейчас перед Семеновым стояла старуха.

Наташа была не одна. За ее спиной топтались какие-то незнакомые люди — двое молодых мужчин, от которых так густо пахло сигаретным дымом, что Семенову захотелось чихнуть.

— Вот он, — вздохнув, сказала Наташа, отчего-то избегая смотреть мужу в лицо.

— Вы там подпишите бумаги, — сказал один из незнакомцев. — А мы пока его соберем.

У Семенова упало сердце. Он пошевелил губами, но от слабости ничего сказать не мог. Если бы Наташа поставила утром капельницу, он, может быть, хотя бы стоном выразил недоумение и ужас. Но, видимо, она это предусмотрела. Испугалась, что будет чувствовать себя виноватой, если Семенов попробует возмутиться.

Наташа вышла.

Семенов поверить не мог в то, что это происходит с ним на самом деле. Нет, он бы, возможно, даже понял — если бы жена хотя бы попыталась объяснить. Наверняка жизнь в одной квартире с таким тяжелым больным — не сахар. Но чтобы вот так, молча... Человека, с которым прожила сорок лет... И в глаза даже не посмотрела.

— Худой, — сказал один из прокуренных мужчин. — Легкий совсем, наверное. Повезло.

— Да ты меньше болтай. Сейчас этого быстренько отвезем, и на перерыв.

Они держались так, словно Семенова рядом не было. Обсуждали его, как мертвеца. Для этих парней он был никем, пустым местом, человеческим мусором, который им было велено погрузить на носилки и отвезти в специальное место, где догнивают последние страшные дни ему подобные. Если бы Семенов не был обезвожен, он бы заплакал.

Что-то зашуршало в руках одного из незнакомцев, и, повернув голову, Семенов увидел, как парень расправляет огромный черный мешок. «Что за чертовщина!» — подумал он.

Тем временем, другой мужчина поднял его на руки — легко и грубовато, даже не пытаясь спросить о самочувствии. Семенова погрузили в мешок.

В комнату вернулась Наташа. Почему-то ее не возмутило происходящее.

— Вот, я все подписала, — монотонно сказала она. — Когда мне приходить?

— Об этом вы договоритесь с агентом.

Один из парней взял Семенова за ноги, другой — за плечи. Его куда-то поволокли, а Наташа осталась дома. Было холодно, страшно и очень обидно.

Мешок с его телом грубо швырнули на какую-то полку, и Семенов услышал звук заводящегося мотора. «Везут меня... Куда?»

Семенов уже понял, что случилось страшное, — его приняли за умершего. Вот почему Наташа отводила взгляд — не из-за стыда, просто ей было горько и страшно смотреть в мертвое лицо того, кого сорок лет подряд она называла любимым. Должно быть, его сковал паралич, и, войдя утром в комнату, она нашла его обездвиженным. А Семенов просто спал, утомленный и опустошенный. Наверняка она в панике позвонила в «скорую», те прислали какого-то недоучку, неспособного даже нащупать пульс. Тот констатировал смерть, и вот теперь он, Семенов, лежит на тесной полке холодильника, а Наташа оплакивает его в опустевшей квартире.

Семенова трясло — то ли от холода, то ли от страха. Сознание было мутным, и сквозь сутолоку полупрозрачных образов пробивалась единственная крепнущая с каждой секундой мысль: очень хочется есть. Голод. Семенов почувствовал, что жутко голоден. Странно: даже до болезни он никогда не придавал значения еде; недуг же и вовсе отнял у него аппетит. Но сейчас он был голоден так, что вместо желудка ощущалась черная дыра.

Это был голод хищника, опасный и древний, голод не просто как ощущение, а как первопричина движения, задающая импульс сила. Терпеть его было невыносимо. С трудом Семенов поднял вялые руки, нащупал ледяной потолок камеры, в которую его поместили, оттолкнулся.

К счастью, холодильник не был заперт, и страшное ложе, на которое его против воли и вопреки здравому смыслу поместили, плавно отъехало назад. Повернув голову, Семенов обнаружил, что лежит на полке, и от земли его отделяет метра полтора. Почему-то действия его были скоординированны, будто им управляло не сознание, а инстинкт. Как для младенца естественно тянуться к груди, так и Семенов искал источник пищи. Тело не слушалось, каждое движение давалось с трудом, он чувствовал себя мухой, увязшей в капле смолы.

Перевернувшись на бок, он медленно скатился с полки и навзничь упал, лицом в пахнущий хлоркой кафель. Услышал треск кости и где-то на периферии сознания отметил, что, должно быть, это сломался нос. Но ни боли, ни страха, ни ощущения, что происходит что-то не то, не было. Наоборот — все шло именно так, как должно было.

Вытянув руки вперед, он впился ногтями в щелочку на стыке кафельных плиток. Подтянулся и с длинным, каким-то воющим выдохом переместился на полметра вперед. Ноги не слушались, были как будто стальными.

Вдруг Семенов услышал доносящиеся из-за двери приглушенные голоса. Один — принадлежал женщине пожилой, он это определил сразу. Не голос, а засохшая корка хлеба. Зато звучание второго заставило Семенова ползти быстрее. Что это был за голос — как созревшее яблоко из Эдемского сада! В этом голосе, как в сосуде алхимика, был сам сок жизни — бегущая по венам соленая кровь, биение юного сердца, готовый вырваться наружу смех...

Это было волшебство, чудо. Семенов больше не думал о том, что с ним произошло, его ничего не удивляло и не волновало, он забыл о жене Наташе, оплакивающей его в опустевшей квартире, о сломанном носе, о том, что еще утром он был прикован к постели, а теперь внутри него проснулась неведомая сила. Семенов больше вообще ни о чем не думал.

Он просто шел на зов.

СИНЯЯ БОРОДА
(Новая старая сказка)

Одна девушка, Аленой ее звали, вышла замуж за однокурсника, в которого была влюблена все те пять лет, что они бок о бок постигали механизмы совершенства линий в Архитектурном институте.

Девица была из тех, о ком принято говорить — серая мышь. Тихоня, русая коса ниже лопаток, юбки до пола. Никто и подумать не мог, что именно ее, бледную молчунью с брекетами и привычкой прижимать ладошку к обветренным губам, чтобы скрыть от посторонних глаз улыбку или смех, полюбит самый «звездный» парень курса. Звали его Егором, и вслед ему вздыхали не только студентки и молоденькие преподавательницы, но даже пятидесятидвухлетняя буфетчица, хотя, казалось бы, супруг-алкоголик воспитал в ней устойчивую подозрительность ко всем мужчинам в принципе.

Любимец курса мог выбрать любую, но предпочел именно ее — тихоню, приехавшую из Казани, застенчиво улыбающуюся, боящуюся занять лишнее пространство.

Все было так необычно, как в авторском кино, — предложение выйти замуж Алена получила на крыше недостроенного дома, куда Егор позвал ее выпить сангрии под звездами, и кольцо было медным, с необработанным изумрудом, грубо выполненным, но обладающим своеобразной мрачной красотой. «Медь и изумруд — символы Венеры, Афродиты. Сама любовь, и женственность, и страсть», — объяснил он.

А еще в тот вечер, на той же крыше, Егор сказал своей уже теперь невесте, что человек он, в принципе, покладистый, однако есть один, всего один-единственный, пунктик, сводящий его с ума.

Ревность.

Кому-то льстит, когда его ревнуют. А вот Егор начинает чувствовать себя как в запертой клетке.

—Я готов простить тебе многое. Мне наплевать, если ты неряха, мотовка или сплетница, но хоть однажды услышав от тебя заданный в особенной, самой за себя говорящей интонации вопрос: «А где и с кем ты был?», я соберу вещи, и больше ты никогда меня не увидишь. И да, еще одно. Мой телефон — мое личное пространство. Если хоть пальцем его тронешь — нам придется расстаться.

Алена тогда удивилась. Они стояли у бортика крыши, под тусклыми московскими звездами, и на ее пальце поблескивал изумруд, и все это было похоже на сон. Кажется, она любила кого-то впервые. Все, что было раньше, с другими мужчинами, — приязнь, симпатия, нежная дружба, влечение и даже попытки сопоставить реальность с абстрактным и неописуемым понятием «счастье», которым были пропитаны ее любимые книги, — ни в какое сравнение не шло с миром, который открывал для нее этот человек.

В этой альтернативной Вселенной все было на пределе, все было обусловлено любовью в высочайших ее аспектах и все было тождественно собственной противоположности. Совместные слезы здесь были критерием близости, здесь было допустимо выражать горе хохотом, здесь каждая эмоция словно дробилась на сотни мельчайших оттенков, которые мог распознать только гурман.

Все те полгода, что они были вместе, Алена чувствовала себя сложносочиненным музыкальным инструментом, с которым работает талантливый мастер-настройщик. Как будто бы Егор открыл ее, все ее белые пятна, на каждом поставил помеченный своим именем флаг. И если бы он однажды просто исчез, отверг бы ее, предпочел бы кого-то еще (а не думать о таком Алена не могла — знала ведь, как в институте все сплетничают об их мезальянсе и о «ну что он в этой мыши невнятной нашел») — она все равно была бы благодарна за проведенные вместе дни.

— Егор, а почему ты вообще решил сейчас об этом поговорить? У тебя были какие-то проблемы с ревностью? В прошлых отношениях?

— Были, — признался он. — Я тебе уже рассказывал. Что-то серьезное случилось в моей жизни всего дважды, и оба раза мы расставались из-за ревности.

— Ты никогда не рассказывал подробности... Но я-то, вроде бы, на ревнивую не очень похожа? — Ее слабая улыбка осталась без ответа.

— И те девушки тоже не были похожими, поверь. Все началось, когда мы уже поселились вместе. Постепенно так... Сначала я просто замечал скрытое недовольство. Это уже было очень грустно. Они ведь пытались терпеть, скрывать, работать с собою. Обе были женщинами умными и тонкими. Но когда так близко знаешь человека, невозможно не понять, что ему больно, какой бы широкой улыбка ни была.

— Это все было на ровном месте? Ты не давал им повода для ревности?

— Ревности не надо ничего давать, — усмехнулся Егор. — Она всегда и сама находит все, что требуется для ее осуществления. Ты же знаешь мою жизнь. Бывает, я запойно работаю и даже ночую в мастерской. У меня широкий круг общения, я почти каждый вечер пью с кем-то вино.

— И когда же ты понял, что больше не можешь с ревностью уживаться?

— Оба раза я до последнего верил, что у них получится взять эту высоту. Помогал, как мог. Мы много говорили. Но, видимо, я бездарный кухонный психотерапевт. Мою первую женщину застал в итоге с моим мобильным в руках. Эсэмэски читала. А вторая — взломала Фейсбук. И это было уже за гранью — она не просто прочла частную переписку, но еще и написала нескольким девушкам, которые показались ей подозрительными. Проверить меня хотела.

— Да, это неприятно...

— Надеюсь, ты на такое никогда не пойдешь.

— Можешь даже в этом не сомневаться. — В тот момент Алена искренне верила, что так тому и быть.

Однако многие дни спустя, когда и свадьба, оставшаяся в памяти вереницей смутных кадров, и медовый месяц, который они провели в Лиссабоне, остались позади, Алена все чаще начала ловить себя на погруженности в какую-то странную хандру. Сначала это были мимолетные ощущения, как будто тени, пробежавшие по лицу, — проходит несколько минут, и ты уже сама не веришь в них. Но со временем хандра становилась все плотнее и прочнее, и вот наконец Алена начала ощущать себя мухой, попавшей в каплю янтаря.

Егор не так уж много времени оставлял для семьи, для нее. На первом месте у него всегда были какие-то проекты. Он ночами мог рисовать несуществующие города. Однажды он наткнулся на сайт NASA, где нашел информацию, что в 2020 году первые поселенцы отправятся на Марс.

Почему-то эта информация возбудила Егора так, что он не спал двое суток. Расчертил три толстенных альбома — как, по его мнению, могли бы выглядеть первые марсианские города, и даже, кажется, отправил сканы проектов американцам, которые, разумеется, ему не ответили.

Но Егора это не смутило — куда важнее для него было чувствовать себя причастным. Почти каждый вечер он встречался с людьми, столь же увлеченными, они пили вино и что-то горячо обсуждали. И вроде бы, Егор никогда не был против и присутствия Алены, но ей самой довольно скоро все это начало казаться утомительным и малоинтересным. Бывало и такое, что он пропадал куда-то на несколько суток, а потом возвращался немного осунувшимся и со странным блеском в глазах. Алена предпочитала ни о чем не спрашивать.

А еще Егор витал в небесах, не думая о материи, — поэтому Алена была вынуждена зарабатывать деньги для семьи. Она устроилась дизайнером в фирму, торгующую кухнями, — ее работа состояла в том, чтобы вписать имеющуюся мебель в новые и новые чужие пространства, это было скучно до оскомины, но приносило неплохой доход. А ведь в институте ее тоже считали талантливой. Было немножко обидно, что она вынуждена пахать за двоих, потому что Егору «надо реализоваться». Ее амбиции и мечты в расчет никто не брал, как будто бы они с мужем провели невидимую горизонтальную черту, предоставив одному полет, а другой — твердь земли.

Но ведь Алена по-прежнему его любила. Она все еще чувствовала себя волшебным музыкальным инструментом, а Егора — настройщиком. Все еще были и нежность, и страсть, и сладость медленного таяния.

А однажды случилось ее личное землетрясение — она привычно сгребла ворох рубашек мужа, чтобы заполнить ими стиральную машину, и вдруг заметила розовый отпечаток губной помады — такая вот пошлая деталь. Это был удар.

Да, Егор часто не ночевал дома. Да, его телефон порой принимал несколько десятков эсэмэсок за вечер. Да, среди его конфидентов были и женщины — красивые, умные, талантливые. Но почему-то все эти месяцы Алена верила, что «то самое», многогранное, крылатое, распускающееся из скромного подснежника в хищный ядовитый цветок на шипастом толстом стебле, — все это возможно только между ними двоими. Опять же, произнесенные на той крыше его слова — о том, что самый надежный поводок — это свобода. Она ни разу не позволила ни полшажочка сделать по его заветной территории, она никогда не подходила со спины, когда он сидел за ноутбуком, она ни о чем не спрашивала. И вот. И вот, пожалуйста.

Выходит, правы были те из ее подруг, которые в ответ на ее пафосные рассуждения о доверии как первопричине любви качали головой и со вздохом говорили: «Ну и дууууура...»

Алена смотрела на отпечаток чужой помады и не знала, как поступить? Уличить немедленно? Понаблюдать? Выждать «правильный» момент? Собрать вещи, исчезнуть из его жизни, оставив на прикроватной тумбочке лаконичное письмо, и потом где-нибудь за тридевять земель ждать, что он придет и спасет ее от огнедышащего дракона?

В конце концов, она решила промолчать. Понаблюдать и перетерпеть. Призвала на помощь целое войско внутренних адвокатов, которые, как могли, успокоили ее сладчайшими аргументами. А вдруг некая особь — из тех, что вертятся вокруг Егора в надежде ухватить хоть кусочек исходящего от него тепла, — решила нарочно напакостить, вызвать Аленину ревность? Или вдруг это просто случайность — мало ли, сколько у ее мужа «просто подруг», и все целуют его в щеку при встрече.

Тем вечером Егор посмотрел на нее как-то странно и спросил, отчего она грустна, но Алена соврала, что живот болит.

Так продолжалось месяцев, должно быть, восемь. Алена изо всех сил маскировала тоску — все чаще в памяти всплывала та ночь, когда он подарил ей кольцо.

Иногда она думала о тех двух женах Егора, что были до. Странно — он никогда, вообще никогда, не упоминал о них. Конечно, это были скоротечные браки, но все-таки с обеими он был знаком с самого детства, один круг общения, одни и те же компании. И обе исчезли из жизни бесследно, хотя в их круге не было принято рвать отношения насовсем.

Однажды она поинтересовалась у Егора — где же теперь его бывшие жены — на что тот скупо ответил: Александра сошлась с каким-то австралийским художником и живет теперь в Сиднее, а Татьяна стала буддисткой и уехала жить в далекий индийский ашрам.

Первая жена Егора, Александра, напоминала Белоснежку из кинофильма — волосы как смоль, коса ниже пояса, угольные брови, яркий румянец на фарфоровом спокойном лице. Вторая, Татьяна, была полной ее противоположностью, как ночь и день, луна и солнце: кожа смуглая, будто позолоченная, и волосы с медным отблеском, тоже длинные, сейчас горожанки редко носят такие богатые косы. Алена фотографии их видела — у Егора был конверт, в котором хранились старые снимки.

Прошло еще полгода. Егор очень изменился, словно другим человеком стал. Где тот мальчик, за дрожанием ресниц которого Алена наблюдала, пока он спал? Где его улыбка, солнечные зайчики в глазах, открытый смех? Егор стал каким-то мрачным, молчаливым, словно что-то разъедало его изнутри. Они по-прежнему жили под одной крышей, но теперь это было сосуществование вынужденных соседей по коммуналке, а не семья. Алена не смогла бы вспомнить, когда они в последний раз были близки.

Те редкие ночи, которые Егор проводил дома, он спал на раскладном диване в кухне. «Это чтобы тебя не беспокоить, у меня бессонница», — говорил он, целуя ее в лоб. Он надолго запирался в ванной с мобильным телефоном и часами с кем-то ворковал, и иногда из-за двери раздавался его смех, и еще однажды Алена не выдержала, подкралась и прижала ухо к двери, и то, что она услышала, было как пощечина. «Да, милая... Я тоже не могу дождаться. Но ты же знаешь мою ситуацию... Зато завтра мы увидимся, я снова смогу тебя обнять...»

Алена чуть на пол по стене не осела, перед глазами заплясали радужные полукружья, ей стало так душно, что захотелось разорвать футболку на груди, чтобы кожей чувствовать наличие воздуха вокруг. Насколько же трудно было ей не выдать себя, когда муж вернулся в кухню и как ни в чем не бывало попросил налить ему чаю и положить кусочек шарлотки с грушей, которую она нарочно испекла, имитируя перед самой собою наличие семьи и очага.

Но на следующий день она все-таки сорвалась. И сделала то самое запретное, о чем Егор предупредил ее в ночь, когда они пили сангрию на крыше. Алена и сама себе не смогла бы объяснить, зачем ей знать детали, — ведь и так все понятно, и ей, архитектору, ничего не стоит собрать этот пазл. Но все-таки, увидев на кухонном столе забытый Егором телефон, Алена сомневалась всего несколько секунд, а потом коршуном набросилась на маленькую «Нокию». Она знала, что муж не расстается с телефоном ни на минуту, может возвратиться в любой момент, и если она хочет узнать, к кому теперь обращена его улыбка, у нее есть единственный шанс.

Дрожащие пальцы не попадали по кнопкам, но все-таки тех пяти минут, что ему потребовались на возвращение за телефоном, ей хватило, чтобы вычислить абонента по имени «Даша», которому уходило большинство эсэмэсок мужа. Переписала телефон этой Даши на обрывок салфетки. И даже успела прочитать несколько сообщений. Два — входящих, Даша эта прислала ему свои фотографии.

Она оказалась ничем не примечательной шатенкой с простым открытым лицом, совсем не похожей ни на архетип «коварной разлучницы», ни на женщин, на которых Егор обычно смотрел чуть дольше, чем на остальных. Алена знала, что мужу всегда нравились хрупкие и гибкие брюнетки — что-то среднее между царицей Клеопатрой, какой ее видели кинорежиссеры, и Вайноной Райдер — нечто такое белолицее и большеглазое, с хрупкими ключицами и тяжелыми томными веками. С другой стороны, и сама Алена фам фаталь не была, и даже спустя те семьсот с чем-то дней, что они с мужем провели вместе, в их окружении все еще находились те, кто качал головой: «Ну что же он все-таки в этой серой мыши нашел...»

И еще одну эсэмэску успела прочитать — в папке «Исходящие» — да какую! Егор назначал Даше свидание — в полночь, на крыше какого-то дома. Писал, что они встретятся прямо там, и чтобы Даша не удивлялась странности выбора — крыша-то находилась чуть ли не в Бутове. Но в современной Москве почти не осталось незапертых крыш. Как это было в его стиле! Алена словно получила удар под дых.

—Ален, телефон мой не видела? — Запыхавшийся муж, которому вечно было лень дожидаться лифта, появился в дверях кухни. — Забыл, кажется.

Кто бы знал, чего стоило ей оставаться спокойной и беспечной.

—Телефон? Ах, да вот же он, на столе лежит... Слушай, а ты сегодня допоздна работаешь? Может, в кино сходим? Давно не были...

—Заяц, давай не сегодня. Устаю я очень. В субботу сходим куда-нибудь, клянусь. Ну все, я побежал. — И даже не взглянув на жену, умчался, такой весь из себя задумчивый и предвкушающий.

Алена позвонила на работу и соврала, что заболела.

—Может, тебе привезти чего? У тебя голос как у трупа, — заволновалась коллега.

—Все есть, не переживайте... Завтра появлюсь.

Впрочем, желание одиночества — это был первый порыв, о котором она пожалела уже спустя четверть часа. Потому что одно дело — погрузиться в спокойный ток будничных дел и совсем другое — существовать в этой ничем не заполненной реальности, которая усмехается в твое лицо со всех сторон и в которой каждая минута длится тысячу лет.

Алена чувствовала себя переполненной ядом чашей, и ей нужен был хоть кто-то — излить хоть в кого-то эту тоску. Был бы у них кот — она бы усадила его на колени и все рассказала бы коту. Был бы у нее личный дневник — она бы исписала его от корки до корки. Был бы друг — она бы бросилась на шею другу. Но социальные связи всегда давались ей с трудом.

В далеком детстве мать водила Алену к продвинутому по советским меркам психиатру, степенной даме в огромных очках, и та, вроде бы, заподозрила в тихой неприветливой девочке синдром Аспергера. Дала Алениной матери направление в какую-то экспериментальную лабораторию — пройти тесты. Но мать никуда Алену не повела, испугалась. «Они напишут свои диссертации и пошлют тебя на фиг, а у тебя на всю жизнь будет печать, потом ни в институт хороший не поступишь, ни на работу нормальную не устроишься!» Если синдром Аспергера и был, то в легкой степени — она же адаптировалась, как-то устроила жизнь. Но вот друзьями так и не обзавелась, и это почти никогда ее не беспокоило.

Она вышла в супермаркет, купила бутылку вина и каких-то фруктов. Привычки топить тоску в бокале у Алены не было, но многочисленные образчики массовой культуры свидетельствовали, что это часто помогает.

Выпила один бокал — ничего, выпила второй — даже еще тоскливее стало. После четвертого она включила Сезарию Эвору, накрасила губы фиолетовым и решила: надо ехать туда. Она поедет на крышу, встретит влюбленных и поговорит с ними на месте преступления.

И вот той ночью такси уносило ее в незнакомый далекий район, и странным было то, что Алена совсем не нервничала. На ней были янтарные бусы, а во внутреннем кармане, у сердца, она держала флягу, наполненную вином. Кто бы знал, что уличать — это так легко.

— На свидание едете? — решил заговорить с ней водитель.

— Почему вы так решили?

— Ну как... Нарядная такая... И нетрезвая..

— Можно сказать, и на свидание.

Она отвернулась к окну, но водителя это ничуть не смутило, и он принялся рассказывать о том, что современная молодежь свихнулась, одни развлечения на уме; вот у него сын был умницей и даже выиграл городскую олимпиаду по математике, а в итоге ему уже под сорок, ни жены, ни дома, ни детей, носит драные джинсы и знакомится в барах не пойми с кем, что неудивительно, потому что разве встретишь приличную бабу в ночном питейном заведении?

Под его умиротворяющий бубнеж Алена даже задремала и опомнилась, только когда он потряс ее за плечо:

— Приехали!

Она без труда нашла нужную многоэтажку, которая находилась на отшибе и выглядела мрачновато — дом был недавно сдан, в нем почти никто не жил, в окнах не горел свет. Теперь от плода познания ее отделяло каких-то семнадцать этажей, и ее внутренний Адам засомневался — может быть, не стоит, ведь на кону — Эдем, но внутренняя Ева не пожелала слушать аргументы.

Лифт вознес Алену на последний этаж. По шаткой железной лестнице она поднялась на крышу — на люке не было замка.

У Алены не было четкого плана действий.

Она сразу увидела парочку. Девушка Даша оказалась миниатюрной — рядом с ней Егор выглядел гигантом. Признаться, это было красиво. Фиолетовое небо, рваные облака, подсвеченные городскими огнями, два силуэта — высокий сильный мужчина и хрупкая девушка, обмякшая в его руках. Ее длинные волосы трепал ветер, а муж Алены что-то нежно говорил в ее запрокинутое лицо.

Алена растерянно понаблюдала за ними несколько секунд — и что теперь, что ей делать дальше? Больше всего хотелось тихонечко развернуться и уйти. Но она уговорила себя, что, раз уж решилась на такой мелодраматичный поступок, надо идти до конца.

Егор был полностью занят своей спутницей, ничего не замечал вокруг. Хотя обычно он, даже уходя в себя, оставался чутким, как лесное животное. К нему невозможно было тихо подкрасться со спины. И спал он — сном хрупким и тревожным — как человек, который привык жить в предвкушении опасности. Никогда раньше Алена не видела мужа таким расслабленным и поглощенным чем-то одним.

Вдруг проснулась ревность, это было так больно и неожиданно. Ревность знакома лишь тем, кто себя с кем-то сравнивает. Вот Алена невольно и сравнила себя с той, чье лицо не могла даже разглядеть в темноте. А смотрел ли Егор на нее, Алену, с таким же всепоглощающим вниманием хотя бы раз в жизни, хотя бы очень давно, когда на ее пальце еще не было кольца? Нет, не припомнить даже подобия; она и раньше иногда с легкой досадой думала, что любовь Егора больше похожа на расчет.

Он не потерял голову — просто выбрал ту, которая показалась ему самым комфортным товарищем. Это было обидно, но с другой стороны, Алену успокаивала уверенность, что, видимо, муж ее не способен на самоотдачу. Для него любовь — это принятие даров. А теперь получается, что дело не в особенностях его психики, а в ней, Алене. Просто она не из тех женщин, которые способны разбудить в ком-то любовь. Она милая, умная, спокойная, с ней хорошо болтать и почти невозможно поссориться, она готовит французский луковый суп и любит хорошее кино, но она не способна разбудить в мужчине воина и жреца. Слишком обыкновенная, слишком земная.

Сама не понимая, зачем она это делает, Алена подошла ближе. Теперь она слышала голос мужа.

— Еще чуть-чуть... Потерпи еще чуть-чуть любимая... Я же много раз говорил тебе, что терпеть придется, но совсем недолго...

«Что за чушь, — удивилась она. — Можно подумать, у нас семеро по лавкам и общий миллионный бизнес, а я — истеричка с суицидальными наклонностями. Зачем этой Даше терпеть, мы ведь можем просто развестись. Нам даже делить нечего, никаких проблем!»

Алена хотела сказать что-то язвительное, возможно, сарказм помог бы ей создать видимость, что она не ранена, а совсем наоборот — это она атакующий воин, насмешливый, холодный и спокойный в своей расчетливой ярости. Но в горле словно закрылся шлюз, препятствуя току слов. Так и стояла на крыше, ловя ртом воздух, как рыба, выброшенная на песок.

И в этот момент Егор обернулся — заметил все-таки ее. Странно, но на его лице не было ни секундного замешательства, ни удивления, ни злости — как будто бы он заранее знал, что Алена придет, ждал ее. И девушка Даша тоже не удивилась — вот это выдержка! — она так и осталась в объятиях Егора, откинув голову, как будто бы позировала свадебному фотографу. «Наглая, какая же наглая дрянь! — подумала Алена — Ведет себя так, словно все права на него имеет, словно меня и не существует вообще... И он...» Алене было бы намного легче, если бы муж испугался и сказал что-нибудь, позаимствованное у предсказуемых сценаристов. «Это не то, о чем ты подумала», — например. Нет, она бы не поверила, зато не чувствовала бы себя такой униженной.

—Ну, иди сюда, — усмехнулся Егор. — По моим расчетам, ты должна была прибыть раньше. Я недооценил твою выдержку.

—Что? По твоим расчетам? Что за бред? — У Алены закружилась голова.

—Ты же не надеялась, что я нечаянно забыл свой телефон сегодня утром. — Егор смотрел ей в глаза, но руки его продолжали обнимать девушку, которая по-прежнему стояла, не шелохнувшись.

—Но... Егор, зачем? Не проще ли было просто мне сказать? Что ты меня больше не любишь, что ты хотел бы...

—Я же просил — подойди, — перебил он.

Алена неуверенно шагнула к нему.

А муж, словно мрачный фокусник, развернул недвижную девушку, и голова ее откинулась еще сильнее назад, неестественно, как крышка незапертой шкатулки. И Алена увидела черную разверстую прорезь на горле, и только тогда поняла, что девушка

Даша давно мертвая. Ее муж, Егор, с которым она семьсот с лишним дней преломляла хлеб и делила крышу над головой, обнимал мертвую женщину. Из страшной раны на ее горле уже перестала вытекать кровь.

Глаза Алены наконец привыкли к темноте, и она разглядела, что кровь повсюду, и даже светлые мокасины мужа ею перепачканы. Она пошатнулась, схватила воздух рукой, ища опору, и ей пришлось призвать на помощь все внутренние резервные силы, чтобы не потерять сознание. Вдруг на первый план вышла та часть сознания, которую называют Внутренним Наблюдателем. Наверное, это была защитная реакция такая.

—Конечно, оставалась надежда — маленькая, ничтожная, — что ты не полезешь в телефон. Или хотя бы попытаешься замести следы.

—Замести следы? — пересохшими губами прошептала Алена. — Я? Егор, ты вообще-то человека убил.. Или... Ты же ее не убивал, да?

Она сама понимала, что звучит жалко. Но реальность просто не помещалась в мир, к которому она привыкла. Алена не могла поверить, что вот такое, страшное, мерзкое, непонятное, может запросто вклиниться в ее жизнь. Она же отличница, паинька, скучная, мещанская, никогда не искавшая приключений и считавшая большинство романтиков инфантилами, она же земная и надежная, предсказуемая. А такое вот — оказаться на незапертой крыше наедине с убийцей, которого еще сутки назад ты считала самым близким человеком, и с еще не остывшим трупом женщины — обычно случается как раз с теми, кто не играет по правилам.

— Конечно убил, — все с той же спокойной улыбкой ответил Егор. Наконец он раздал руки, и тело девушки повалилось на пол. — Я надеялся, что ты не похожа на других, Алена... Я каждый раз на это надеюсь, но каждый раз выбираю неправильную женщину... А ведь ходит где-то и моя, единственная, — та, которая меня поймет и примет.

Алена все-таки не выдержала и села на корточки, в глазах потемнело от внезапной догадки:

— Так значит, и твои бывшие жены...

— Ну разумеется. — Создавалось впечатление, что Егора услаждает ее реакция. — И не только они. И ни разу не промахнулся, заметь.

— Сколько же...

— За то время, что мы женаты, или вообще? — деловито уточнил Егор. — Вообще — двенадцать. Четыре за последний год. Даша — тринадцатая. Ну а ты, моя дорогая, четырнадцатой будешь.

— Я никому не скажу. — Алена рассматривала носки своих пыльных туфель. — Никогда и никому.

— Ну разумеется, не скажешь. — Егор присел рядом с ней, протянул руку, почти нежно дотронулся до ее подбородка, бережно подцепил его пальцем и заставил жену заглянуть в его глаза. — Мертвые же молчат.

А еще Алена никогда не понимала раньше, почему маньяки из фильмов исповедуются жертвам, прежде чем убить тех. Она считала это недоработкой ленивых сценаристов — конечно, ведь намного проще раскрутить интригу, когда ключевой персонаж все объясняет сам. И только сидя на крыше, которая казалась (да и была — лично для нее) краем света, она вдруг поняла, что исповедь палача — как раз правдоподобный ход. Потому что помимо самого текста признания, в нем и жажда сочувствия, и болезненное желание увидеть чужой страх, и оттягивание сладкого момента, и нервное предвкушение, и слабая надежда увидеть Понимание, оправдать себя.

Алена почти не слышала, что говорил ей муж. Что-то о прежних женах, которым он строго-настрого запретил когда-либо проверять его эсэмэски, но в какой-то момент те лезли не в свое дело. О том, как он впервые в жизни понял, что хочет убивать, — ему было всего двенадцать, и он увидел какой-то фильм, где любовник убил женщину; такая там актриса была — серьезная блондинка, не то чтобы красивая, но какая-то неземная, — и как ярко она сыграла агонию. О том, как он впервые убил — случайно, неловко, торопливо; он боялся смаковать, все получилось так глупо и даже не принесло истинного удовольствия (кроме радости осознания, что он на подобное способен). Как он чувствовал себя волком среди людей и мечтал встретить волчицу, которая разделила бы с ним эту запретную сладость. Егор говорил и говорил — монотонная речь, запах крови, необычность переживания и холодный ветер почти усыпили Алену, погрузили в состояние транса. Она лишь почувствовала прикосновение ледяного лезвия к шее, а боль — нет, сразу — полет. Последним, о ком она подумала, был, как ни странно, он, Егор.

Почему-то перед самой смертью ей вспомнилось, как она впервые его увидела.

Они шли навстречу друг другу по институтскому коридору, и Егор был такой красивый: мягкая львиная походка, выкрашенная в синий цвет бородка, панковская рубашка, татуировка на предплечье. Алена засмотрелась и выронила папку с эскизами — те разлетелись, как голуби, и Егор остановился — помог собрать, а она все думала — вежливость это с его стороны или симпатия? Было в его глазах что-то такое, чего она, серая мышь, никогда прежде не замечала в устремленных на нее взглядах мужчин. Как будто он в душу ей смотрел — да не просто так, а прицельно, в надежде разглядеть что-то определенное.

В тот же день она позвонила в далекий город, где жила ее мать, с которой Алена общалась несколько раз в год, в основном по праздникам.

— Мама, — сказала она. — Я тут познакомилась с потрясающим мужчиной. Он самый лучший, и еще у него синяя борода...

ЛИЛИЯ С МОГИЛЫ

Однажды компания подростков пошла гулять на городское кладбище, давно закрытое для новых обитателей, переплывших Стикс, и лишь очертаниями состарившихся крестов напоминавшее окрестным жителям, что все конечно. Дело было обманчиво теплым сентябрем — в полдень еще казалось, что на игровом поле хозяйничает лето, но вечера были прохладными, а темнело рано и быстро, словно кто-то нахлобучивал на город черный бархатный колпак. На кладбище том не было ни сторожа, ни посетителей — все, кто мог скучать по лежащим под этими крестами костям, сами давно свели знакомство с Хароном.

Подростки приходили сюда часто — никто не гоняет, густые ветви разросшихся елей и кленов надежно скрывают от посторонних глаз, можно спокойно пить пиво, курить дешевые папиросы и сначала пугать девчонок байками о ходячих мертвяках, а потом целовать их под кленами.

Вообще-то, девицам вовсе не было страшно — это кладбище давно стало для них обыденной декорацией, — но они старательно делали вид, потому что в таком случае мальчики чувствовали себя почти спасителями, а целоваться со спасителями, как известно, слаще, чем с просто друзьями.

Была среди прочих девушка, резко выделявшаяся наружностью, как случайно выросшая на пустыре роза, — с таким точеным лицом, с такими смуглыми крепкими ногами и шелковыми волосами ей бы на киноэкране красоваться, а не пить пиво из алюминиевых банок, спиной прислонившись к ветхому могильному кресту.

Красавица та была не слепа и не глупа — отлично понимала, что подруги рождены оттенять, в то время как она — сиять, и вела себя соответственно. Любой из мальчишек готов был хоть с крыши прыгнуть за ее улыбку — если бы она только попросила о том. Вот она и давала своим рыцарям нескончаемые задания, ища подтверждения своему совершенству.

Та ночь выдалась ясной, и было очевидно, что это одна из последних таких хрустальных ночей перед месяцами слякоти, влажного ветра и темноты. Подростки прогуливались вдоль поросших пожелтевшей к осени травой кладбищенских аллей. И вдруг красавица остановилась, и все привычно последовали за ней — девицы со скрываемым раздражением, парни — с нескрываемым восхищением.

—Смотрите! — воскликнула она. — Вон там, между могил, что-то белое.

Они пригляделись — и правда, как будто кусочек кружев белоснежных кто-то бросил на нехоженую могильную траву. Подошли чуть ближе, и выяснилось, что это не тряпка, а цветок — пышная сочная лилия с полураскрывшимся бутоном и жирным темно-зеленым стеблем. Это было странно — не время для цветения лилий, да и не задерживаются в этом городе бесхозные растения такой красоты.

— Я хочу ее, — прошептала красавица. — Принесите кто-нибудь... Никогда не видела настолько прекрасного цветка.

— А может быть, не стоит рвать? — засомневалась одна из ее подруг. — Все-таки она на могиле растет, ее для кого-то посадили, не просто так... На память...

— Ну тебя, Нинка, — рассмеялась красавица. — Это все бред. Кому нужна такая память? Я вообще никогда не понимала этих могильных тем. Я хочу, чтобы на моих похоронах все пили шампанское и рассказывали анекдоты, а прах потом развеяли над футбольным полем, на котором я прошлым летом лишилась девственности!

Все смущенно рассмеялись. Красавице нравилось шокировать.

— Да и все равно завтра ночью заморозки обещали, цветок на улице погибнет. У меня он целее будет!

Та, кого красавица назвала Ниной, нахмуренно вцепилась в ее рукав. Это была серьезная девица с серыми глазами слегка навыкате, выраженной горбинкой на носу, придававшей ее лицу встревоженное птичье выражение, густо разросшимися сероватыми бровями и цветением прыщей на высоком выпуклом лбу.

В кладбищенскую компанию она попала случайно — никто уже и не вспомнил бы, как она прибилась. Она редко заговаривала с другими, но с интересом прислушивалась к чужим беседам, послушно улыбалась чужим шуткам. Нину никогда не звали нарочно, но и не гнали — привыкли к тому, что она рядом, этакий мрачный жнец.

— Мне бабушка говорила, что с могил ничего брать нельзя — ни иконок, ни угощения, ни цветов.

Покойник будет считать, что его обокрали, рассердится, отыщет тебя, да еще и своих на подмогу приведет.

— Глупости какие, Нин, — фыркнула красавица. — Сама-то веришь? Придут целой толпой зомби, да, и разберут меня по косточкам.

— Бабушкин сосед так умер, — хмуро заметила Нина, глядя себе под ноги, на кеды, перепачканные землей. — Выпивал он... И вот деньги кончились, а кто-то посоветовал на погост пойти — там, на могилках, всегда и водка стоит, и закуска. Он такой радостный вернулся, навеселе. Во дворе всем рассказывал — вроде как на бесплатную дегустацию сходил. На каждой могилке стопка, и хлебушек тебе там, и конфетки. А потом он начал медленно с ума сходить, кошмары ему снились. Якобы по ночам к нему какие-то дети приходят, сидят на краю кровати и руки к нему тянут, и холод от них жуткий идет. Дядьку этого потом в дурку забрали, где он и помер, во сне.

Красавица, а вслед за ней и все остальные, рассмеялись.

— Мне нравится, что именно дети приходили. Мужииииик, отдай нашу воооодку, — понизив голос, завыла она. — Нин, да он просто до белой горячки допился. Глюки у него начались, понимаешь... Ребят, ну кто самый смелый? Принесите цветок!

Нину больше никто не слушал. Самый проворный из парней, Володей его звали, перепрыгнув через оградку и порвав штанину о какой-то куст, сорвал лилию — правда, далось ему это с трудом, цветок словно сопротивлялся — как если бы не тонкий стебель, а дерево пытались голыми руками из земли выкорчевать.

В какой-то момент парень даже коротко и вроде бы испуганно вскрикнул, однако быстро взял себя в руки — он знал, что трусость карается если не исключением из компании, то уж, по крайней мере, неиссякаемыми насмешками. Вернувшись победителем, он передал красавице цветок и отер руку о куртку, слегка поморщившись.

—Что с тобой? — кто-то спросил. — Порезался, что ли?

—Пустяки, просто оцарапался.

—Ничего себе, оцарапался, — красавица схватила его за руку, — да у тебя кровь идет, вся ладонь изрезана!

—Говорю же, оцарапался неудачно. — Он грубовато отнял руку. — К утру пройдет все. Лучше пива мне дайте.

В ту ночь разошлись рано. Обычно сидели до тех пор, пока кости не начинали казаться вырубленными изо льда — особенно осенью. Пытались насладиться свободой в предвкушении зимы.

Когда наступали холода, они собирались той же компанией у кого-нибудь в подъезде — точно так же покупали дешевые коктейли в алюминиевых банках, точно так же болтали, но в этих посиделках уже не было особенной атмосферы тайного клуба. Да и соседи, недовольные, что в их подъезде курит и громко смеется молодежь, то и дело обещали вызвать участкового.

Вернувшись домой, красавица аккуратно прокралась в комнату родителей, стащила из серванта красивый хрустальный графин и поставила в него лилию — у изголовья своей кровати. Странное у нее было настроение — спокойная торжественность, как у девушки из прошлого, предвкушающей первый бал. Как будто бы ее ожидало что-то особенное, прекрасное, некое удивительное приключение — хотя на самом деле ничего, кроме очередного унылого учебного года в библиотечном техникуме да родительских скандалов, ее не ждало.

И все-таки даже сны в ту ночь к ней приходили странные. Снилось, что она идет по залитой солнцем пустынной улице, и вдруг подходит к ней незнакомая девушка, брюнетка в белом льняном платье и шерстяном, не по погоде, шарфике, должно быть, ровесница ее, не больше шестнадцати. Берет ее за руку и по-детски так говорит: «А давай дружить!», и красавица открыто и радостно отвечает: «А давай!» — и дальше они идут уже вместе.

—Меня Лидой звать, а тебя? — говорит незнакомка.

—Варя, — представляется красавица. — Я тебя раньше на нашей улице никогда не видела.

—А я из Ленинграда, — улыбается Лида и перекидывает косу через плечо. А коса длинная, почти до колен доходит. — К тетке погостить приехала.

—Погостить... — задумчиво повторила красавица, исподтишка разглядывая новую подругу, ее точеный спокойный профиль, бледное лицо, странное мятое платье и старый шарф.

В реальной жизни она бы ни за что не пошла рядом с таким старомодным чучелом, и на легкомысленное «давай дружить!» ответила бы разве что движением плеча и насмешливой ухмылкой. Во сне же — словно сестру, с которой в детстве разлучили, встретила.

—Ага, погостить... А ты знаешь, что слово «погост» произошло от «погостить»? — Лида рассмеялась, откинув голову. — Смешно, правда?

— Ничего смешного, — помолчав, ответила Варя. — Да и домой мне пора. Родители ждут.

— Если ждут, так надо идти... А то осталась бы... погостить! — Брюнетка подмигнула и растянула губы в улыбке, взгляд ее при этом оставался внимательным и серьезным.

А когда Варя уже отошла на несколько десятков шагов, та вдруг крикнула в спину ей:

— Стой, стой, я же показать тебе забыла, самое важное!

И, когда красавица недоуменно обернулась, Лида размотала шарф. На ее шее выделялась страшная темно-фиолетовая, как синяк, полоса — как будто бы ее удавить пытались.

Варю затошнило, новая же ее подруга невозмутимо улыбалась, явно довольная произведенным эффектом. Она шла, нелепо пританцовывая, конечности ее двигались как бы сами по себе, а голова в какой-то момент слабо откинулась назад, хрустнули позвонки, но Лида рукой решительно вернула ее на место, при этом челюсти с глухим стуком сомкнулись, как будто бы она была большой страшной куклой.

Варя повернулась и побежала к дому и все время до тех пор, пока не пробудилась, слышала за спиной насмешливый голос: «Куда же ты... Неужели не понравилось ожерелье мое... Хочешь скажу, где брала? Да постой! Вот чокнутая!»

Наконец кто-то потряс ее за плечо, с криком Варя открыла глаза и обнаружила себя в постели, а рядом испуганную мать.

— Что орешь, будто на пожаре? Всю ночь орала, спасу нет. Нашляется где-то, напьется не пойми чего, а потом кошмарит ее. А нам с отцом на работу. Вот запру дома, будешь знать.

Варя подтянула одеяло к подбородку и облизнула пересохшие губы. Никогда в жизни она так не радовалась пробуждению.

— Мам... Сколько времени? — Голос у нее был сам не свой, хриплый, и горло саднило, как будто иголок наглоталась.

— Половина двенадцатого уже! А принцесса все дрыхнуть изволит... Да еще и пахнет тут у тебя... как в склепе...

Взгляд женщины вдруг наткнулся на лилию в хрустальном графине. За ночь цветок стал еще прекраснее — налился соком, приоткрыл лепестки.

— А это еще что такое?!

— Мам... Ну цветок просто, пацаны подарили... Слушай, а что ты не на работе в такое время?

— Ну, я удивляюсь, как можно до того крепко дрыхнуть, что не слышать ничего? — проворчала мать, уходя из Вариной комнаты. — Ураганный ветер утром был. Дождь стеной. Штормовое предупреждение по радио объявляли. Ты в окно хоть бы выглянула — даже в нашем дворе крышу у сторожки почти сорвало. Говорят, полгорода разрушено, а на кладбище вашем любимом половину крестов и памятников выкорчевало... Кстати, тебе подружка звонила утром, Нина какая-то. Как я поняла, с кем-то из твоих бездельников приключилось что-то. И поделом. Нечего по ночам шляться.

Варя бросилась к телефону. Обычно ей нравилось быть медлительной по утрам. Почти невозможно было заставить ее совершить хоть какое-то деяние до того, как душ будет принят, тело умащено детским кремом, а кофе выпит маленькими глоточками — эта отчасти нарочитая леность раздражала тех, с кем красавица была вынуждена уживаться на жалких пятидесяти метрах.

«Аристократка хренова, — говорил о ней отец. — Непонятно, в кого уродилась такая». Варе и самой иногда было непонятно — она исподтишка рассматривала грубое лицо отца, его широкий пористый, как морская губка, нос, его тусклые глаза цвета талой воды и косматые брови и думала, неужели она действительно плоть от плоти его. Она смотрела на мать, сутулую и рано состарившуюся — лицо будто в кулаке помяли, и не находила в ней своих черт.

Большинство детей придумывают о себе небылицы, вот и Варя придумала: будто бы она — подменыш из таинственного леса, где единороги, драконы и феи с кукольными личиками, стрекозиными крылышками, жучиными усиками, и острыми зубками, будто бы ее — подбросили, насильно поместив в человеческую форму, в эту обычную семью, в эти слишком простые декорации. И придет день, когда она вернется туда, где ей по роду и статусу жить положено. Долго мечтала об этом, иногда тот волшебный лес даже снился ей — с шалью бурой ряски на болотах, с пушистыми соснами, подземными ходами, куда смертным путь закрыт, папоротниками, над которыми по ночам пляшут блуждающие огоньки.

А потом она совсем выросла, начала выщипывать брови, красить губы и целоваться с мальчишками, и вместо призрачного леса с феями в ее мечтах все чаще начал всплывать трехэтажный мраморный особняк с охраной и прислугой. Варя смотрела в зеркало и понимала, что ей выпал редкий козырь — красота, надо только не растратить его попусту, разыграть правильно. Выйти замуж за того, кто бросит к ее ногам мир, и родить трех сыновей, для закрепления позиций.

Нина взяла трубку тотчас же, как будто сидела у аппарата в ожидании звонка.

— Наконец-то! — вместо приветствия воскликнула она. — Я с восьми утра на ногах, места себе не нахожу!

— Да что случилось-то, можешь спокойно объяснить?

Но вместо объяснений девушка запричитала:

— Говорила же я, не кончится это добром, не надо было лезть на ту могилу. Я чувствовала!

— Так, Нина! — прикрикнула на нее красавица. — Немедленно говори, что случилось, хватит сопли жевать!

— Мне в восемь мать Володи Петренко позвонила... Того, который цветок для тебя рвал. Из больницы... Спрашивала, что мы принимали ночью. Угрожала. Сказала, с нами следователь будет еще говорить... Я ей все как есть ответила — что пиво только пили. А она так орала на меня, как будто я одна во всем виноватая... Ну ее можно понять, единственный сын был.

— Что значит, был? — У Вари похолодело в животе.

— Я потом в больницу звонила. Его рано утром привезли. Может быть, если бы не ураган, его и спасли бы. А так — «скорая» очень долго добиралась. Оказывается, ему ночью плохо стало, температура под сорок поднялась. Помнишь, он руку о цветок твой раскровил, срывал его когда? Рука распухла, воспалилась. Никто и не понял ничего в больнице, а он уже... все. — Нина всхлипнула. — Мать его кричала, что это мы Володю отравили... Варь, выбросила бы ты свою лилию.

— Да что за глупости, обычный же цветок... — беспомощно пробормотала Варя.

Пятнадцать прожитых лет еще не столкнули ее со смертью, и ей было странно думать о том, что Володи Петренко, с которым она с детства в одном дворе росла, который смотрел на нее радостными щенячьими глазами, решал ее задачки по геометрии и физике, считал счастьем выполнить любое ее поручение, ходил в «качалку», лишь бы она однажды залюбовалась красотой его линий, — того Володи, чье пажеское внимание давно стало для нее привычным как воздух, больше не существует.

Нина говорила что-то еще, но красавица растерянно положила трубку. Вернувшись в комнату, она посмотрела на распустившуюся лилию, и вдруг ей показалось, что и цветок внимательно за ней наблюдает и что в сердцевине полураскрытых лепестков что-то есть, как будто бы усики жучиные шевелятся.

Весь день она просидела дома тише воды ниже травы, телефон отключила и даже написала какие-то конспекты по мировой истории, а ночью ей снова приснилась та девушка с длинной черной косой, Лидия.

Снова они были на пустой солнечной улице вдвоем, но на этот раз шея Лиды не была прикрыта шарфом, и темнеющая лиловая борозда притягивала взгляд. Самое интересное — Варя ведь понимала, что спит, что это все не по-настоящему, но не могла ни проснуться, ни хотя бы чувствовать себя в безопасности. А Лиду словно забавляло ее волнение.

— Все такие занятые, — сказала она, — спешат, идут мимо меня, в упор меня не видят. Одна ты со мною дружить согласилась. Но теперь почему-то тоже нос от меня воротишь.

—Отстань, уйди, — пробурчала Варя. — Я тороплюсь, не до тебя сейчас.

—Ой ли! — рассмеялась Лидия, оправив мятое платье и покружившись на месте. — А можно тогда задать вопрос? Куда ты так торопишься-то?

Варя остановилась и в растерянности огляделась по сторонам — да, это была ее улица, необычно пустынная, но все же с детства знакомая до каждой трещинки на асфальте. Однако девушка отчего-то была уверена, что идет она не домой и не слоняется бесцельно, что у ее прогулки есть и направление, и смысл, только вот подробности вспомнить не могла. Так и стояла посреди дороги, нахмурившись, а черноокосая бледная Лидия пританцовывала вокруг.

—Хочешь, скажу тебе, куда пойти, хочешь, хочешь?

—Ну, скажи, — угрюмо согласилась Варя.

—Видишь, вон там, во дворе, сторожка? Тебе в нее-то и надо! Смотри не опоздай, тебя там ждут!

—Глупости... Это просто заброшенная сторожка... Мама говорила, с нее ураганом крышу почти сорвало.

—Говорю же — ждут! — повторила Лидия.

Варя проснулась на рассвете, пропитавшиеся ее потом простыни были влажными. Хотелось провести весь день, зарывшись лицом в подушку, между явью и сном, но не явиться на похороны того, чьим последним земным впечатлением был сорванный для нее цветок, было бы подло.

Она заставила себя почистить зубы, кое-как захватить волосы, натянуть платье и вместе с другими пойти на кладбище, где родственники покойного неприязненно перешептывались за ее спиной.

У лежавшего в гробу Володи было какое-то чужое лицо — гример перестарался и сделал губы чересчур яркими, как будто бы мертвец крови напился.

Все по очереди подходили и целовали мертвого в лоб, и Варе пришлось тоже подойти, преодолевая страх и отвращение. От тела пахло воском и формалином, и когда девушка наклонилась, ей показалось, что Володины ресницы дрожат. Перед глазами потемнело, и следующим, что она увидела, был дощатый потолок кладбищенской часовни. Варя находилась без сознания несколько минут, но за это время гроб уже вынесли и родственники мертвого ушли, на прощание обозвав ее дешевой позеркой (это потом передала ей Нина, оставшаяся с ней).

—Я просто не позавтракала. Кусок в горло не лез... Нин, давай не пойдем уже к могиле. Тошно так.

—Ну давай, — бесцветным голосом согласилась Нина. — Если хочешь, пойдем ко мне. У нас суп и пироги с капустой.

—Даже думать о еде не могу, — поморщилась Варя. — Я хочу прогуляться туда. На то кладбище, где мы... Ну... Короче, ты идешь со мной?

—А зачем? — нахмурилась Нина. — Или мало тебе?

Варя с трудом поднялась с пола, ее покачивало. Нина поддержала ее за локоть. Они никогда не были по-настоящему близкими подругами. К Варе все тянулись, как к солнцу, — с самого ее детства, с тех пор, как она, будучи трех дней от роду, обратила первую улыбку к лицам умильно склонившейся над ее колыбелью родни. Педиатр тогда возразила, что такие малыши еще не умеют улыбаться, просто у них расслабляется лицо, когда отходят газы, однако Варина родня подняла докторшу на смех.

С самого детства Варю растили как особенную, как принцессу, как победителя. Нину же воспитывали тенью. Дети доверчиво принимают навязанные маски.

Отца у Нины не было, а любовь ее матери была не любовью-восхищением или любовью-отдаванием, а скорее любовью-жалостью. Она сочувствовала дочке — за то, что та такая невзрачная, тихая, мрачноватая. Нина еще даже не подошла к тому возрасту, когда начинаешь смотреть в зеркало не с любопытством, а вопросительно, ей не было и четырех лет, она еще ангелом была, вовсе и не думающим сравнивать себя с другими, но мать уже нашептывала, гладя ее реденькие волосы: бедненькая моя, страшненькая, ну это ничего, это твой крест. Она-то, возможно, хотела как лучше, хотела лишить дочку бесплодных надежд, которые некогда питала сама, будучи столь же невзрачной и бледной. Защитить хотела.

В итоге Нина, которая была достаточно неглупа, чтобы создать и носить любую удобную маску, начала воспринимать мир как неизменную данность, а не игру с постоянно меняющимися правилами.

Она сконцентрировалась на учебе, посещала биологический кружок и с девяти лет почти все свободное время проводила в учебной лаборатории, где все, включая преподавателя, относились к ней столь же равнодушно, как к модели скелета человека, стоявшей в углу школьного кабинета. С тем только отличием, что про скелета иногда шутили, сочиняли какие-то байки, ему придумали имя — Жорик. А с Ниной просто вежливо здоровались. Не прогоняли, и на том спасибо. Когда ей исполнилось пятнадцать, вдруг что-то такое, похожее на возмущение, всколыхнулось в ней — захотелось вдруг чего-то другого, приключений, поцелуев, весны.

Сердобольная мать подарила ей нарядное платье и тушь, но было уже поздно — человека, который считает себя жалким, обрамление не спасет. И все-таки ей удалось прибиться к компании ровесников — не то чтобы Нине действительно нравилось таскаться по ночам на заброшенное кладбище, но это было лучше, чем пустота, с детства ее окружавшая. Ее раздражал и кисловатый вкус пива, и пустая болтовня, и несмешные анекдоты, но она готова была терпеть все, что угодно, получая чувство стаи взамен.

Конечно, ее причастность к стае была условной — например, однажды Нина слегла с подозрением на пневмонию и отсутствовала почти три недели, но никто даже не вспомнил о ней, не позвонил.

Вряд ли хоть кто-то из «кладбищенской» компании смог бы ответить на любой о ней вопрос: о чем мечтает эта тихоня Нина, какой киноактер кажется ей самым красивым, на какую волну настроен ее домашний радиоприемник, целовалась ли она когда-то, в какой институт собирается поступать. Она просто была, и все. Декорация, благодарная и за эту роль.

— А ты знаешь, что он мне нравился? — вдруг спросила Нина.

— Кто? — удивилась Варя, не без труда сфокусировав на ней взгляд.

Они шли по кладбищенской аллее, Варя — слегка согнувшись, Нина — ее поддерживая.

— Володя.

Варя остановилась с удивленным смешком, но, посмотрев в серьезное лицо подруги, вдруг поняла, что та не шутит. Однако в голове такое не укладывалось — как если бы средневековому инквизитору сообщили, что земля вертится вокруг солнца, а не наоборот. И смешно, и не по себе от дерзости такой.

—Что, правда? — не желая обижать Нину, выдавила она. — У вас что-то было?

—Какое там, — вздохнула та. — Сама понимаешь, как он ко мне относился. Как к пустому месту. А я надеялась. Думала, что у нас может все как в кино быть: сначала станем хорошими товарищами, потом он разглядит внутреннюю красоту.

Варя сжала губы, чтобы не рассмеяться. Она цинично полагала, что понятие «внутренняя красота» придумано теми, кто не умеет ровно красить губы, а на каблуках чувствует себя как цирковой слон на роликах. К счастью, погруженная в печальные мысли Нина не заметила ее реакции.

—Мы однажды даже гулять ходили, вдвоем... Это я его пригласила. В начале этого лета. Набралась смелости, заранее написала текст, набрала его номер и по бумажке прочитала: «А может быть, сходим завтра в парк?» А он неожиданно согласился. Видела бы ты, как мать меня собирала, цирк просто... Цирк уродов... — Нина криво усмехнулась. — Как же, дочка непутевая наконец на свидание идет. Платье мне свое навязала, а мне вообще платья не идут. Волосы щипцами накрутила. Володька чуть не упал от изумления, когда меня такую увидел... Ну ничего, погуляли. Я все больше молчала, стеснялась его очень. А он рассказывал, что в тебя с детства влюблен и страдает. Ты ему сказала, что любишь тех, кто старше.

—Ну да, было такое, — вздохнула Варя. — Надеюсь, ты на меня не в обиде? Я ни при чем.

—Нет, конечно. Знаешь, что он еще сказал? По секрету, но разве теперь важно...

— Что?

— Он сказал, если намочить лицо и стоять на ветру, то появятся морщинки. Он делал так. Хотел, чтобы его лицо старше выглядело. Поднимался на крышу с ведром воды, окунал голову в ведро и подставлял лицо ветру. Хотел выглядеть как морской волк. Но знаешь, даже когда он мне все это рассказал, я все равно продолжала надеяться. Мало ли, время лечит. А вот теперь....

— Да уж... — Варя не знала, что ответить.

Она и сочувствовала Нине, и злилась на нее — за то, что у той был странный дар поставить всех в неловкое положение. Своим присутствием, молчанием, и вот рассказом этим — ну зачем сейчас все это понадобилось рассказывать, и так ведь тошно.

Простились они скупо. Нина еще раз предложила отправиться к ней на суп — ясно ощущалось, что это было проявление вежливости, а не искреннее желание видеть Варю гостьей. Глядя в ее удаляющуюся сутулую спину, красавица подумала о несправедливости генетического пасьянса — тот, кто мог бы купаться в чужой любви, рожден с эмоциональным диапазоном Снежной Королевы, а такое вот горячее сердце заточено в нелепый сосуд, за которым ни жара, ни мудрости, ни желания обогреть и не различишь.

От слабости Варю пошатывало — астеникам вроде нее всегда трудно дается голод. Но она все-таки решила заглянуть на старое кладбище, о чем пожалела, едва только подойдя к его территории. Ураган и правда не пожалел этот клочок земли — ее любимый раскидистый клен был вырван с корнем и теперь лежал, склонив ветки, словно труп утопленника.

На обычно пустынном кладбище крутились какие-то люди в спецовках — мрачно созерцая разрушенные могилы, они прикидывали предстоящий объем работы. Тут же суетилось и несколько знакомых Варе старух-сплетниц, единственным развлечением которых уже долгие годы были прогулки по району, сбор разномастных новостей и дальнейшая их передача в собственной интерпретации.

Немного помявшись у ворот, девушка все же решила не отступать — прошла по знакомой тропинке к знакомой ржавой ограде. Могила, на которой еще пару ночей назад цвела прекрасная лилия, сейчас выглядела так, словно в нее попал снаряд во время бомбежки, — ограда придавлена, деревянный крест вырван с корнем и валяется чуть поодаль, вся земля перерыта.

Варя с удивлением заметила, что эта могила пострадала больше других, — как будто сердце напугавшего город урагана находилось именно здесь, — хотя, разумеется, быть этого не могло. Погруженная в медленные мрачные мысли, девушка и не заметила, как кто-то тихо подошел сзади, и только когда чужая ладонь, сухая и горячая, опустилась на ее плечо, резко повернулась на каблуках. Вторжение было почти таким же страшным, как повторяющийся сон, в котором ее преследовала незнакомка с фиолетовой полосой на шее.

Но это была всего лишь одна из старух, обесцвеченные временем глаза которой смотрели на девушку с любопытством и надеждой на интересную сплетню.

—Дочка, а ты-то что тут? Ваши все сегодня хоронят Петренко.

—Да, я тоже была на похоронах, — нехотя заметила Варя. — На обратном пути решила сюда вот заглянуть. Мама говорила, тут разрушено все.

— А я и не знала, что у вас тут родственники лежат, — прищурилась старушка. — Я же почти всех местных знаю. Вон там, под березой, парень лежит, когда-то бегал за мной. Но выпить любил, это его и сгубило. И муж мой здесь покоится. Первый. Второй — хрен его знает, где. Может, и не откинулся еще, сатана его забери.

— Мы просто гулять здесь всегда любили, — пришлось признаться Варе. — Тишина, покой.

— А что же ты тогда к Лидкиной могиле так целенаправленно пришла? Я тебя сразу заметила, удивилась еще.

— К чьей могиле? — нахмурилась Варя.

— К Лидкиной. Афанасьевых племянница. Уж столько лет, как она... того. А я ее помню. Красивая девочка была.

— С черными волосами и длиной косой? — Варе вдруг показалось, что это все тоже сон, и она незаметно ущипнула себя за кожу на предплечье и вздрогнула от боли — теперь наверняка останется синяк.

— Да, — удивилась старушка. — А ты откуда знаешь? Афанасьевы сразу после того случая уехали отсюда. Из наших только я да Клавдия Александровна из семьдесят второй квартиры их помним.

— А что с ней случилось? Почему она умерла, молодая такая?

— Молодая, — со вздохом подтвердила старуха, — семнадцати не было. Они сами ленинградские были. Ее на лето сюда отправили, к тетке. Она и влюбилась. Веселая девка, себе на уме. За ней тут все увивались — выбирай любого. Но ей женатый понравился. И было у них что-то или не было — теперь одному Богу известно... Но крыша у девки поехала. Повесилась она.

Варе стало душно, она машинально провела по шее, живо вспомнив темно-фиолетовую борозду. Значит, уродливую отметину оставила веревка.

— Потом разное говорили. Мужик отрицал все, конечно. Но у нас люди какие — всем интересно же. Кто-то говорил, она ему письмо написала, а тот на смех поднял. Лидка смирить гордыню не могла, ей лучше смерть, чем опозориться. А были и такие, кто пел, якобы все у них состоялось, что понесла она, а тот аборт сделать заставил. Надавил как-то. Дело нехитрое, молодая влюбленная девочка... Она однажды утром пошла гулять и пропала. Уже начало осени было, через несколько дней она должна была в Ленинград свой вернуться. Такой же день, как сейчас. А потом ее в сторожке нашей нашли.

— В сторожке? — ахнула Варя. — Той, что во дворе у нас?

— Ну да. И что ее туда понесло — непонятно. Сутки провисела, пока не обнаружили. Ее в шарфике хоронили. Я помню. День был вот как сейчас, ветреный. Сначала просто в платье обрядили — тетка ее нашла какое-то. У нее все было такое легкомысленное, в цветочек да в полосочку. Как-то неудобно хоронить в таком. Афанасьева и обрядила ее в рубаху свою. А уже когда прощаться пришли, обратили внимание, что синяк уж больно уродливый на шее у девчонки. Она в гробу как живая лежала, но этот синяк... Ну и Афанасьев по-быстрому накрутил ей шарф свой. Так и закопали.

— А мужчина? — прошептала Варя. — Из-за которого все случилось?

— Мужчина! — презрительно фыркнула старуха. — А что им, мужчинам, сделается? Жил себе и жил. Первое время переживал, вроде. Даже на могилу Лидкину таскался, с цветами.

— Белыми лилиями, — отозвалась Варя.

— Да, — удивленно подтвердила старуха. — Ты-то откуда все знаешь? Али Клавдия Александровна уже лапши навешала? Ты ее не слушай, она всегда любила приврать. С лилиями и ходил. А потом перестал, да и ребеночек у них с женой родился. А куда они сгинули потом, уже и не вспомнить... А почему ты так этой Лидкой все-таки интересуешься?

— Да просто история интересная, заслушалась. — Варя заставила себя улыбнуться. — Ладно, пойду я. Мои, наверное, волнуются.

Уходя с кладбища, она спиной чувствовала подозрительный старухин взгляд.

По дороге домой Варя пыталась переварить все то, что узнала, но мысли путались, не удавалось прочно уцепиться за любую из них. Будто пьяная она была. «Надо было пойти к Нинке, пока она звала, и съесть чертов суп», — с тоской подумала девушка.

Приплетясь в свой двор, она вдруг вспомнила о сторожке. И о том, что брюнетка из сна, представившаяся именно Лидией, сказала, что именно туда она и спешит.

Каждый год сторожку ту собирались наконец снести, но до нее всегда не доходили руки. Проку от этого ветхого строения не было никакого — уже почти полвека оно бесцельно стояло во дворе. Когда-то дверь была заперта на тяжелый подвесной замок, потом его, конечно, сорвали хулиганы.

Потянув на себя дверь, которая поддалась с трудом и как-то по-старчески скрипя, Варя вошла внутрь. Под подошвами хрустело битое стекло.

Сторожка делилась на две крошечные комнатушки, и удивительным было то, что в дальней горел свет —

тусклый, неявный, подрагивающий, вроде как свечной. Варя чувствовала себя куклой — марионеткой, которой кто-то управляет. И ощущения были тоже кукольными — ни страха, ни любопытства. Она просто делала то, что должна, — будто ее запрограммировали.

Осторожно пробравшись между обломками мебели, девушка вошла в дальнюю комнату. Здесь действительно горела свеча — единственная, почти полностью оплывшая. Она была воткнута прямо в земляной пол сторожки, рядом — чья-то фотография, крошечная хрустальная стопка, наполненная, видимо, водкой, и несколько разноцветных пасхальных яичек. Такие композиции обычно оставляют на могилах — бездумная дань языческому кормлению духов.

Наклонившись к фотографии, Варя увидела на ней собственное лицо, но почему-то даже это ее не удивило. Снимок был сделан в начале лета, она с некоторым вызовом смотрела в камеру и улыбалась так, как улыбаются победители. У Вари вдруг зачесалась шея — казалось, сотни крошечных невидимых жучков начали щекотать ее микроскопическими лапками.

Поморщившись, девушка поскребла кожу ногтями, но это не помогло — с каждой секундой неприятное ощущение усиливалось. Обернувшись, она поискала глазами, как будто некая неподконтрольная часть ее сознания уже знала, что нужно делать. Сначала увидела стул — обычный старый стул с растрескавшимся деревянным сиденьем — и только потом веревочную петлю над ним.

И тогда пазл в ее сознании наконец сложился — отчего-то, с точки зрения Вари, все это казалось красивым, логичным и законченным, она словно бы даже с радостью подошла и одной рукой осторожно погладила веревку, другой продолжая расчесывать шею.

Перед тем как взобраться на стул, зачем-то сняла туфли и аккуратно поставила их возле. Едва веревка была накинута на шею, Варе стало немного легче. Выверенным движением, как будто ей приходилось делать такое каждый день, она невысоко подпрыгнула и лягнула стул — тот повалился навзничь.

И только в ту секунду, когда веревка уже плотно сдавила ее шею, но сознание еще было при ней, Варя вдруг пришла в себя. Она попробовала ухватиться за веревку руками, но было поздно. Перед глазами плясали чужие расплывающиеся лица — и мать с отцом, которые смотрели на нее укоризненно, и угрюмая Нина, и покойный Володя Петренко, который единственный из всех улыбался ей, тепло и ясно, и девушка из сна, Лидия.

Лицо Лидии было различимо четче остальных, она наблюдала за умиранием Вари с какой-то неприличной жадностью — так зеваки в средневековых городах приходили посмотреть на повешение ведьмы А потом все закончилось.

Хватились ее практически сразу — а вот нашли только спустя двое суток. Весь двор потом судачил, что же случилось, — самая блестящая девушка, самая красивая, и проблем у нее не было никаких. Только молчунья Нина не выглядела удивленной — следователь даже сначала пытался допрашивать ее особенно тщательно, подозревал — знает что-то и скрывает от него. А потом другие ему объяснили: девчонка всегда себе на уме была, сложная и несчастливая.

Дело закрыли, и Варина смерть из категории преступлений перешла в разряд сплетни, которая годами передавалась из уст в уста, пока все очевидцы ее были живы.

ПЛАЧ В ПОДВАЛЕ

Одна моя приятельница, звали ее Ольгой, сняла на лето дачку в Тульской области.

Простенький бревенчатый дом на отшибе, старый яблоневый сад, живая изгородь из смородиновых и малиновых кустов, рядом небольшой, поросший камышами пруд, у соседа — козы, можно покупать свежее молоко. Ольга была довольна и весь июнь звонила, чтобы посвятить меня в новые подробности жизни в этой земле обетованной.

Новости ее были бесхитростными (нашла в лесу земляничную поляну, была гроза, и она наблюдала за молниями с чердака — это было чертовски красиво, сосед пропорол ногу гвоздем, и она оказывала ему первую помощь, к ней прибился старый рыжий кот, и теперь она каждый день выносит на веранду блюдце со сметаной), а голос — довольный, и даже не видя ее лица, я понимала, что она улыбается.

— Приезжай, — говорила Ольга. — Хоть на пару дней.

Кажется, я и впрямь собиралась однажды до нее доехать, но все было недосуг — то на работе завал, то я чувствовала себя такой опустошенной, что едва могла добрести до кровати, не то что до электрички. И вот однажды, в середине июля, Ольга снова позвонила, но голос ее был другим. Она едва успела поздороваться, как я поняла — что-то случилось.

—Ты не могла бы приехать? Мне кажется, я с ума схожу. Мне очень нужно постороннее мнение, очень, — сказала она.

—Мнение о чем? — заволновалась я, — Что там у тебя происходит?

Ольга призналась не сразу — то ли речь шла о чем-то интимном, о чем по телефону не расскажешь, то ли она была слишком напугана, то ли боялась, что я не сочту ее проблему слишком серьезной и не приеду, чтобы ее спасти. Как в воду глядела — несколько недель спустя, закапывая луковицы ее любимых белых тюльпанов в землю на ее могиле, я об этом думала. Изменилось бы что-то, если бы я сорвалась и приехала?

—Только ты не смейся... В доме, который я снимаю, есть погреб. Я им не пользуюсь совсем, мне ни к чему. Но еще в самый первый день, когда полы мыла, нашла его. В моей спальне, под половиком, есть люк, и под ним лесенка. Погреб крошечный совсем, три на три метра от силы. Там прохладно и влажно. Я один раз спустилась, потом закрыла люк и думать о нем забыла.... Но где-то недели две назад я беспокойно спала... Ночь была слишком жаркая, я даже вентилятор настольный включила. И вдруг слышу — словно плачет кто-то. Тоненько так, будто ребенок маленький. И горько. Очень странно это — у соседей никаких детей нет, деревенька небольшая, я всех знаю. Сначала я решила — померещилось. Голосок тихий совсем. Но нет — это было по-настоящему. Плачет и плачет. Я пошла на улицу — нет никого, и плача не слышно. Только в доме слышно. И тут я поняла, что плачет-то кто-то — в подполе моем. Как мне жутко стало, холод до костей пробрал. Хотела соседа позвать, потом передумала — засмеют. Шаль накинула, свет везде врубила, спускаюсь в подпол. Была надежда, что какой-нибудь ребенок из шалости пробрался в дом, спрятался, а потом перепугался темноты. Но там никого не было. Никого. Никого.

Она несколько раз повторила это глухое «никого», и, несмотря на то что вечер был жарким и душным, я вдруг ощутила поднимающийся из груди холодок, который быстро распространился по всему телу. Как будто воду в озере кто-то потревожил, взбаламутил илистое дно.

—Я вернулась в кровать, но уснуть в ту ночь так и не смогла. Несколько ночей все было спокойно, а потом — повторилось опять. Тоненький плач в моем подвале. Я решила не обращать внимания — приняла две таблетки снотворного, заткнула уши и отвернулась к стене. Кое-как уснула, но снились кошмары какие-то. Потом — снова несколько ночей покоя. И опять этот плач — только на сей раз плакали громче, настойчивее и как будто бы уже не в подвале, а на лесенке, у самого люка. Чтобы я слышала наверняка. Какая же чертовщина, Марьян! Приезжай, приезжай. Мне надо, чтобы ты это услышала.

—Конечно, приеду. Сегодня четверг, в субботу поеду на первой же электричке, встречай меня на станции!

Но в субботу никуда я не поехала. Потому что в пятницу вечером снова раздался звонок — определился номер мобильного Ольги, но голос на том конце трубки принадлежал мужчине. Некий Петр Иванович сообщил, что он — Олин сосед, и она каждый вечер приходила к нему покупать козье молоко, каждый вечер, ровно к шести, без опозданий. А сегодня — не пришла.

Он подождал до половины седьмого, а потом решил, что закрутилась дачница, о времени забыла, и пошел к ней в дом, отнести банку с молоком. У Ольги было не заперто, он легко проник в дом. Но ее нигде не было — звал, звал, все без толку. Он сразу неладное почуял — дом выглядел так, словно хозяйка на секунду отошла. На столе — ноутбук и телефон, и сандалии ее у порога стоят. Петр Иванович прошел в дальнюю комнату, где Ольга спала, и обнаружил постель ее разобранной. На полу отсутствовал ковер, а люк, ведущий в подпол, был открыт.

Сосед спустился по шаткой деревянной лесенке. Ольга лежала внизу, лицом вверх, прижав руки к шее. Она умерла давно — должно быть, ночью — тело успело остыть, а на бледных щеках появились фиолетовые пятна.

—Я никогда не забуду ее лица! — пожаловался Петр Иванович. — Глаза широко-широко открыты, выражение лица — кукольное. Словно она ни о чем не думала, как зомби! А руки — крепко шею держат... Я позвонил в милицию и по последнему номеру в ее мобильном.

Ольга была одинока. Из родственников — только бывший муж, давно уехавший на ПМЖ в Германию. Я нашла фирму, чтобы организовать похороны, оформила место в колумбарии одного из подмосковных кладбищ — уже на следующий день тело Ольги доставили в Москву и похоронили. Эксперт из морга сообщил странное — по всему выходило, что она сама себя задушила. Руками. Сжала шею и не отпускала, пока не перестала дышать.

— Впервые такое вижу, — пожал плечами патологоанатом. — Видимо, она была лунатиком. Обычно у них срабатывает инстинкт самосохранения, а тут...

Через несколько дней после похорон я все-таки наведалась в Тульскую область — хотела забрать Олины вещи и поблагодарить соседа.

Петр Иванович оказался невысоким кряжистым мужиком, с первого взгляда производившим впечатление человека довольно угрюмого. Однако морщинки, лучами расходившиеся от его глубоко посаженных серых глаз, свидетельствовали о том, что улыбка часто появляется на этом дочерна загорелом обветренном лице. Рассказывая об Ольге, он в какой-то момент с трудом удержал слезу — за несколько месяцев успел привязаться к смешливой доброжелательной дачнице, каждый вечер покупавшей у него молоко.

— Добрая она была... Кота вон пригрела. Он сегодня ночью забился под дом и как человек выл. Чувствовал смерть. — Помолчав, Петр Иванович вдруг сказал: — Виноват я перед ней...

— А что такое? Чем виноваты? — удивилась я.

— Дом-то этот давно сдать пытались — все никак охотники на него не находились. Оно и понятно — дачка маленькая, с семьей там тесновато, а одному — скучно.

— Оля как раз искала уединение.

— А домик раньше Клавдии принадлежал, — не обратив внимания на мои слова, продолжил Петр Иванович. — Странная баба была, мрачная. Не повезло ей родиться уродливой. Встретишь такую на улице — перекрестишься. Лицо одутловатое, нос картошкой, глазки злые, губы словно вывороченные. Злилась она все время, недобрым человеком была. Не любили ее в деревне, да и было за что. Идет, даже не поздоровается. До сорока лет дожила, и все одна. А однажды супруга моя заметила, что Клава, вроде, поправилась, да как-то странно. Ноги тощие, а брюхо растет. Спустя несколько месяцев стало очевидно — беременна баба. Где нагуляла — так никто и не узнал, с мужчинами ее не видели. Осенью родила дочку, Аней назвали. Неудачная девка получилась, нервная и тоже злая. Я бы никогда не поверил, что дети такими злыми бывают. Младенчиком была — орала всю ночь напролет. Клавдия ее ненавидела. Моя жена эту Анечку иногда на несколько часов забирала, Клавку жалела. И так жизнь неудачная, да еще такое исчадие ада растет. На мать похожа — глазки маленькие, смотрят недобро. Все старалась в волосы вцепиться и дернуть побольнее. Чтобы клок в кулачке остался. Жена моя говорила — она же не со зла, дите ведь, не понимает. Но я по глазам видел, что все она понимает. Понимает и радуется.... Пяти лет ей еще не исполнилось, как Клавка удавила ее.

—Как? — ахнула я.

—А вот так, — развел руками Петр Иванович. — Запила она. Трудно ей было. И так жизнь не мила, каждый день как каторга, а тут еще Анька орет и портит все вокруг. Зимой это случилось. Кошка наша окотилась, и Клавдия неожиданно попросила не топить одного котеночка — ей оставить. Шут его знает, что это было. Может, впервые в жизни тепла ей захотелось. Отдушины. Забрала котенка, поселила у себя. Любила его очень. Черный котик был, с белым брюшком. Доверчиво по пятам за ней ходил, как собачонка. Ласковый. Ну Анька то ли приревновала мать, то ли просто из злости поступила так. Однажды слышим — Клавка орет, кота зовет своего. Найти не может. А потом вопль раздался, мы с женой все бросили и к ней побежали. Вбегаем в дом — сидит Клавдия на полу, раскачивается, как ненормальная, и мертвый кот на руках. Как тряпочка. «Удавиииила... — стонет, — удавиила!..» Мы ее отпоили чаем, она и рассказала — Анька кота отловила, подушкой его накрыла и ждала, пока шевелиться не перестанет. А когда мать нашла его, мертвого, еще и смеялась.... Надо было нам Аню забрать в ту ночь... Но кто же мог подумать, что Клава так...

—Убила свою дочь?

—Той же ночью. Затащила ее в подпол и там руками голыми удавила. Девчонка и пикнуть не успела. Утром сама милицию вызвала, забрали ее, увезли. Но она даже по этапу пойти не успела, до суда не дожила — повесилась в камере. Да и какая же баба захочет жить после такого...

—Кому же дом достался?

—Сестре ее родной. Мы и не знали, что у Клавдии сестра есть. Такая же страшная, как она сама, только ухоженная, городская. Ногти накрашены, все дела. А глаза — такие же злые. Все думала — продать дом или сдавать... Мы ей посоветовали священника пригласить, а она нас только матюками восвояси отправила. Два года ни продать, ни сдать не могла. А потом появилась ваша Оля. И — вот. — Петр Иванович беспомощно развел руками. — Надо было рассказать ей все, предупредить. Глядишь — беду бы отвел.

Я обернулась и посмотрела на дом, в котором Ольга провела свои последние дни и который делал ее такой счастливой. Старенькая дачка, шаткое крыльцо, потемневшие доски. Сад выглядел заросшим и заброшенным. Оле это как раз нравилось — она терпеть не могла нарочито нарядные английские газоны и прочие окультуренные территории, куда милее ее сердцу было буйное цветение природы, оставленной без присмотра.

Я представила, как она, в цветастом свободном сарафане, ходит по саду босиком, как ест ягоды с малинового куста, щурится на выцветшее летнее небо, жует травинку и не думает ни о чем.

Вдруг мне показалось, что кто-то смотрит на меня из окна. Внимательно и зло. Сощурившись, я всматривалась в темное стекло, но так никого и не увидела. Да и не могло там никого быть — дом опечатала милиция, а накануне и хозяйка приехала и повесила на входную дверь тяжелый проржавленный замок.

Попрощавшись с Петром Ивановичем, я вернулась на станцию и купила билет на ближайшую московскую электричку.

ОТКУДА НЕ ВОЗВРАЩАЮТСЯ

Дело было в Сибири. Однажды компания молодых людей отправилась за грибами.

Их было четверо — все друзья детства, трое мужчин и одна девушка. Вошли они в лес ранним утром, когда землю еще обнимал слоистый туман, похожий на порванную фату. И к полудню уже утомились настолько, что решили возвращаться, — вот тут и выяснилось, что никто не имеет точного представления, в какую сторону идти.

В компании был человек, который жил в тех краях с самого детства и полагал, что знает лес не хуже огорода своей бабки. Был и человек, зачем-то взявший с собою компас. Были и те, кто самонадеянно считал, что умеет ориентироваться по наростам мха на камнях и стволах деревьев. Но вот того, кто повел бы всех за собою, уверенный в собственной правоте, — не было.

Никто особо и не расстроился, ибо все пребывали в возрасте, когда подобные недоразумения воспринимаются приключением. Передохнули на какой-то полянке, посидели на обросшем травой бревне, выпили кофе из термоса, съели припасенные бутерброды и приняли решение идти строго на юг.

— Вообще, не зря мы заблудились именно в этом лесу, — вдруг сказал один. — Про него всегда говорили — странное место, гиблое.

Никто не отнесся к его словам всерьез, ибо он с детства слыл любителем драматизировать. Когда все они еще и школьниками не были, именно он имел привычку пугать всех историями, что якобы у него дома живет домовой. И ладно бы просто жил — а то изводит всех, стучит по ночам, иногда и оплеуху залепить может. Даже переезжать собирались — всех этот дух достал.

Да и работу он впоследствии выбрал соответствующую — репортер. Это только в народе репортеров до сих пор считают кем-то вроде летописцев, а на самом деле на одной реальности далеко не уедешь, приходится осторожно перчить ее фантазиями.

Например, в прошлом году он нафантазировал, что у одного из жителей города ручной удав сбежал в унитаз. А система канализации устроена так, что теперь в любой момент, мол, трехметровая змея толщиной с ногу футболиста может вылезти из унитаза вашего. Так что когда пойдете справлять естественные надобности, будьте аккуратнее, дорогие земляки, а то проголодавшаяся змея может ухватить вас за сами понимаете что. Такой вой поднялся — в мэрию сотнями приходили возмущенные письма, люди в туалет боялись ходить. Пришлось даже делать отдельный репортаж о том, что это была шутка.

— Да ну тебя, — нарочито легкомысленно рассмеялся кто-то другой. — Нарочно пугаешь. Лес как лес.

— А я тоже слышала про этот лес, — подала голос третья. — Мне говорили, тут детский плач слышат иногда. Причем это уже лет пятьдесят продолжается, а орет один и тот же младенец. Местные привыкли к его голосу. Как будто он вечно новорожденный, не взрослеет. Когда впервые услышали, конечно, переполошились. Думали — какая-то дура нагуляла, родила под елкой, да и сбежала трусливо, а младенчик погибает теперь. День искали, другой, третий... Никого. А плач продолжается. Настоящий малыш давно погиб бы.

—Да это ерунда, местная байка. Ты что, не знаешь? Мне дед говорил. Просто здесь на опушке во время войны нескольких младенцев похоронили. У местных считается, что они до сих пор ползают по лесу, мертвые и неупокоенные. Но это же бред.

—Ага, а вот что ты скажешь на это. — Один из молодых людей даже остановился. — Было мне лет двенадцать, и мы с отцом пошли за грибами вот так же. И так же заплутали. Бродили, бродили, пока наконец не вышли на довольно просторную поляну. Отец мой тогда выглядел очень удивленным — он ведь рос в этих местах, лес вдоль и поперек исходил, но поляны такой не встречал. Но самое странное — она была явно искусственная. Деревья вырублены, трава вытоптана, хотя место — полная глушь. И знаете, что самое страшное?

—Что? — ахнули попутчики парня.

—Там кресты стояли. Не как на могилках, маленькие. А огромные такие кресты, в человеческий рост. Четыре креста, полукругом. И на перекладинах были толстые веревки, обугленные по краям. И я вам скажу, даже отец мой струхнул тогда. Побледнел и быстренько увел меня. Все еще зубы заговаривал, чтобы я не боялся. А я делал вид, что и не боюсь, хотя у самого аж желудок свело. До сих пор помню.

— А вы потом не пытались выяснить, что это за кресты?

— А то! Конечно, пытались. Отец с мужиками в лес ходил, все поляну ту искали. Да так и не нашли ничего. Мужики потом на него рассердились даже, думали, что он до белой горячки допился. Но я-то точно помню. Было такое.

— А мне еще прабабка рассказывала, когда жива была, что в этих краях леший водится, — с неловкой улыбкой заметила единственная девушка в компании. — Я мелкая совсем была, мне было интересно и страшно. Каждое лето тут у прабабки проводила, мы с ней по вечерам забирались на печь, пили теплое молоко с вареньем, и она рассказывала. Говорила, что леший сам никого не тронет, но стоит только войти в лес поглубже, сердится, что потревожили. И заманивать начинает. И если поддашься, то уже никогда из леса не выйдешь, так кругами тебя водить и будет, пока не издохнешь от голода и слабости. Или вообще в болото заведет, потом и косточек не найдут... Я когда уже школьницей была, подняла однажды прабабку на смех. Мол, ну кого ты пытаешься обдурить, дремучая. Лешие — это сказки, а мир живет по законам физики и биологии. Нет такого биологического вида — леший. И если кто по пьяни потерялся да утоп в болоте, это только и значит, что пить надо меньше, а не в сказки глупые верить. А прабабка обиделась, губы поджала и сказала, что сама его видела. Якобы ходила она однажды в лес за малиной, зашла чуть дальше обычного, и начал ее тогда леший звать. Сначала тонким девичьим голосом — «Ау!» кричал. Будто колокольчик звенит. Прабабка сразу поняла, кто это, и не обратила внимания. Но леший не унимался — ему, видимо, обидно стало, что обман его так легко какая-то девица раскрыла. И снова стал звать ее из чащи, но уже детским голосом. Как будто мальчик маленький кричит, да так отчаянно — «Помогите!» Сердце ее едва не размякло. Она ведь совсем молодой девушкой была тогда. А ее сестра старшая как раз в то лето первенца потеряла. Сережей его звали, и пяти лет мальчонке еще не было. Пошел на пруд один, хоть ему и запрещали, да и утоп. Кто-то говорил — слышали, как он «Помогите!» орет, прибежали, да поздно было... Но усилием воли прабабка заставила себя развернуться и пойти прочь, в сторону деревни. Тут-то леший и показался ей. Он почти никогда этого не делает, рассказывала прабабка, хоть и может принять почти любой облик. Ей вот вышел навстречу парнем молодым. У нее в первый момент дыхание в горле застряло, как будто воздух вдруг превратился в лед. Не просто парень это был, а тот, кого прабабка любила тайно, сохла по нему. Все надеялась, что разглядит он в ней это робкое, распускающееся чувство. Да как же заметить ему, если она и взгляд боялась поднять, да и красавицей никогда не слыла. А минувшей зимой его деревом придавило, насмерть. Сам и спилил смерть свою. Повалил не в ту сторону. Всей деревней его хоронили, и прабабка тоже, конечно, была. Ночами все глаза выплакала, но при людях держалась спокойно — а то сплетни ведь пойдут, на смех поднимут, потом из женихов и не позарится никто. И вот идет он ей навстречу, как живой. И рубаха на нем та, которую он в праздники носил, — в ней, кажется, и хоронили. И улыбается так тепло, как никогда при жизни не улыбался, и смотрит как на родную. «Привет! — говорит. — Скучал я по тебе, многое рассказать тебе должен. Дай провожу тебя до деревни?» «Ты же умер, Митенька!» — прошептала прабабка, а сама так и вросла ногами в землю, даже пошевелиться не может, как в дурном сне. «Знаю, — грустно так отвечает он. — Только вот некоторые мертвые так тоскуют, что и от земли оторваться не могут. А я по тебе тоскую. Будешь моей невестой?» Прабабка моя в первый момент разум потеряла — бросилась к нему. А он и руки расставил, как для объятия, и улыбается. И только в самый последний момент взглянула она в глаза ему, а зрачки-то — не человечьи, а вытянутые, как у рыси. Тогда она и отскочила, прокричала вслух: «Тьфу на тебя!», повернулась спиной и к деревне побежала. А он ее грустно так звал. И очень хотелось ей обернуться, хоть увидеть его в последний раз живым, но отчего-то она точно знала: нельзя. Если обернется — пропадет. Так и ввалилась в деревню, на подгибающихся коленях и глотая слезы. А родным потом сказала, что волка встретила и перепугалась.

Некоторое время шли молча. Веселье отчего-то испарилось, шутить больше никому не хотелось.

— А мне говорили, что не леший тут живет, а старуха мертвая. Якобы колдовала она, всех местных жителей достала. Чуть кто не так на нее взглянет, она нашепчет чего-то вслед, и у человека потом неприятности всю неделю. И однажды ночью собрались всей деревней и решили, что пора с ней расправиться. Подкрались к дому старухиному и быстро заколотили досками дверь и окна ее. И что страшно — когда они к последнему окну подошли, из него глянула на них старуха, спокойно и насмешливо, как будто бы все заранее знала и ждала их. Космы седые распущены, какой-то длинный балахон на ней. Всем не по себе стало — даром что она была мелкая и хрупкая, а их — десяток здоровых мужиков. Переглянулись они и поняли, что старуха изведет всех, если живой останется. Ну и заколотили последнее окно, а потом дом бензином облили и подожгли. Как страшно она кричала — люди так не кричат, только звери. Сначала басом, потом на визг перешла, потом — на вой. И долго так. Дом уже весь в пламени, крыша падает, а она все кричит. А когда одна стена рухнула, она на улицу выбежала, живая еще. Говорят, все обмерли. Космы горят, кожа на лице почернела, оплавилась и сползать начала, уже и кости видно, а она бежит, руки расставила. Так в лес и убежала. Говорят, потом всю ночь звери волновались. И волки выли, и вороны переговаривались, и совы. А старуху больше никто никогда не видел. Мужики на следующий день отправились тело ее искать, похоронить хотели. Блуждали до обеда, так и не нашли ничего. Не могла же она, обгоревшая, уйти так далеко. Но не нашли. А потом все жители той деревни поумирали один за другим, буквально за год. Кого-то телегой придавило, кто-то в лесу зимой заблудился и замерз, кто-то с сердцем слег, а у одной бабы странная опухоль случилась, прямо на лице — черная, как древесный гриб. За месяц сгорела, хоронили в закрытом гробу. Никого не осталось. Деревня долго стояла заброшенной, потом появились какие-то наследники, постепенно дома распродали, появились другие люди. Но все замечали — неспокойно тут в лесу, и к ночи углубляться в чащу точно не стоит. Говорят, тут ходит старуха с обугленным лицом.

Какое-то время шли молча. В компании не было никого моложе двадцати трех лет — вроде бы, взрослые люди, один даже женат и по макушку погружен в быт. А когда болото быта затягивает, не до страшных сказок. И вроде бы, сюжеты наивные — ну кто в двадцать первом веке поверит в лешего и призрак сожженной старухи.

Но все-таки настроение было испорчено. И сам лес как будто бы стал немного другим — еще недавно и золото солнечного света с неба лилось, и птицы перекликались так весело, как бывает только в зените лета, когда воздух наполнен предвкушением. А сейчас на лес опустилась тишина, и это было непривычно. Больше не было ни стрекота жучиных крылышек, ни шелеста листьев — казалось, все вокруг замерло, как хищник на несколько мгновений замирает перед атакой. К тому же, никто не был уверен в направлении. Вроде бы, шли на юг, каждые сто метров сверялись с компасом, только вот на глаза попадались одни и те же полянки, одни и те же поваленные сосны.

И вдруг кто-то воскликнул:

— Ну наконец-то! Смотрите, там, впереди, чей-то дом! Сейчас кто-нибудь нам подскажет дорогу. Наверняка это уже окраина леса, кто же строит себе жилище в чаще.

И правда, сквозь ветки просвечивали какие-то темные доски. Образ финишной ленты прибавляет сил — и те, у кого были стерты ноги, и те, в чьей голове роились мрачные и не вполне укладывающиеся в реальность мысли, — пошли веселее.

Однако стоило им подойти чуть ближе, весь энтузиазм сошел на нет — да, это был домик, человеческое жилище, но до такой степени разрушенное, что становилось ясно — здесь никто не жил по меньшей мере лет пятьдесят. Отсыревшие прогнившие бревна, покосившаяся крыша, оторванные ставни, почти полностью разложившееся крыльцо.

Зачем-то они все-таки поднялись в дом, при этом едва не поломав ноги, — ступеньки истлевшего крыльца рассыпались под их весом. Дверь с трудом, но поддалась — тяжело, с неприятным глухим скрипом.

Внутри пахло болотом и плесенью. Несмотря на отсутствие стекол, здесь было темно, молодым людям пришлось подсвечивать путь экранами мобильных телефонов. Никто из них не смог бы объяснить — зачем они вообще пробрались в недра этой развалины, ведь это могло быть небезопасно. Шли и шли. Возможно, это была жажда хотя бы иллюзии крова. Возможно, они надеялись успокоиться, увидев хотя бы покрытый пылью и плесенью отпечаток чьего-то былого очага.

В домике все было вверх дном — то ли многие годы назад отсюда уезжали второпях, то ли его разграбили уже после отъезда хозяев. Покосившаяся самодельная мебель — стол из еловых досок, две скамьи, сундук, полки, уставленные потрескавшейся глиняной посудой. Везде паутина, по стенам разрослись древесные грибы. На покрытом толстым слоем желто-зеленой пыльцы столе — единственный граненый стакан. Который тут же притянул к себе взгляды вошедших, потому что был относительно чист. И наполнен чем-то белым.

Подошли ближе, кто-то взял стакан в руки, поднес к носу и потрясенно прошептал:

—Это же молоко... И оно не скисшее. Его налили совсем недавно.

Все молчали, потрясенные. Этот сгнивший домик — вот-вот сложится, как карточный, этот нависший потолок и выбитые окна, еле открывшаяся дверь, пыль, паутина — здесь явно никто не был уже долгие годы. И деревень поблизости — нет. И людей.

А молоко — живое, свежее, еще не остывшее даже — вот оно, в пусть и плоховато, но промытом стакане. Как будто бы кто-то ждал их в гости, как будто бы кто-то их нарочно сюда привел.

Они молчали и почему-то старались друг на друга не смотреть, как будто бы каждый из них находился в особенном и печальном виде транса — Трансе Понимания. Как будто бы каждый точно знал, что ему остались считаные мгновения в этой жизни и в этом теле, и хотел провести эти драгоценные минуты наедине с собой.

ОТКУДА ВОЗВРАЩАЮТСЯ
(Продолжение)

Это невыдуманная история. Рассказал мне ее один человек, в молодости увлекавшийся охотой.

—Я вообще материалист, но однажды случилось со мною такое, чему я до сих пор найти объяснения не могу. Дело было зимой. Я находился в командировке в одном сибирском городке, и вот местные коллеги пригласили меня поехать с ними на охоту. Я с радостью согласился. Нас было четверо, и я в компании — самый младший. В первый день далеко в лес не ходили, и сопровождал нас лесник. А на второй — освоились немного, и вот один из моих товарищей сказал, что отведет нас в потрясающе красивое место, — только вот идти туда так далеко, что придется остаться в лесу на ночь. Но это не страшно, потому что там есть и сруб, зимовье. Лесник, услышав, куда именно мы собираемся, вдруг повел себя странно. Это был молчаливый увалень с глубокими морщинами и клочкастой неряшливой бородой. Он никогда не улыбался, и невозможно было понять, сколько же ему лет. И вот он, такой серьезный и взрослый, вдруг заявил, что ходить туда нельзя, тем более — зимой, тем более — с ночевкой. Что это место принадлежит духам леса, которые в это время года особенно лютуют. Вернуться оттуда живыми — невозможно. Мы, конечно, посмеялись над ним. Посудачили между собою, что он, наверное, спятил, как часто бывает с бирюками, которые месяцами не видят человеческих лиц. «Не хочешь идти с нами — и не надо, без тебя прекрасно справимся!» — сказали мы ему. Леснику оставалось только пожать плечами, и остаток вечера он был еще более мрачным, чем обычно. Накануне мы собрались на ужин в ресторане нашей гостиницы, большой компанией коллег. Конечно, мы рассказали всем о странном поведении лесника. И что нас удивило — один из начальников вдруг сказал: «А ведь он прав!» И понес какую-то ересь — что якобы о лесных духах, которые летом еще могут выпустить живым, знает здесь каждый ребенок, объяснить это с научной точки зрения невозможно никак — но что есть, то есть. Мы решили, что начальник решил нас разыграть. Конечно, никто не волновался. Какие-то духи, странные смерти в лесах... Мы были в свое время комсомольцами, отличниками, наше детство было исполнено мечтами о покорении космоса и морских глубин, а не дремучими страшилками. Поэтому на следующее утро мы собрались и отправились на место. Сперва ехали на снегоходах, потом оставили их в условленном месте, надели снегоступы и углубились в лес. С погодой повезло — было не очень холодно, минус двадцать всего. Подарок для тех мест, где и до сорока в иные дни доходит. Идти было тяжело, но никто не жаловался. Чистейший прозрачный воздух, солнце, первозданный спящий лес в его скупой черно-белой красоте, снег скрипит. Чистый — в городе такого не увидишь. Вот наконец и до зимовья дошли — часа четыре на это потребовалось. Увидели домик — обрадовались.

Хороший, теплый, печь имеется. Обычно в зимовьях есть и минимальный запас продуктов, и спички, и вообще все, что нужно для выживания. Можно пользоваться, чем хочешь, только не забыть оставить запасы и для следующих путников. С охотой в тот день нам не везло. И вот наконец стемнело. Все были такими уставшими, что хотелось одного — спать. Устроились на лавках, укутались в спальные мешки. Вроде бы, уснули все. И вдруг сквозь сон слышу — грохот страшный. Как если бы гроза началась. Лежу в темноте, глазами хлопаю — но ничего, тишина. Уже подумал, что приснилось мне. И вдруг товарищ мой, который на соседней лавке спал, шепчет: «Ты это слышал?.. Что это было?» Выяснилось, что странный звук всех нас разбудил. На улицу мы решили не выглядывать. Только успокоились и снова засыпать начали, слышим — шаги. Хруст снега, прямо возле одного из окон. Тут уж мы вскочили. Я подошел к окошку. Оно было узкое совсем — чтобы медведь не пролез. Прижался я лицом к стеклу. Вглядываюсь в темноту. Хорошо, что месяц светил и снег отражал лунный свет. Возле окна никого не было. Но не могли же эти шаги всем четверым нам померещиться?.. Небольшое затишье, и потом мы снова шаги услышали. Как будто бы некто неторопливо обошел наш дом кругом и ко второму окошку подошел. Мы туда перебежали — опять никого. Пустой лес, месяц, снег. А тем временем тот, кого мы так и не увидели, уже и до двери дошел. «Может, медведь», — кто-то из наших прошептал. Но медведь по-другому ходит. Тут человек был, большой, высокий, тяжело ступающий. И вдруг входная дверь затряслась так, словно ее великан пытался открыть. Ходуном ходит. А дверь, надо сказать, тяжелая была, с массивным чугунным засовом. Мы сами ее еле отворили, не без усилий, — домик-то старый был, перекосившийся. И вот мы все вскочили, переглядываемся, не знаем, что делать. Ружья схватили. Только вот всем не по себе как-то. Хоть ружья и есть, хоть все и взрослые мужики, а дверь отворять — страшно. Понятно же, что это чертовщина какая-то. Ну не мог туда пешком никто дойти. И силищи такой в человеческих руках не бывает. Никто бы из нас так дверь не растряс. Наконец самый старший и опытный из нас решился. Подкрался к двери, отворил... Мы все ружья подняли. А за дверью — никого. До утра никто из нас не спал. А едва рассвело, решили идти обратно. Настроения не было оставаться в той глуши. Но самое интересное вот что: на снегу вокруг дома не было никаких следов. Вообще ни одного. Только та тропинка, которую протоптали мы. А вокруг — чистота. Что же это такое было, никто из нас не понял. Однако когда мы уже вернулись в город, местные встретили нас удивленно и несколько настороженно. Не думали, что мы вернемся живыми. Не верили. Я больше никогда в те края не возвращался. Но почему я об этом вообще вспомнил... Тут недавно по новостям прошла информация... Компания молодых людей отправилась в лес, как раз возле того поселка, от которого и мы путь начали. Не как мы, зимой, а летом они пошли. И без ночевки — просто по грибы. У них и компас имелся, и телефоны, и кто-то из них даже, вроде бы, местным был. И все, сгинули. Три дня с отрядом МЧС лес прочесывали, в каждый уголок заглянули — ни косточки не нашли.

СПЯЩАЯ КРАСАВИЦА
(Новая старая сказка)

Однажды к некому богачу подошла нищая старуха, упала на колени прямо в уличную пыль и протянула раскрытую ладонь. Дело было в одном из городков южноамериканского континента, куда богач приехал на переговоры.

В то утро у него было дурное настроение, и он отпихнул попрошайку — да так грубо, что та повалилась навзничь. И сказала она в его удаляющуюся спину: «Зря ты так со мной. Через три года и три дня родится у тебя красавица-дочь, которую ты будешь любить, как никого и никогда не любил. Будет украшать она жизнь твою до своего совершеннолетия, а в этот день потеряешь ее навсегда!»

Последних слов богач даже не слышал, но и первые его не впечатлили — он не был суеверным, к сорока пяти годам имел за спиной уже четыре брака, так что новых жен и, тем более, детей впускать в свою жизнь никак не планировал. Однако сопровождавший его гид побледнел и затрясся от страха.

—Эту старуху зовут Херума, ее тут у нас считают могущественной колдуньей, — сказал он. — Надо вернуться и уговорить ее принять деньги — столько, сколько она попросит. А то быть беде.

Богач разозлился еще больше и гида уволил. Решил, что тот работает в одной команде с мошенницей.

Прошло время, он и думать забыл и о том городе, и о той старухе. И вот однажды на какой-то вечеринке встретилась ему молодая женщина невиданной красоты.

Богач, как и все мужчины его статуса, был искушен в вопросах эстетики женского тела — в его постели (а иногда и сердце) побывали ярчайшие красавицы эпохи. Однако та женщина покорила его настолько, что спустя считаные дни он предложил ей руку и сердце.

А еще через год родилась у них дочь, красавица же в родах умерла. И горе богача было бы бескрайним, если бы не дочь, которая выглядела как сошедший с небес ангел. Лицо ее не было по-обезьяньи сморщенным, как у других младенцев, и смотрела она осмысленно и серьезно, как будто бы в свои несколько часов от роду уже знала что-то очень важное о тайнах бытия.

Девочку назвали Аннабель, и богач души в ней не чаял. У него были и другие дети, уже взрослые, но никогда он не чувствовал ничего подобного — такой тонкой нежности, такой окрыляющей любви, такой жажды отдавания без даже мысли о том, чтобы получить что-нибудь взамен.

Аннабель росла еще и умницей — всегда была первой и в точных науках, и в гуманитарных, прекрасно ездила верхом, играла на скрипке, танцевала рок-н-ролл и сама, по гранту, поступила в лондонскую школу искусств.

И вот наступил день ее совершеннолетия, и богач закатил пир на весь мир. Он готов был бросить к ногам дочери весь земной шар — от звезд Непала до огней Парижа, но ей захотелось отметить день рождения в небольшом городке на южноамериканском континенте. Странное желание, однако, поскольку у Аннабель с младенчества был легкий нрав и капризов за ней не водилось, богач решил подчиниться.

В выбранном дочкой городке был арендован замок с каменными лестницами, пустыми башнями и сыроватыми подвалами, приглашены шеф-повара из лучших мишленовских ресторанов, и акробаты из цирка дю Солей, и цыганский ансамбль, и три сотни человек гостей. Это был волшебный вечер — Аннабель дарили брильянты, арабских лошадей и винтажный чайный фарфор, который помнил прикосновения губ королевских особ.

И когда вечеринка была в самом разгаре, лучшая подружка Аннабель, которая училась с ней же, отозвала ее в сторонку. Девица была, что называется, «бедовая» — из талантливых саморазрушенцев. Выбритые виски, ирокез выкрашен в ярко-красный, всегда при себе бутылка хорошего виски, из которой она отхлебывает полудемонстративно, радуясь презрительному недоумению ханжей. Какие-то странные романы на одну ночь — когда в начале вечера горят глаза и клянешься, что наконец встретил ту самую улыбку, которую хочешь видеть до седых волос, адресованную тебе и вашим общим детям. А на рассвете уходишь, не почистив зубы, чтобы шум воды не разбудил его — чтобы не прощаться, не оправдываться, не увидеться больше никогда. Приключения на ровном месте — девица была из тех, кто мог пойти утром за кофе, а в обед позвонить из Парижа со словами: «Кинь мне хоть двадцать фунтов на карточку, а то я тут без денег и в пижамных штанах». По закону притяжения противоположностей, они с Аннабель нежно друг друга полюбили и с самого первого дня в академии были неразлейвода. И вот девица отозвала ее в сторонку и прошептала:

— А хочешь попробовать «веретено»? Я уже договорилась, и даже недорого выйдет.

— А что такое «веретено»? — нахмурилась именинница.

— Ну ты и не от мира сего! — не то восхитилась, не то удивилась подружка. — Это новый модный наркотик, там никакой химии. В Европе достать невозможно, только тут, потому что делается из местных трав. Вызывает сильные видения — и говорят, у всех единожды попробовавших такое ощущение, что с ними говорил Бог.

— Я не уверена, что уже созрела для разговора с Богом, — попробовала отшутиться Аннабель, — к Богу приходят, когда уже все повидали и сопоставили. А я не целовалась даже.

Но подружка настаивала:

— Ты что! Приехать сюда и даже не попробовать «веретено». Да это абсолютно безопасно. От него даже «отходняка» не бывает. А эффект длится всего пятнадцать — двадцать минут. Никто и не узнает ничего.

— Но я и курить не пробовала, ты же знаешь.

— Ну и что. Неужели тебе ни разу в жизни не хотелось настоящего приключения?

Аннабель вовсе не была уверена в том, что «новый модный наркотик» — это и есть настоящее приключение, однако глаза ее подруги сияли, и так она была взволнована, и так уговаривала, что девушка наконец сдалась.

— Ладно. Он при тебе? Давай запремся в моей спальне и попробуем.

— Нет-нет, мы должны спуститься в подвал. Там нас уже ждет женщина, дилер.

— А где ты откопала тут дилера? Мой отец строг к подобным вещам. Ты уверена, что она не какая-нибудь проходимка?

— Да ее тут все знают, Херума ее зовут. Считается чем-то вроде колдуньи — бред, конечно, но местные такие темные, по их ушам любую лапшу развесить можно. Суеверный народ. На самом деле, она травница. Тут вся золотая молодежь у нее затаривается.

Девушки спустились в подвал. У Аннабель с самого начала было какое-то... предчувствие. Цокольные этажи замка выглядели совсем не так празднично, как залы, освещением и украшением которых занимались нанятые отцом дизайнеры. Здесь было сыро, прохладно. Каменные стены, кое-где поросшие мхом. Где-то вода капает. Коридоры узкие, заплутать можно. Но подруга вела ее уверенно, о чем-то шутила — ее будничным настроением было «предвкушение чуда» — в ее обществе всегда хотелось быть хотя бы отчасти ею. Перенять вот эту щенячью радость каждой минуты существования. И Аннабель гнала дурные мысли прочь.

И вот наконец подруга привела ее в какой-то закуток, скупо освещенный единственной лампочкой с желтоватым подрагивающим огоньком. Тут из угла навстречу им выступила старуха, от которой Аннабель в первую минуту даже отшатнулась, несмотря на то, что с детства ее обучали тонкостям этикета, — такое страшное было у той лицо: темное, глаза зияют бездонными дырами, губы съедены временем, кожа обтягивает череп, как у мумии. А подруга словно и не замечала неприятной наружности травницы — весело поприветствовала ее и даже поцеловала в висок.

— Вот, — на дурном английском сказала старуха, — две дозы, как и договаривались. Давайте быстрее, у меня еще клиенты на другом конце города.

— А это точно... безопасно? — промямлила Аннабель, которой хотелось одного — развернуться и убежать.

Старуха взглянула ей в глаза, и девушка отвела взгляд, как щенок перед лицом матерого волка. Ощутив холодок, она плотнее закуталась в шелковый палантин. И ей вдруг почудилось, что старухино тело — полое, что нет в нем ни сочленения мышц и костей, ни пульсирующего сердца, ни артерий, по которым течет горячая кровь. Просто оболочка, за которой — вечность, бездна и смерть. И вот теперь эта бездна посмотрела прямо на нее из старухиных глаз, Аннабель же не была готова к собеседникам такого масштаба.

— Я работаю с «веретеном» уже восемь лет, — нехотя объяснила старуха. — Это так популярно, потому что безопасно. Единственный риск — тошнить будет, если вдруг передозировка. Но я гарантирую.

— Давай уже, — поторопила подружка. — Ты первая, а когда через четверть часа вернешься от Бога в наш мир, пойду и я.

— Ладно, — уныло согласилась девушка. — Что делать надо?

Старуха извлекла из кармана пузырек с темной жидкостью, резиновый жгут и одноразовый шприц в упаковке.

Аннабель попятилась:

— Как? Укол?

Щель темного рта старухи искривилась презрительно:

— Кого ты мне привела! Я же сказала, что не работаю с овечками, никого не уговариваю. У меня и без вас половина города покупает. Кому это нужно — мне или вам? За кого вы меня принимаете?

Под осуждающим взглядом подруги Аннабель протянула левую руку. Старуха деловито смазала локтевой сгиб проспиртованной салфеточкой. Все у нее было при себе, как у медсестры. А руки — ледяные. Жгут стянул предплечье, несколько секунд старуха ждала, пока набухнет вена, и последним, что осознала Аннабель, был укол иглы. Как будто бы все ее сознание накололи на кончик этой самой иглы и одномоментно перенесли в невиданные заморские дали, где на розовом небе восемь лун. Кажется, она куда-то летела, широко раскинув руки, и точно знала, что кто-то ждет ее впереди. И вокруг были другие, тоже способные летать, только выглядели они иначе, чем люди, — прозрачными и словно сотканными из тончайшего золотого света. Аннабель было весело и хорошо.

В замке же над ее телом склонились подруга и старуха. Аннабель медленно осела на пол, растянув побледневшие губы в улыбке; ее распахнутые глаза невидяще смотрели в потолок.

— Это точно нормально? — нахмурилась подружка. — Она как мертвая лежит.

— Что я, дела своего не знаю? — пробубнила старуха. — Ну что, сама будешь?

— Конечно, только хочу подождать, пока она очнется. Мы же так договаривались. По очереди чтобы.

— Как будто у меня время есть, — фыркнула Херума. — Меня и другие люди ждут, всем надо.

Сами не умеете или ленитесь туда долететь, все меня зовете.

И не обращая внимания на возмущенную девицу, старуха подобрала юбки и юркнула в коридор. Ее не взволновали ни угрозы позвать полицию, ни попытки напомнить, что она взяла деньги и дала слово. Может быть, понимала, что две иностранки все равно никогда не станут ее постоянными клиентками и никак на репутацию повлиять не могут.

Девушка осталась одна, над телом подруги, которое выглядело бездыханным. Она была растеряна и не понимала, что теперь делать. Бежать за вредной бабкой? Но это значит, оставить в подвале, на холодном каменном полу, лучшую подругу, которая может испугаться, очнувшись. Просто сидеть и ждать? Позвать кого-нибудь на помощь? Теперь девица вовсе не была уверена в том, что «веретено» так уж безопасно. Аннабель, бледная, как покойница, кажется, едва дышала. С другой стороны, прошло всего три минуты, а все говорили, что из такого путешествия возвращаются только через пятнадцать.

И вдруг тело Аннабель сотрясла судорога — голова ее откинулась назад, глаза по-прежнему были открыты, а на белых губах выступила пена. Сомнений не оставалось: что-то пошло не так. «Помогите! — закричала подруга. — Сюда, на помощь!» — и ее голос эхом разлетелся по коридорам. Только вот все гости были наверху, и там выступала какая-то местная модная рок-группа.

Девица побежала наверх, но не сразу смогла найти дорогу — в какой-то момент ей начало казаться, что замок заколдован, коридоры бесконечны, и сейчас она встретит Минотавра. Но вот наконец совсем рядом послышались чьи-то голоса, она взлетела по лестнице и сразу оказалась в главном зале — растрепанная, испуганная, вспотевшая и запыхавшаяся. Запнувшись о порог, она упала навзничь к ногам гостей.

О девице ходила такая молва, что никто и не испугался — все решили, что она вляпалась в очередное приключение, и кто-то даже начал снимать ее на телефон и сразу же отправлять ролики на ю-тьюб. Но отец Аннабель заметил и беспомощные слезы, и страх в глазах, он сразу понял: что-то случилось с дочкой, у него заболело сердце. Оттащил девицу в сторону, а гостям сделал знак — продолжайте веселиться, — и никто не посмел его ослушаться. Когда девица привела его в подвал, тело Аннабель уже одеревенело, и не оставалось никаких сомнений: мертва.

Богач выгнал всех из замка. Сутки сидел он над остывающим телом дочери. В подвале было очень холодно, но богач ничего не чувствовал.

И вот наконец его личный помощник намекнул, что неплохо было бы организовать похороны. И тогда богач представил, как на прекрасном белом лице Аннабель появляются бурые пятна, и как потом личинки копошатся на ее распадающейся плоти, — представил и понял, что не бывать этому, что пока есть у него деньги и связи, он такого не допустит. Что-то соврали людям — и те послушно подходили прощаться к закрытому гробу, который на самом деле был пустым. Пустой же гроб отправили на кремацию, а для тела дочери богач велел построить огромную морозильную камеру в подвале своего особняка. Его близкое окружение умело хранить секреты — это была не первая страшная тайна миллиардера.

В центре морозильной камеры поставили специально вырезанный стол из горного хрусталя — огромная каменная глыба с инкрустацией. Девушку нарядили в белое кружевное платье, как невесту, в волосы вплели вощеные белые цветы, которые некогда тоже были красивыми и живыми. Иней оседал на ее подрумяненном лице, на ее ресницах, и была в этом некая особенная торжественная красота.

Каждый день безутешный богач спускался в подвал к телу дочери. Раз в год, в день ее рождения, он переодевал мертвую красавицу. Это было трудно. Однажды чуть крепче, чем следовало, ухватил ее за руку, и один из бело-голубых заиндевевших пальцев с сухим треском отломился и остался в его руке. Пришлось купить для нее кружевные перчатки.

И вот прошло много лет, богач стал стариком. Эти годы сделали его угрюмым, нелюдимым и подозрительным — тяжесть страшного секрета мешала ему заводить новые знакомства, а старые связи он постепенно оборвал. О нем сплетничали: сошел с ума после смерти дочери. Все чаще богач думал о том, что же будет с телом Аннабель после его смерти. Нетрудно предположить, что желтая пресса раздует скандал — еще бы, нелюдимый миллионер четверть века прятал труп в специально оборудованном подвале. Кровь, романтика, извращения — все в одном коктейле, публика будет довольна. Только вот бедную Аннабель, скорее всего, предадут земле, и ее все равно пожрут черви.

Много думал об этом старик, и мрачные фантазии мешали ему уснуть.

И вот однажды, зимним вечером, в доме его раздался звонок — и это было удивительно само по себе, потому что посторонний человек не мог пройти на территорию, миновав охрану, с охранниками же была договоренность звонить по телефону, а не в дверь.

К тому же, вместе с ним проживала помощница по хозяйству, тихоня лет пятидесяти, незаметная словно тень, давно отказавшаяся от собственной жизни в пользу быта старика. Имелась, конечно, и другая прислуга, но на ночь оставалась именно эта женщина. Она была чем-то средним между экономкой и личным секретарем — и по телефонам отвечала, и вела бухгалтерию, и гоняла домработниц, чтобы те лучше мыли полы. Старик сначала не собирался реагировать на звонок, но незнакомец по ту сторону двери оказался настойчивым.

В конце концов раздражение и любопытство заставили богача выбраться из-под одеяла, накинуть шерстяной халат и спуститься на первый этаж.

— Что там у вас случилось? Дарья? — позвал он экономку, но тишина была ему ответом. — Черт знает что. Уснула, что ли...

Он подошел к двери, на которой даже не было глазка, — какой в нем смысл, если к ней невозможно подойти, миновав ворота?

— Кто там? — спросил, помолчав.

К его удивлению, из-за двери ему ответил старческий голос:

— Откройте. Мне надо с вами поговорить.

Старику показалось, что незнакомец говорит с легким акцентом. Прежде чем открыть, он взял из ящика трюмо небольшой травматический пистолет и спрятал его в карман халата. Почему-то сердце забилось чаще. Никаких объективных причин не было — ну подумаешь, незнакомый пожилой человек ухитрился подобраться к дому, — но миллиардер обладал звериной интуицией, без которой в свое время едва ли сколотил бы такое состояние. Дверь он все-таки открыл.

На пороге стояла совсем древняя бабка в странных темных лохмотьях. На улице — минус пятнадцать, самое лютое время, середина февраля. К тому же старые люди обычно мерзнут сильнее. А на ней — пыльное черное пальто, из-под которого торчат какие-то драные многослойные юбки. И на голове — соскользнувший платок шерстяной, обнаживший желтоватый череп, покрытый седым пушком. Невозможно было определить ее возраст — но казалось, ей не меньше сотни лет. Позвоночник скрючен, голова пригнута к земле, кожа высохла, глаза запали, и не было в них блеска жизни. Никогда раньше миллиардер не видел настолько древних, ветхих и хрупких людей.

—Кто вы? — удивился он. — К кому пришли? Я милостыню не подаю.

—Знаю, — криво усмехнулась старуха. — Пришла, потому что скоро мой срок и я езжу по свету белому, за долги плачу.

Старик почему-то слушал все это, не закрывал дверь, хотя никогда не отличался чуткостью к проблемам незнакомых людей, а в последние годы и вовсе очерствел, как будто бы из него душу преждевременно вынули. Был человек с душою — стал человеком-функцией.

—И я при чем?

И тогда старуха сказала слова, заставившие его горло сжаться:

—Дочка у тебя была красивая, молоденькой померла. Ты всем соврал, что схоронил ее. Но в могилке, в урне роскошной, только пепел деревяшки зарыт, гроба пустого. С телом же дочки ты так и не решил проститься. Поэтому я здесь.

—Что? — прошептал старик. — Что ты городишь? А ну пошла вон отсюда!

А сам и пошевелиться не может, словно в землю врос. Когда-то он читал, что есть три вида реакции на стресс — замереть, убежать или пойти в атаку. Он иногда видел в страшных фильмах, как люди немеют перед лицом опасности, — у них есть шанс убежать, а они стоят и орут, прямо в лицо своей смерти. Как птичка, загипнотизированная взглядом змеи. И никогда не мог примерить такую, как ему казалось, глупость на свои плечи. А теперь стоял, как жена Лота, и тупо смотрел в ухмыляющееся темное лицо ожившей мумии, непонятно как узнавшей его секрет.

—Охраной себя окружил, забор пятиметровый выстроил, и думал, что в безопасности, да? — почти сочувственно улыбнулась старуха. — Но мне неведомы заборы, и охранники твои — дети для меня. Ты меня и не помнишь, а ведь оттолкнул уже однажды. Сейчас бы я, может, и простила, но тогда горячая была, обидчивая, вот и поплатился ты. Но сегодня я пришла с миром. Дай мне шанс загладить мою вину. Ты получишь чудо, я же отойду спокойнее, чем могла бы.

Старик попятился, давая ей возможность пройти. Как будто бы его сознание разделилось на две части: одна делала все так, как просила старая ведьма, а вторая с недоумением и беспомощным ужасом наблюдала за происходящим.

«А может быть, это инсульт? — мелькнуло в голове. — Парализовало, видения пришли».

—Какое еще чудо? Я сейчас позвоню охранникам... У меня пистолет...

—Следуй за мной.

Незнакомка находилась в возрасте беспомощности и оторванности от мира, который никогда не останавливается, чтобы подождать не успевших запрыгнуть в последний вагон. Тем не менее, она держалась с ним, как великий полководец с новобранцем, и движения ее дряхлого тела были отточенными, и походка — довольно быстрой для ее лет, а голос — твердым. Самое странное — она знала, куда идти. Знала, где находится тот самый холодный подвал. Богач ведь спрятал его от глаз случайных гостей — несмотря на то, что эти стены в последние четверть века и не видели чужих лиц. Вниз вела лестница, закрытая ложным книжным шкафом, — нужно было потянуть за одну из книг, и дверь открывалась. Даже экономка, столько лет прожившая с богачом бок о бок, не знала, какая именно книга ведет в подвал. А вот странная старуха — знала откуда-то.

Все, что оставалось старику, — на негнущихся ногах плестись за ней.

И вот они уже у каменного стола, на котором лежало покрытое инеем тело. В этом году на красавице было красное шелковое платье, и цветы в волосах — красные тоже. При жизни ее считалось, что такой нежной коже и пепельным волосам не идут яркие оттенки, однако теперь цвет одежды подбирался не столько к ее чертам, сколько к интерьеру ее склепа. Богачу нравилось входить в эту комнату и видеть, что все — и стены, и подобие гроба, и девушка — словно часть одной картины.

Сейчас он впервые в жизни чувствовал себя по-настоящему беззащитным — как в дурном сне, когда без всяких сложных предысторий вдруг обнаруживаешь себя на городской площади обнаженным, а вокруг толпа, и все смотрят на тебя. Только на этот раз все было намного страшнее — потому что он обнажил перед темнолицей старухой не тело, а самое сокровенное, ту часть души, куда не был вхож никто из живущих. Она появилась неизвестно откуда и единственное, чем он по-настоящему дорожил, отняла. Все эти годы старик ведь говорил с дочкой как с живой. Сначала — с болью и досадой, а потом, смирившись и перенастроившись, он сделал из мертвой красавицы воображаемого собеседника, того самого невидимого друга, которым в детстве часто обзаводятся мечтательные тихони. Не просто замороженный кусок мяса, который стал таковым, как только его пределы покинула душа. Нет, настоящий собеседник — старик обращался к дочери и словно слышал ее голос, отвечающий ему. Это был его друг.

Но сейчас миллиардер взглянул на девушку глазами старухи и видел лишь то, что увидел бы любой посторонний, переступивший порог этой комнаты, — холод и равнодушие мертвого тела. Эти руки, спрятанные в кружевные перчатки, никогда и никого не обнимут больше, эти подкрашенные губы не будут улыбаться при взгляде на чье-то лицо, эти запорошенные инеем ресницы не дрогнут. Ничего и никогда не произойдет, и, по сути, эта облаченная в дорогой шелк форма ничем не отличается от килограмма замороженного фарша, который его экономка хранит в соседнем подвале.

Старик увидел, понял, и ему стало страшно — как будто бы только что, спустя много лет после реальной смерти Аннабель, он вдруг осознал, что ее действительно больше нет.

—Я чувствую, когда кому-то пора, — с грустью заметила старуха. — Меня за это никогда не любили. Считали, что глаз у меня дурной, что я недобрым словом обрекаю людей на смерть. Но разве можно в действительности повлиять на чью-то смерть? Нет, я не предрекала — просто чувствовала и шла на зов. А зачем — сама не знаю.

Старик бессильно опустился на каменный табурет и накрыл рукою сложенные ледяные руки дочери. Вдруг странное чувство появилось — ощущение последнего момента. В юности такое никогда не замечаешь, но с возрастом учишься распознавать вкус «никогда». И заранее чуять его.

В детстве вот как бывало — снимала его мать деревенский домик в какой-нибудь далекой области, и проводил он там все лето, а для мальчишки лето — жизнь в миниатюре. И появлялись у него закадычные друзья, и в последние дни августа он, прощаясь, клялся, что отныне они будут неразлучны, и расстояния — ничто для настоящей мужской дружбы. А потом начиналась привычная жизнь, школа, какие-то новые впечатления, и уже к октябрю он почти забывал лица тех, кто казался таким важным. И это маленькое «никогда» было для него не трагедией, а естественной частью круговорота бытия.

А с возрастом он стал острее чувствовать вроде бы и неважные для общей линии моменты разлуки. Побывал в Южной Африке, стоял на скале над морем и смотрел, как смешно пингвины скатываются с песчаной горки, — и вдруг пришла мысль, что ему уже под восемьдесят, и поездка была случайной, и послезавтра — рейс в Москву, и он больше *никогда* не увидит это море с белыми кудрявыми чубчиками на макушках волн. И казалось бы — на что ему сдалось именно это море, уж сколько в жизни его было и чужих стран, и морей, и скал, но почему-то вдруг защемило сердце. Так люди относятся к покойным. Был некий человек где-то на обочине твоей жизни, и не звонил ты ему почти никогда по доброй воле, а если вдруг случайно где-то встречал, улыбался ему тепло и говорил непременное: «А давай как-нибудь отобедаем там-то, а?» И человек радостно соглашался, и вы расходились, чтобы опять забыть друг о друге на месяцы. И сколько раз забывал ты о дне его рождения, и сколько раз не позвал его на какую-то вечеринку, потому что счел его присутствие лишним.

И вдруг ты узнаешь, что этот человек мертв. Приходит приглашение на панихиду или просто случайно кто-то сообщает об этом. И что-то странное происходит тогда — мысли возвращаются к образу мертвеца, и даже снится он иногда, и как будто бы сожалеешь, что трубка твоего телефона больше не скажет его голосом «привет».

Колени старика подогнулись, он рухнул на пол. Неотрывно смотрел он на бледное искусно подрумяненное лицо мертвой дочери, и вдруг показалось ему, что ресницы ее слегка дрогнули, а склеенные губы пошевелились.

Девушка как будто бы сглотнула и поморщилась, словно от боли. Старик не верил своим глазам — он забыл и о печальных размышлениях, и о странной старухе, которая, должно быть, все еще находилась в склепе, и вообще обо всем. Существовал только он и Аннабель, которая вопреки законам мира, знакомого старику, начала просыпаться. За долгие годы, что ее тело провело в тайном склепе, он забыл и о том, что такое нежность, и уж тем более о том, как она может быть проявлена.

Дочери наконец удалось распахнуть глаза — усилие ослабевших за годы мышц выиграло у хирургического клея. Взгляд Аннабель был совсем не таким, как запомнилось отцу, — не ясным и теплым — а пустым, как у силиконового манекена из дорогой витрины.

И расфокусированным каким-то. Будь это чужой человек, старик испугался бы, но это же Аннабель, родная, любимая младшая дочка, давно мертвая. Он дышать боялся — а вдруг все это мерещится, не спугнуть бы, ибо иллюзия все равно слаще мира, в котором он вынужден жить уже столько лет.

Происходившее завораживало — как будто бы на его глазах распускался сказочный цветок, ядовитое и удивительно прекрасное растение, как большая венерина мухоловка, пожирающая плоть. Вот и подкрашенные губы расклеились, красавица тяжело вздохнула, и старику показалось, что изо рта у нее пахнет пылью, тиной и немного спекшейся кровью, — как будто ее нутро пропитанными кровью тряпками набили.

Она повернула голову — сухо треснули позвонки, но девушка даже не поморщилась, — и наконец их взгляды встретились. Но ни радости узнавания, ни удивления, ни испуга не было на ее спокойном белом лице. Красавица расправила сложенные на груди руки и потянулась к отцу — у того в голове промелькнуло, что дочь еще не знает о случившемся с ее пальцем, о том, что плотные кружевные перчатки надеты на нее не просто так, а чтобы скрыть изуродованную руку. Что она теперь скажет, не будет ли сердиться, что он не сохранил красоту ее плоти?

Отвердевшие руки заключили его в объятия, и старик почувствовал горячие слезы на щеках, хоть до того был уверен, что вообще не умеет плакать. Кажется, он что-то шептал, и вдруг ему стало трудно дышать, он даже сначала не понял, что случилось. Белые руки — кружево длинных перчаток царапало его кожу — сомкнулись на шее старика, сдавили с нечеловеческой, потусторонней силой.

Об этом случае потом долго писали газеты. К этому дому потом водили нелегальные ночные экскурсии. «Самые жуткие места нашего города» или что-то в этом роде. Еще бы — миллиардер много лет держал труп собственной дочери в специально построенном подвальном холодильнике. Столько лет жил с этим мрачным секретом и умер, не расплескав его, — умер там же, в подвале, рядом с гробом-ложем.

Причину смерти, кстати, врачи сочли странной. Стремительный отек Квинке — старик, видно, и сам не понял, почему вдруг его горло превратилось в непроходимую соломинку, почему такой естественный процесс — дыхание — стал невозможным. При этом на лице переставшего дышать старика навсегда застыло выражение удивленного счастья — словно он увидел родное лицо после долгой разлуки. Или еще какое-то чудо.

Но ведь никого рядом не было. Ничьих следов в доме не нашли. Только сам богач, ну и дочка его умершая — Спящая Красавица, как тут же назвала девушку падкая на пафос желтая пресса.

КНЯЗЬ МЯТЕЖНЫХ ДУХОВ

Я никому и никогда об этом не рассказывала.

Когда мне было двенадцать лет, одна из школьных подруг отозвала меня в сторонку на большой перемене и возбужденно прошептала: мол, к ней в руки попала странная тетрадь, по всей видимости принадлежавшая ее прабабке, умершей на днях.

—Я с бабкой почти не общалась. Есть какие-то смутные воспоминания из детства... Но последние годы она была совсем плоха: ничего не видела, не слышала и не соображала. Я ее побаивалась. И вот она умерла, и моя мать поехала разбирать ее вещи, и меня с собою взяла. Убираться было легко: почти все в мусор. Бабка до девяноста лет дожила, но ничего хорошего не нажила — сплошная ветошь. Но мать боялась пропустить какие-нибудь фотографии. А мне было скучно. Ну я и просматривала тоже бабкины бумажонки. Надеялась открытку найти или брошку. И вот попалась мне тетрадка эта, я ее машинально положила в сумку. Думала, что рецепты. А там... Сама посмотри.

С этими словами она извлекла из портфеля довольно толстую тетрадь неряшливого вида — картонная обложка вся в каких-то пятнах, страницы пожелтели от времени. Я машинально открыла ее — тетрадь была исписана мелким почерком, крайне неразборчивым. Вероятно, это был дневник, который вели много лет подряд, — в начале тетради почерк был округлым, почти детским и очень тщательным, как будто каждую букву выводили старательно и почти медитативно.

К концу тетрадь заполняли небрежно — слова сокращались, буквы стали угловатыми, подпирали одна другую, словно ведение дневника с годами из удовольствия превратилось в привычку. И сам текст выглядел все более путаным — какая-то куча мала из каракулей, незнакомых мне символов, каких-то похожих на кулинарные рецептов и небрежных зарисовок на полях.

—Что здесь написано? Мне трудно разобрать.

—Я сама с лупой вчера сидела, — вздохнула подруга. — И то половину не поняла. Но прабабка моя колдовать пыталась, факт.

—Да ты что? — У меня загорелись глаза. Мне было двенадцать лет. Мир все еще воспринимался набором сказочных сюжетов, каждый из которых требовал немедленного воплощения.

—Там какие-то заговоры, заклинания, рецепты зелий.

—И ты ничего не знала?

—Говорю же — мы не общались толком. Она всегда нелюдимая очень была. А к старости даже родню выносить перестала. Помню, мать на нее жаловалась. Ей было обидно, что даже с ней, внучкой единственной, общаться не хотят... Ну мы знали, что прабабка каждое лето по полям бродит и вроде травки какие-то собирает. А зачем травки, куда травки — кто ее разберет.

—Как же это интересно!

Прозвенел звонок, но я и с места не тронулась, и даже наоборот — поудобнее устроилась на подоконнике. Разве можно было сравнить перспективу сдвоенного урока физики и настоящее волшебство, которое я в буквальном смысле держала в руках. Да еще и время было такое — ожидание чуда. Все: и дети, и взрослые — мечтали о сказке.

Это было начало девяностых. Союз развалился, все вокруг выглядели чуть пьяными от внезапной свободы, но никто толком не понимал, как ею воспользоваться. Москва стала похожа на казино — пан или пропал. Можно было за считаные недели сколотить состояние на перепродаже какой-нибудь дрянной мелочи китайского производства, а можно было и получить пулю в висок ни за что.

Отец моей дворовой подружки в мае открыл кооператив по пошиву джинсов, а уже в августе рассекал по городу на пусть и подержанном, но все-таки «БМВ». Другую мою подругу родители, также внезапно разбогатевшие, вывезли на Канарские острова, и вернувшись, она рассказывала о пляжах с черным песком, деревьях, на которых растут крупные розовые цветы, и вулкане, из жерла которого к небу поднимается тонкая струйка пара.

Мы слушали и не могли понять: воспоминание это или фантазия. Наверное, когда средневековые путешественники возвращались из дальних стран и рассказывали о чудищах земных и морских, толпа внимала им с таким же коктейлем эмоций — жаждой верить в чудо, помноженной на ощущение невозможности.

А еще стала доступной информация. Тонны информации паутиной оплели Москву. Появились какие-то странные газеты, у каждой станции метро торговали книгами — на таких развалах можно было найти все, что угодно, от «Домостроя» до «Майн кампф». Один из папиных приятелей, инженер, внезапно вдруг увлекся уфологией, ездил в какие-то экспедиции и потом рассказывал нам то об огненных шарах, которые трое суток висели над далекой алтайской деревенькой, то о странном теле младенца, найденном в мусорном контейнере где-то в Сибири, — вроде бы, ребенок как ребенок, да только на лбу у него третий глаз.

Тетрадка с заклинаниями отлично вписывалась в этот колорит.

—Давай что-нибудь попробуем... Если тут есть рецепты, значит, попробовать можем и мы! — предложила я, осторожно перелистывая странички.

—А ты думаешь, зачем я тебе вообще об этом рассказываю, — усмехнулась подруга. — Я тоже хочу попробовать. Но одна — боюсь. К тому же, тут почти ничего не разберешь. Такое впечатление, что она специально писала карандашом и неразборчиво, чтобы никто другой не воспользовался.

—Странно, что она тогда вообще не сожгла тетрадь. Я читала, что ведьмы всегда точно знают день и час своей смерти. Могла бы и подготовиться. А если не сделала — значит, и против не была.

—Кое-что вчера мне удалось понять. Довольно понятный ритуал один есть. Только вот...

—Что? Что? Говори! — возбужденно потребовала я.

—Короче, мы с тобой можем вызвать дьявола. — В тот момент подруга казалась совсем ребенком.

Я же, воспитанная советскими атеистами, слово «дьявол» воспринимала без лишнего пафоса. И даже наоборот — с энтузиазмом неофита. Мне было, в общем, все равно, каким рецептом из тетради воспользоваться и кого «вызвать» — хоть дьявола, хоть гнома, хоть призрак Мэрилин Монро, — лишь бы уклониться от реальности в пользу сказки.

Ритуал был назначен на субботу — мои родители как раз должны были уехать с ночевкой на дачу. Все последующие дни были исполнены волнительных обсуждений предстоящего события. Держались мы деловито, как будто собирались говорить не с дьяволом, а с одноклассником, приглашенным на чай. Хотя, разумеется, до конца и не верили в то, что запланированное возможно. Это было что-то вроде игры, увлекательной и страшной.

В тетрадке указывалось, что нужно очертить мелом круг, а возле круга — нарисовать треугольник. В треугольник же — поставить зеркало из темного стекла, так, чтобы удобно было в него смотреть. И что дьяволу непременно нужно сделать подарок — иначе он не явится. Что-то милое сердцу — то, по чему будешь тосковать.

Ровно в три часа утра нужно было зажечь единственную свечу, и больше уже из круга не выходить. Наизусть трижды прочитать заклинание и смотреть в зеркало, ждать. А поговорив с дьяволом, можно приказать ему удалиться, а если не послушает — кинуть в зеркало горсть соли, над которой предварительно прошептать сто раз: «Адонай».

Все предельно просто и понятно — ну, разве что, кроме «зеркала из темного стекла», но мы придумали закрасить обычное зеркало фломастером. Ненадежно и недолговечно — но для короткого диалога вполне хватит. И еще мы так и не решили, что у дьявола спросить или попросить. Все, что приходило в голову, казалось какой-то приземленной мелочью. Не пятерку же по геометрии заказывать такому гостю, в самом деле. Посовещавшись, мы решили действовать по обстоятельствам. Вот придет он, если придет, вот заговорит с нами, если заговорит, — тогда и придумаем, что делать дальше.

И вот до ночи, которую мы обе с таким волнением ждали, осталось всего чуть-чуть — несколько заполненных школьными буднями часов.

В пятницу, после уроков, подруга отозвала меня в сторонку. Она была взволнована и бледна. И прятала взгляд. В руках ее была бабкина тетрадь. Подруга еще не заговорила, но я уже поняла, что она испугана и принимать участие в ритуале не будет.

— Мне приснился сон, страшный такой, — виновато прошептала она. — Вроде как я совсем одна, в лесу, ночью. И за мной бежит кто-то... Я даже не видела, кто, но точно знала, что это темная и древняя сила, по сравнению с которой я — мельче песчинки. Наступает сзади, огромной темной волной, и вот-вот проглотит меня. И я спиной чувствую эту волну — она обжигает холодом. Мне никогда не снились такие сны — это все было как будто по-настоящему!

— Да ерунда, — неуверенно подбодрила подругу я, — ты просто перенервничала.

— Думай обо мне, что хочешь, но я не могу. — Губы ее скривились, а в глазах была тоска. — Ну не могу и все. И тебе не советую. Может быть, еще в тетрадке покопаемся и что-то другое выберем?

— Вот уж не думала, что ты такая нервная, — подзадорила я, в надежде, что ее жажда конкуренции с собственной темной стороной, давшей слабину, окажется сильнее бессмысленных древних страхов. — Мы же столько готовились. Так нечестно. Я настроилась.

Но подруга была непреклонна.

Отсутствие компании убило половину очарования предстоящего мероприятия, но я все же решила пойти до конца. Дождалась полуночи, с педантичностью отличницы нарисовала треугольник и круг.

В качестве жертвы дьяволу я решила предложить единственную вещь, которая была куплена на заработанные мною деньги. На нашей даче выдался яблочный год, и родители мои лопатой сгребали упавшие плоды в ведра и относили в компостную яму. Я же крутилась у них под ногами и выбирала яблочки посимпатичнее, а потом сложила их в мешок, на велосипеде доехала до рынка у станции и продала кому-то, а на вырученные деньги купила там же, на станции, тонкое серебряное колечко в виде обхватывающей палец змеи. Очень оно мне нравилось.

Усевшись в круг, я настроилась, помолчала, закрыв глаза, а потом произнесла заранее заученные слова:

— Император Люцифер, князь и господин мятежных духов! Заклинаю тебя покинуть твое обиталище, где бы оно ни находилось, дабы прийти ко мне и говорить со мною. Повелеваю тебе и заклинаю тебя: явись, не издавая шума и зловония, и голосом ясным и внятным в точности ответь на все, о чем я тебя спрошу, если же не исполнишь всего, будешь предан на вечную муку. Да будет так.

Ничего не произошло — что я, собственно, и ожидала. Вот была бы рядом подруга — мы бы сварили какао, вместе стерли бы круг, обсудили бы все. И никакого разочарования не было бы.

Не зная, что делать дальше, можно ли уже выйти из круга, я еще раз повторила слова, а потом и еще.

И вдруг в окно постучали. Несколько раз. Аккуратно так, негромко, расслабленным кулаком — незнакомец, который хотел попасть внутрь, был вежлив и не хотел никого напугать. И может быть, не напугал бы — только вот квартира моя находилась на двенадцатом этаже.

Любопытство было сильнее испуга, к тому же я находилась в том возрасте щенячьей самоуверенности, когда инстинкт самосохранения не работает. Забыв о ритуале, круге, князе мятежных духов, я на цыпочках подкралась к окну. Никого. Подумав, не без труда отодвинула щеколду, потянула на себя раму, высунула голову... Никого. Только ночь за окном — тихая, темная, беззвездная.

Так и не пришел ко мне Люцифер.

Но самое интересное — колечко-змейка на следующий же день где-то незаметно соскользнуло с моего пальца, потерялось. Странно это было — оно ведь туго сидело, я даже снимала его иной раз с помощью мыла, под струей прохладной воды. И вдруг — как сквозь землю провалилось.

Будто кто-то незаметно снял его с моей руки.

МАЛЬЧИК-С-ПАЛЬЧИК
(Новая старая сказка)

Эта жуткая история произошла в небольшом городишке на берегу Черного моря, в начале девяностых, и потом годами обсуждалась местными жителями, обрастая новыми подробностями.

Тихий курортный городок, с октября по май почти пустой, никаких новостей, и поэтому время плавится так медленно, что старожилам уже к сорока годам начинает казаться, что за их плечами — вечность. Да и в сезон городок не был похож на Ялту или Евпаторию, кишащие толпами, — здесь туристам можно было предложить только море и пляжи с сероватым песком, поэтому приезжали в основном мамы с маленькими детьми, да пенсионеры.

И вот в самый первый день лета, ранним утром, одна из местных жительниц зашла во двор соседки, чтобы попросить яиц. Долго звала, но та не отвечала, и, заметив, что дверь дома не заперта, визитерша с дежурным: «Есть кто живой?» ступила внутрь.

Потом она рассказывала следователю, что еще на пороге почувствовала слабость в коленях, что некое «шестое чувство» подсказало: что-то не так. «Есть кто живой?» — повторила она, проходя в гостиную, но никто ей не ответил, потому что на протяжении последних трех часов живых в доме не было. Зато были два мертвеца — спустя несколько минут женщина нашла их лежащими в собственной постели.

Она едва взглянула, и тут же сползла по стене, и потом ползком выбиралась на улицу, и ей казалось, что ее душит воротник. Это было так страшно. Кровь повсюду. Только спустя полчаса она догадалась позвонить в милицию, а до того ощущала себя попавшей в липкий кошмарный сон — сидела на траве у соседского дома, прислонившись к старой яблоне, и с места двинуться не могла.

Единственной версией следователей было предположение о случайности — о том, что некий маньяк-гастролер, ведомый не логикой, но голодом, забрел в первый попавшийся дом, открыв первую попавшуюся незапертую дверь. Крадущаяся в ветвях рысь не ищет духовного реванша — она просто чует пульсацию чужой крови и готовится к прыжку.

Супруги Черепановы жили бедно и незаметно, врагов у них не было, соседи отзывались о них с улыбкой. Они никогда не брали в долг, не жалили никого острым словом и не обладали чем-то хоть сколько-нибудь выдающимся, что могло встревожить чужую зависть. Прожили в браке тридцать лет и, вроде бы, любили друг друга — это была не любовь-страсть, но любовь, вызывающая желание отдавать и заботиться.

Таких людей, как они, обычно хоронят беспафосно, а на поминках много говорят о душе и небе. Таких не находят в окровавленной постели с выколотыми глазами.

Соседка долго потом пила валокордин, каждую ночь, засыпая, она видела мертвых Черепановых, из глаз которых торчат рукояти кухонных ножей. Черные пластмассовые рукояти вместо глаз и ручьи крови по щекам, на подушках, на стенах. Четыре кухонных ножа. Это было не ограбление, не пьяные посиделки с выплеском страстной злости, не холодная месть, а... не пойми что. Зверство, не имеющее мотива.

Однако, в который раз перебирая фотографии с места преступления, молодой следователь по фамилии Бухарин, которого прислали из областного центра, задумчиво морщил лоб и прикуривал очередную сигарету. Что-то не давало ему покоя, какая-то деталь — и он никак не мог сообразить, какая именно.

Бухарин был человеком внимательным и педантичным. Хорошая память, умение дробить картинку на миллион деталей когда-то помогали ему выиграть все возможные юношеские областные олимпиады по шахматам, а потом привели в профессию, которая влекла мрачной романтикой, но с годами все больше разочаровывала, потому что оказалась скроена не из загадок и многоходовок, а из тонн бумажной работы и формальных допросов участников кабацких драк. Что-то в этой истории было не так.

И вот однажды, неделя уже прошла, он вернулся на место преступления, аккуратно открыл перочинным ножиком все еще опечатанную дверь, вошел в комнату, которую еще не отмыли от побуревших пятен крови, сел на неудобный табурет, сосредоточился и осмотрелся.

У Черепановых было просто и чисто — самодельная деревянная мебель (хозяин дома немного столярничал), увядшие за эту неделю цветы на подоконнике, белые хлопковые шторы с вышивкой, старомодные бумажные обои «в рубчик», на стене — часы с кукушкой, давно переставшие звонить, и фотопортрет молоденькой Екатерины Черепановой. На портрете этом задумчивый взгляд Бухарина и задержался дольше.

Убитой было слегка за пятьдесят, но она явно не принадлежала к числу тех, кто «ягодка опять». Смуглое сероватое лицо, глубокие борозды на лбу, складки, ведущие от уголков губ к подбородку, рот скукожился и увял, и даже по обезображенному убийцей лицу можно было предположить, что Екатерина Черепанова жила в скорби. Бухарин вспомнил, что и соседи так о ней отзывались — незаметная, тихая, грустная, «ходит как тень», смотрит в пол, говорит мало, плакать — не плачет, но в глазах — какая-то тоска, а когда спросишь: «Что случилось?», она выдает отрепетированную легкомысленную улыбку и отвечает, что просто устала, трудный был день.

А вот девушка с фотографии, висевшей на стене, была совсем другой. Казалось, ей с трудом дается позирование — те жалкие несколько секунд, которые требуются фотокамере, чтобы зафиксировать чье-то лицо. У нее были веселые карие глаза, чуть вздернутая верхняя губа, кудрявая челка, веснушки, и вообще она выглядела как человек, который всегда готов к улыбке — дай только повод улыбнуться миру.

Соседи уверяли, что жизнь Черепановых тяжелой не назвали бы. Богачами те не были, но и не бедствовали никогда, детей не нажили, но и не выглядели сожалеющими. Почему же эти три десятка лет так безжалостно расправились с «легким дыханием» девушки и превратили смешливого ребенка в скорбную рано состарившуюся тень? Какой была жизнь Екатерины Черепановой, о чем она так напряженно годами грустила? Не было ли у нее тщательно оберегаемого секрета, который в итоге привел ее к такой страшной кончине?

Бухарин нерешительно подошел к лакированному трюмо. Если бы начальство узнало, чем он тут занимается, он потерял бы работу навсегда. Но что такое риск по сравнению с азартом охотника, взявшего след. Повернув латунный ключ, следователь присел на корточки перед распахнувшейся полкой и за несколько минут нашел именно то, на что втайне рассчитывал, — тоненький фотоальбом, вмещавший в себя несколько десятилетий чужой жизни.

Устроившись на подоконнике, Черепанов перелистывал страницу за страницей. Несколько черно-белых, немного пожелтевших от времени и небрежного обращения снимков. На них Черепановы совсем молодые, и глаза их светятся предвкушением бесконечности.

На одной фотографии Екатерина в шерстяном платке, брови подведены, смотрит слегка исподлобья, немного похожа на какую-нибудь кинокрасавицу из семидесятых в образе крестьянки. На другой — она уже старше, младенческий жирок ушел с ее щечек, острее обозначились скулы, но она все еще была легкой и веселой, как прохладное шампанское. И вот, наконец, почти на самой последней странице, Бухарин обнаружил странный снимок — Катя еще молоденькая, не больше тридцати, но уже напоминающая не шампанское, а тень. Резкий переход, как будто тумблер переключили. На этом снимке фото-архив прерывался — дальше в альбоме были только пустые страницы. Создавалось впечатление, что однажды все еще красивая Черепанова дала слово больше никогда не позировать фотографу — и сдержала его, потому что следующие ее портреты были уже посмертными, с рукоятями ножей, торчащими из окровавленных глазниц.

Немного посомневавшись, Бухарин все-таки осторожно вытянул из альбома последнюю фотографию.

Покинув дом Черепановых, он постучался к соседке — той самой, что обнаружила их тела. Та приняла его радушно — хотя, казалось бы, он пришел, чтобы напомнить о дне, который она вот уже неделю безуспешно пыталась вычеркнуть из памяти, отменить. Следователь списал это на обычную деревенскую жажду до новостей — когда вокруг годами ничего не происходит, только колышется нагретый крымским солнцем желейный воздух, да плещется море, уже давно воспринимаемое тривиальной декорацией, а не удивительным пространством; когда любого прохожего, спросившего, который час, воспринимаешь как потенциального почтового голубя.

Соседка пригласила гостя в дом, подала заваренный чабрец с мятой, предложила домашнюю булочку. Несколько дежурных реплик, и вот Бухарин выложил на стол старую фотографию.

—Вы говорили, что знали Екатерину Черепанову с самого детства. Посмотрите внимательно на этот снимок — можете вспомнить, какой это примерно был год? Сколько ей здесь лет?

Соседка ответила, не задумываясь:

—Я могу не примерно, а точно вспомнить! Прекрасно помню тот день, это было сразу после Катиного дня рождения, в мае. Ей исполнилось двадцать девять. Я же сама ей фотографа привела. У нас иногда работает на пляже фотограф, курортников снимает. Ну я не знала, что Кате подарить, вот и позвала его.

— Черепанова обрадовалась такому подарку? Что-то она не выглядит довольной на этой фотографии.

Соседка грустно вздохнула.

— Нет, она была рада... Или из вежливости благодарила. Катя очень деликатная была, каждое слово взвешивала. Ей нравилось, когда все вокруг довольны... Просто тот год у нее тяжелый очень был, врагу не пожелаешь.

У Бухарина вспотели ладони — он вдруг понял, что сейчас соседка скажет что-то очень важное. Не зря он столько вечеров провел над фотографиями, не зря не поленился лишний раз съездить к Черепановым домой.

— Почему трудный? Какое-то несчастье случилось?

— Ребенка она потеряла. — Соседка отерла увлажнившиеся глаза уголком кухонного полотенца. — Катя и Витя долго ведь о маленьком мечтали, да все не складывалось никак. Кате и гормоны кололи, и к бабкам она каким-то ездила, но все без толку. Уже, вроде бы, и смирились, и вдруг ее начинает тошнить по утрам. Она даже не верила долго, а когда поняла, что внутри малыш растет, — засветилась вся. Ходила по деревне как солнце, все ей улыбались, мы с девочками приходили полы ей мыть — знали, что врач велел беречься... Ну и кто его знает, что там пошло не так. То ли сама не уберегла, то ли судьба такая. Уже пришел срок рожать, все хорошо, воды отошли, схватки. Витя на «газике» повез ее рожать. Она на прощание в лоб меня поцеловала и сказала, что я ей как родная сестра и для ее сына тетей буду. Я так ждала ее с малышом, готовилась... А на следующее утро они с Витей вернулись мрачные и сразу шмыгнули в дом. Я сначала ничего не поняла, обиделась даже немного. Решила, что они не хотят малыша показывать, сглаза боятся. У нас тут многие боятся. Пошла к ним, стучала-стучала, но никто не открыл. И ставни задвинуты. И вечером света нет. Тут уж я встревожилась не на шутку, все-таки достучалась до Кати. Когда она на пороге появилась — даже не узнала ее. Лицо все какое-то темное, от слез опухшее, вместо глаз щелочки. «А где, — спрашиваю, — ребенок?» «А нет никакого ребенка, Зина, — отвечает она, и так в глаза смотрит, что хочется исчезнуть, прахом рассыпаться. — Мертвым он родился. Даже секундочки на свете белом не пожил. Врачи сказали, последние несколько дней уже мертвый был. И что я вообще должна радоваться, что он не начал гнить внутри, а то бы мне конец»... И чуть ли не силой вытолкала меня. Да я и сама рада была уйти — растерялась очень. Так запертыми и просидели они несколько дней — мы уж волноваться начали. Но тут Катя нас с мужем сама позвала — поминки они устроили. «Катя, а где мальчика похоронили?» — спросила я. А она вздохнула грустно и ответила, что тела им не отдали в больнице. Мол, то, что родилось, человеком не считается, это зародыш, и что его хоронить. Такая история. После этого Катя изменилась очень. Она веселая была всегда хохотушка. А тут... Как тень ходила, все больше молчала и постарела очень быстро. Деток больше не было у них.

Следующим утром следователь Бухарин, ни на что особенно не рассчитывая, все же решил посетить родильное отделение местной больницы, где двадцать с лишним лет назад ныне покойная Катя Черепанова родила мертвого сына.

Санитарка походила на увеличенного в сотню раз гнома — деловитая, расторопная, хмурая, носатая, с бородавкой на лбу, из которой торчала закрученная седая волосина. Свалявшиеся волосы подвязаны выгоревшей на солнце, но некогда алой косынкой — не как реверанс собственной женственности, а просто машинальный утренний ритуал. Даже имя ее было сказочное, нездешнее — Ефросинья Елисеевна.

Подозрительно прищурившись, она по-птичьи вытянула шею и внимательно прочла каждое слово в удостоверении, которое показал ей Бухарин. Обычно сам факт наличия у него «красной корочки» завораживал людей, как взгляд удава капибару. Редко кто вникал в смысл, иногда это даже удивляло следователя, ведь он мог оказаться кем угодно — шарлатаном, мошенником, купившим поддельный документ.

Ефросинья же Елисеевна была въедливой — она даже достала из кармана несколько засаленного халата клочок бумаги и огрызок химического карандаша и аккуратно списала его имя. Держалась она уверенно, на улыбку отвечала только хмурым взглядом исподлобья, однако когда Бухарин пригласил ее в кафе на пляже — одно из немногих «приличных» заведений городка, работавших только в курортный сезон, — немного смягчилась и даже с застенчивой улыбкой посетовала, что ей совершенно нечего надеть.

В кафе она совсем застеснялась — накрахмаленных скатертей, салфеток, трогательно выложенных в форме лебедей, и официантов в белых рубахах, — в какой-то момент Бухарин даже пожалел, что пригласил ее именно сюда, в место, где она явно не сможет чувствовать себя расслабленной и свободной. Однако спустя четверть часа, которые они провели, обсуждая меню, погоду и курортников-хамов, бросающих окурки прямо в песок, Ефросинья Елисеевна расслабилась, откинулась в кресле, заказала рапанов в сырном соусе, пирожное «Картошка» и большую чашку кофе, сваренного на горячем песке. И разговор «о деле» первой начала она.

—Ладно, говорите, зачем позвали, — быстро расправившись с едой, потребовала она. — Я не в том возрасте, чтобы незнакомые мужчины кормили меня рапанами без серьезных на то причин. Да и даже когда была в том, что-то никто не кормил.

—Я вовсе не уверен, что вы сможете помочь, — улыбнулся Бухарин. Санитарка ему нравилась — было в ней что-то «настоящее», что с возрастом начинаешь различать и ценить, потому что в юности очаровывает чужая манерность, а потом глотком кислорода воспринимается, напротив, отсутствие масок. — Но вы единственный человек, который проработал в больнице столько лет. И мой единственный шанс.

—Память у меня хорошая, — подбодрила его напившаяся кофе собеседница. — Только вот никак в голову не возьму — зачем вам понадобился кто-то из такого далекого прошлого? Он, может, и умер уже — жизнь-то сейчас какая...

Следователь протянул ей фотографию Черепановой, ни на что особенно не надеясь. Расторопные смуглые пальцы с коротко остриженными ногтями схватили снимок. Движения Ефросиньи Елисеевны были по-обезьяньи быстрыми. И в очередной раз эта женщина-гном удивила Бухарина — едва взглянув на снимок, она с энергичным «пфффф!» возвела выцветшие глаза к сплетенному из сушеного тростника потолку кафе.

—Эту попробуй забудь — в кошмарном сне вернется.

—Что это значит? Вы уже узнали о ее смерти? Хотя, что я удивляюсь, здесь новости быстро расползаются.

—Далекая я от новостей, — пробасила Ефросинья Елисеевна. — Я ее саму помню. Даже помню, что Катериной звали. Как мучилась она, как страдала. И мужика ее помню — вот уж кто страшон. Глазки злые, губы сжаты вечно. Заставил ее ребеночка оставить, она все глаза выплакала.

—Что значит, оставить? — У Бухарина даже во рту пересохло, хотя только что он осушил огромный бокал домашнего лимонада. — Мне говорили, что она мертвого родила.

Санитарка криво усмехнулась и уставилась на белые барашки волн. И глаза у нее были цвета хмурого моря — темно-серые. Столь решительное отсутствие красоты или хотя бы миловидности часто делает женщин наблюдательными — особенно тех женщин, что родились в крошечных городках, не желающих подстраиваться под современные ритмы, малые планеты, где крутизна бедер и блеск глаз по-прежнему решают женскую судьбу. Ефросинья Елисеевна с годами одухотворила свою очевидную уродливость — ее мысли и то, как морщился ее лоб, когда она смотрела вдаль, делали ее лицо притягательным, его хотелось рассматривать, бесцельно, как произведение искусства.

—Это они так договорились врать знакомым, — наконец проговорила она. — Чтобы их не осуждали.

—Но... Я слышал, что Черепановы мечтали о ребенке! Столько лет ждали. С какой стати им было оставлять его в роддоме? Вы уверены, что именно об этой женщине говорите?

—Да уродец у них получился. Когда младенец закричал, даже врач отшатнулась. Сначала мы думали — недоношенный он, уж больно мал. Прям мальчик-с-пальчик. Но роженица, Катя, утверждала, что все в срок, и даже, мол, переходила она. А когда целиком вынули его, стало все ясно. Позвоночник у него был скрученный, горб на спине, ручки-ножки коротенькие, пальцы на одной руке срослись. И голова такая страшная — высоченный лоб и крошечное личико. Сперва посмотрели и креститься начали — машинально, все ведь атеистами были. Нам показалось, что у него вообще нет лица, только кожа натянута, и он этой кожей видит и чувствует нас. Очень неприятное ощущение — уж сколько лет прошло, а до сих пор мурашки по коже, если вспомню.... Но Катя, мать его, даже сначала не заметила, что урода на свет произвела. Наверное, боль и усталость заставили ее видеть иначе. Взяла его на руки, улыбалась, как будто бы ангел к ней явился, а не чудище из преисподней.

Следователь Бухарин обзвонил двенадцать гастролирующих цирков (а до того он и представить не мог, что бродячие цирки существуют в таком количестве), потратив на это почти целый рабочий день. Относились к нему настороженно — ни его должность, ни проблемы, которые он мог бы принести, не были достаточным аргументом, чтобы держаться хотя бы приветливо.

И вот в тринадцатый раз ему повезло: администратор с таким слабым голосом, словно он медленно и безнадежно умирал от чахотки, подтвердил: да, у нас работает лилипут стольких-то лет от роду, в паспорте которого местом рождения числится такой-то курортный городок.

—Чем же он занимается в труппе? — едва удержавшись от того, чтобы воскликнуть: «Бинго!», поинтересовался Бухарин.

И новая птица счастья уселась на его плечо:

— Он метатель ножей... Приходите и сами все увидите. Завтра мы даем представление в Евпатории.

Бухарин всего несколько раз в жизни выезжал за пределы полуострова, причем весьма неудачно. Один раз с первой женой в Мадрид (не повезло, все время дождило, и в первый же вечер у них украли кошелек), и еще раз — с нею же — в переполненную потными пьяными туристами Анталью, где он загрустил до такой степени, что спустя восемь дней и двадцать пять бутылок местного дрянного пива решил развестись, ибо невозможно. Словно невидимая пуповина связывала его с Крымом.

При этом в Евпатории он был считаные разы — не любил Бухарин этот город, грязноватый, многолюдный, шумный, омываемый мутным морем.

Он долго не мог найти передвижное шапито, несмотря на то, что приметными афишами был обклеен весь город. Странное место было выбрано для шатра: пустырь на окраине города, как будто бы труппа не сомневалась, что люди все равно сюда дойдут.

Билеты продавала мрачноватая толстуха, веки которой были усыпаны радужно переливающимися блестками, а сквозь толщу тонального крема просвечивала синева густой щетины. Она была огромная как идол с острова Пасхи — макушка Бухарина находилась на уровне ее подбородка. Он протянул деньги, но, прежде чем отдать билет, толстуха посмотрела прямо ему в глаза так ясно и пристально, как будто бы сканировала.

Это был странный цирк. В фойе вместо сахарной ваты, поролоновых носов, мягких игрушек и прочих идиотских сувениров продавали псевдовенецианские маски — искаженные в уродливых гримасах пластиковые лица, на которые даже неприятно было смотреть, не то чтобы стать их обладателем. Бухарин решил посмотреть все представление, а потом уже арестовать лилипута.

Первыми на арене появились гимнасты, которые разыграли сценку адюльтера — усатый прилизанный тип с мощным торсом, обтянутым серебряным трико, застал свою подружку, гибкую брюнетку в викторианских шароварах и с обнаженной грудью, в объятиях высокого бородача с выразительным фиолетовым шрамом на щеке. Потом все трое летали под куполом, перебрасывая друг друга, то сплетаясь в шестирукое и шестиногое божество, то разъединяясь.

Бухарин завороженно смотрел на голую грудь гимнастки и думал: «Ну как же им вообще разрешают такое, это же Евпатория, это же цирк, здесь же дети?» Но дальше произошло вообще нечто из ряда вон: в руках усача блеснула бутафорская сабля; одно точное движение — и девушка улетела куда-то за кулисы на длинном страховочном тросе, а ее отрубленная голова покатилась по арене, оставляя жирный темно-красный след.

Воцарившаяся тишина была такой монолитной и плотной, что хотелось выбежать вон; нарушил ее испуганный детский рев, все вскочили с мест, и Бухарин тоже.

Довольный конферансье с басовитым хохотком поднял голову за слипшиеся от крови волосы и показал толпе — только тогда все увидели, что голова ненастоящая, и даже выполнена не в жанре реализм. Резиновая, довольно старая и потрескавшаяся, с непропорционально огромными желтыми глазами и округленным ртом. Но все равно это было мерзко и жутко.

Часть зрителей покинула зал, конферансье это ничуть не смутило.

Появился дрессировщик крыс — теперь происходящее на арене могли видеть только первые ряды. Вынесли декорации — кукольный замок. Затем подъехали запряженные белыми пуделями крошечные кареты, из которых выбежали обыкновенные серые крысы — десятка, должно быть, два. Дрессированными они не выглядели. Их запустили в замок, врубили вальс из «Щелкунчика», крысы нервно заметались, и это должно было изображать бал. Одна крыса выбралась через окно и куда-то побежала во всю свою прыть — дрессировщик меланхолично направил на нее пневматический пистолет, надавил на курок, и серая тушка разлетелась на кусочки.

Тут уже у входа собралась толпа, кто-то воскликнул: «Безобразие!», ему вторили десятки голосов: «Это надо запретить!», «Я напишу в мэрию...», «Дождетесь — вас вообще подожгут!»

Кубарем выкатились клоуны в одинаковых терракотовых шароварах и с густо покрытыми белилами лицами. У одного на спине было вытатуировано улыбающееся лицо, у другого — плачущее. Они начали драться на огромных надувных дубинках с пищалками, выглядело это по-дилетантски и не смешно, но конферансье едва не падал на пол и утирал слезы замызганным рукавом фрака: до того ему было весело.

И вот наконец вышел метатель ножей — к этому времени Бухарин остался в шатре практически в одиночестве.

Он знал заранее, что увидит лилипута, но тот все равно оказался намного меньше ожидаемого.

Настоящий мальчик-с-пальчик, только уже взрослый, с морщинами на высоком лбу и седыми волосами в клочкастой бороде.

Странно — обычно артисты не видят зрителей, воспринимают их как единую массу направленного внимания. Но едва оказавшись на сцене, метатель ножей посмотрел сразу на Бухарина — прямо в глаза ему, и тот в какой-то момент не выдержал, отвел взгляд. Как будто мальчик-с-пальчик знал, что сейчас произойдет: что именно сегодня его выследили и что именно этот человек пришел за ним. Он не пытался уклониться от этой новой своей участи, после выступления спокойно пошел за Бухариным, был сдержан и вежлив.

Дело закрыли быстро. Мальчик-с-пальчик не пытался ничего отрицать, от услуг адвоката отказался, а на суде преимущественно улыбался и молчал.

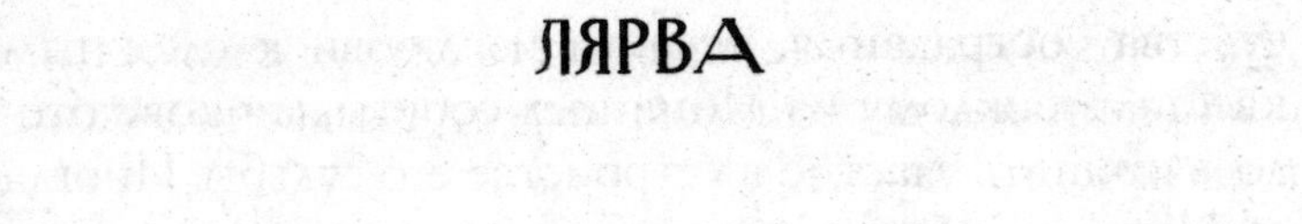

ЛЯРВА

Однажды компания молодых мужчин здорово набралась в одном из московских баров. Дело было пятничным вечером, всем хотелось расслабиться после рабочей недели, заказывали одну кружку темного пива за другой. Все они работали вместе, менеджерами в чего-то там перепродающей конторе, и был в компании один человек — кажется, звали его Мишей, — над которым все привыкли беззлобно подтрунивать.

Этот Миша выглядел довольно нелепо — рано начавший лысеть, он все еще пытался скрыть этот факт путем зачесывания оставшихся волосин на розовые проплешины. Был он сутул, неспортивен, с впалой узенькой грудной клеткой и вялыми, похожими на недоваренные спагетти, конечностями.

К тому же, за почти сорок прожитых лет он так и не обзавелся другими козырными картами — быстрой реакцией, талантом к ироничному восприятию, умением посмотреть так, что сразу становится ясно: пусть этот человек лицом и не вышел, зато проведенную с ним ночь будешь вспоминать до старости.

Нет, он все сутулился, жался по углам, отмалчивался, и другие звали его с собою в паб отчасти из чувства сострадания, отчасти из любви к сложным квестам: каждому из Мишиных собутыльников хотелось принять участие в устройстве его судьбы. Иногда за Мишиной спиной они обсуждали: девственник он или все-таки нет. С одной стороны, тридцать восемь лет мужику, неглупый он, чистоплотный, заботливый (все знали, что у Миши есть горячо обожаемая мама, которую каждую субботу он возит на дачу, потому что в электричке ее укачивает и мутит). С другой же стороны, представить его — шмыгающего носом, краснеющего, иногда выдающего визгливый хохоток — в постели было трудно.

И этот его старомодный пиджак, и свитер в катышках, из-под которого торчит воротник отглаженной мамой рубашки. И эта его манера грызть карандаши в моменты задумчивости. И неловкость — однажды кто-то задал Мише светский вопрос: «Как дела?», а тот ответил: «Да так», почему-то решив сопроводить реплику богатой жестикуляцией — развел руками, при этом сшибив все три находившиеся на столе пивные кружки. И тут же засуетился, нырнул под стол, чтобы помочь официантке, изо всех сил скрывавшей раздражение, собрать осколки, а когда она сказала: «Молодой человек, ну не мешайте же мне!», с виноватой улыбкой резко распрямился и ударился головой о столик так, что на минуту потерял сознание.

Еще было дело: какая-то девица пыталась закурить на пороге офисного центра, где они все работали, и Миша зачем-то подскочил к ней с предложением помощи — был ветер, и огонек спички, едва дрогнув, тут же гас. Миша не обладал навыком прикуривать на ветру, однако девица попалась симпатичная, а у него было настроение как-то себя проявить — и вот, чиркнув спичкой и тут же пихнув огонек ей в лицо, он поджег девушкины волосы. Хорошо, что рядом оказался кто-то, догадавшийся молниеносно нахлобучить на голову несчастной пиджак, затушив огонь.

Еще был случай первого апреля. Секретарша их шефа, совсем молоденькая подрабатывающая студентка, обычно и розыгрыши придумывала соответствующие — детские, бесхитростные. Например, распечатает на принтере лозунги: «Я — ковбой!» или «Я хочу трахнуть топ-модель» и скотчем приклеит к спинам всех, кто в тот день подвернется ей под руку. Это было отнюдь не смешно само по себе, однако зачинщица радовалась так искренне, что все ей подыгрывали.

Достался листочек и Мише с надписью «Я — марсианин». Похоже, он был единственным, кто вообще не обратил внимания на шутку. То ли и правда не заметил, что все ходят с дурацкими бумажками, то ли сделал вид. Секретарша даже, кажется, на него немного обиделась. Каково же было общее удивление, когда второго апреля на Мишином пиджаке по-прежнему красовалась табличка «Я — марсианин». Третьего апреля все поняли, что Миша не шутит, — он и правда ухитрился не заметить, что к его спине что-то приклеили. Четвертого табличка на его пиджаке стала восприниматься привычным аксессуаром, и только к вечеру кто-то сжалился и обо всем ему рассказал. Миша удивлялся искренне и долго.

—Но как же так, почему твоя мама ничего не сказала! Ты же с ней живешь.

—Да когда я на работу ухожу, она спит еще, — развел руками Миша. — А вечером — сразу в прихожей снимаю пиджак... Ну надо же, как вы разыграли меня, ребята.

Много таких историй можно было бы вспомнить.

Каждый из Мишиных собутыльников хоть однажды да попытался устроить если не судьбу коллеги, то хотя бы его сексуальную жизнь. Пытались подсунуть ему каких-то девиц, большинство из которых убегали от Миши в первые же десять минут напряженного диалога.

Вот и тем пятничным вечером кто-то из присутствующих вдруг обратил внимание на компанию девушек за соседним столиком. Такие же офисные сотрудницы, снимающие стресс пятничным сидром.

Одна из них была дурнушкой, видимо давно с данным фактом смирившейся, — она никак не пыталась хоть что-то сделать с этой отчаянной некрасивостью, хоть как-то ее обрамить. Круглые совиные глаза блекло-серого цвета, неряшливо разросшиеся брови, длинный нос с горбинкой, тонкие губы и тяжелый вытянутый подбородок — формой лица бедняжка напоминала породистого коня. Не добавляли ей привлекательности ни сероватые волосы, жидкие и кое-как подстриженные, ни шерстяное растянутое платье грязно-бордового цвета.

Девушка пила кофе и молча смотрела в стол, явно чувствуя себя неуютно в веселящейся толпе.

Кто-то из Мишиных приятелей, посмотрев на девушку, подтолкнул того в бок локтем:

—Миш, смотри, я невесту тебе нашел.

—Где? — Миша, который никогда не чувствовал подвоха и был по-детски доверчивым, радостно оглянулся.

—Вон там, в бордовом платье. По-моему, все как ты любишь — тихая и явно... хм... начитанная.

Иди, не зевай, угости ее чем-нибудь. Только пиво не предлагай.

— Да где же? — подслеповато щурился несчастный Миша.

— Возле барной стойки столик, за ним компания девиц. Тебе — к той, что в бордовом. Подойди и скажи: а можно купить вам сок? А когда она согласится, бери за локоток и тащи к стойке — там вдвоем и пообщаетесь.

— А ты думаешь, она...

— Иди, иди уже, — поторопил его приятель, и когда Миша послушно потащился к столику, за которым пили сидр девушки, все негромко рассмеялись ему в спину, предвкушая бесплатное цирковое представление.

Дружить с Мишей было еще и тем приятно, что тот готов был поучаствовать в любой авантюре в неизменной роли «приглашенного дурака» — причем сам он даже не понимал, что все подобные истории затеивались скорее ради общего развлечения, а не чтобы он действительно любимую женщину нашел. И таким нелепым он был в тот вечер — плохо сидящий синтетический костюм, какие-то странные остроносые лакированные ботинки, один шнурок развязан и волочится за ним по полу, как измученная гадюка за заклинателем с дудочкой.

Все с жадностью наблюдали, как Миша подошел к столику, как что-то сказал с растерянной улыбкой, как девушки замолчали и удивленно на него посмотрели. Все ждали, когда Мишу прогонят и тот возвратится понурый и расскажет нелепую охотничью историю, но неожиданно одна из девиц убрала свою сумку со стула, приглашая Мишу сесть. Тот и уселся. Затем неловким взмахом длинной руки подозвал официантку, и девушки сблизили головы над столом, что-то Мише рассказывая, а тот слушал и смеялся.

— Ну и чудеса, — сказал кто-то из его друзей. — Неужели на этот раз нашему Мишане и правда повезло?..

— Да прекрати издеваться, — прервал его другой. — Повезло и хорошо. Может, они привели эту страшилку в бордовом, чтобы снять ей мужика. А тут и Мишка наш очень кстати пришелся.

Довольно скоро все об инциденте забыли — разговор перепрыгнул куда-то в иные плоскости, пиво лилось рекой, и официантка едва успевала подносить к их столику тарелки с луковыми кольцами в кляре и чесночными гренками.

Наконец настало время расходиться, и только тогда друзья заметили, что раскрасневшийся от сидра Миша, дешевый галстук которого съехал на пол, а несколько произраставших на ранней лысине волосин были смешно взъерошены, все еще сидит в компании девушек. И те будто бы не замечают его комичности, всерьез слушают, что он им рассказывает. Встретившись взглядом с кем-то из своих друзей, Миша постучал указательным пальцем по наручным часам: мол, пора идти уже.

На улице он догнал остальных, и те, разумеется, накинулись на него с расспросами: что это было, кто эти девушки, понравился ли ему кто-нибудь из них, дала ли ему телефон девица в бордовом...

— Ребята, спасибо вам большое, вовек не забуду! — радовался подвыпивший Миша. — Я же близорукий, ни за что бы на них сам внимания не обратил. А вы заметили! Мне очень эта девушка понравилась, очень. Ее зовут Ариадна.

— Как? — расхохотался тот, кто и посоветовал ему подойти к дурнушке. «И где были мозги у ее родителей, — подумал он, — наверняка же с самого начала было ясно, что младенец в королеву красоты не распустится, зачем же усугублять ее социальные трудности таким громким и странным именем».

— Ариадна... — мечтательно повторил Миша. — Мы еще не попрощались, она предложила меня до дома отвезти.

— Ого! — присвистнул его товарищ. — Значит, и правда понравился ты ей. Ты уж, друг, не теряйся — когда припаркуется, поцелуй ее...

Не успел он договорить, как мимо них, даже не подняв глаз, прошла та самая дурнушка в бордовом — Ариадна. На ее некрасивом лице застыло выражение усталости и безысходной тоски. Как будто бы она проклинала саму себя за бесцельно потраченный вечер, за то, что поддалась на уговоры подруг и позволила затащить себя в этот никчемный бар, за то, что ей было неловко уйти первой и пришлось сидеть, считая минуты и воспринимая происходящее вариантом китайской пытки. Меньше всего она была похожа на человека, окрыленного внезапной симпатией и связанной с ней надеждами.

Бросалась в глаза ее странная походка — семенящие мелкие шаги вкупе с угловатой резкостью движений. Как у заводной куклы, причем сломанной. Девушка удалялась в сторону метро, и на мгновенье всем, кто обычно над Мишей подтрунивал, стало обидно за его несостоявшееся чувство. Кто-то положил руку ему на плечо:

— Ты не расстраивайся, друг...

А Миша удивленно на него уставился, мелко моргая белесыми ресницами:

— А почему я должен расстраиваться?

И в этот момент у бара припарковался красный «ниссан» с наклейкой-туфелькой на заднем стекле. Тонированное стекло плавно отъехало вниз, и они увидели водителя. Эта блондинка — блестящие, уложенные толстой косой вокруг головы волосы, лицо сердечком, олени глаза и пухлый рот, — кажется, тоже была в той компании, с которой так безрезультатно скоротал вечер вечный неудачник Миша.

Мужчины приосанились и вопросительно переглянулись, пытаясь понять, кто же из них привлек внимание такой красотки. Ее глаза смеялись, простая белая футболка плотно обтягивала полную грудь.

— Миш, ну ты долго стоять будешь?! — весело воскликнула она. — Поехали уже!

— Да-да...

Даже не замечая вытянувшихся лиц товарищей, Миша махнул им рукой и уселся в машину красавицы, в последний момент наступив все-таки на развязавшийся шнурок и чуть не растянувшись на влажном асфальте. С потрясенным молчанием друзья смотрели им вслед.

На следующее утро они, конечно, вызвали его в курительную комнату, где, кашляя и смахивая слезы с глаз (у Миши с детства была аллергия на все на свете, и плотный табачный дым он переносил безропотно, но с трудом), он подтвердил, что красивая блондинка — и есть та Ариадна, с которой они так друг другу понравились. И похоже, это что-то серьезное. Потому что они просидели в машине до половины шестого утра, все наговориться не могли, а когда лучи рассветного солнца коснулись грязных крыш, Миша набрался смелости и поцеловал ее — причем смешно получилось, потому что в тот же момент и она подалась вперед, и в итоге они пребольно стукнулись лбами. А сегодня Ариадна заедет после рабочего дня, потому что они идут на театральную премьеру.

Миша даже как-то похорошел — безвольные черты его лица будто бы заострились, в глазах появился блеск, а на небритых щеках — румянец. И щетина, которую он, маменькин сын, никогда не позволял себе отрастить раньше, оказалась ему к лицу.

Это, конечно, была новость дня, которую горячим шепотом передавали из уст в уста, на ходу додумывая подробности. Кто-то за неудачника Мишу радовался, кто-то более циничный решил, что Ариадна — проститутка, которой тот заплатил за небольшой спектакль.

Однако вечером все видели, как довольный Миша, раздобывший где-то букет хризантем (кто надоумил этого олуха дарить такой девушке хризантемы? Хризантемы дарят разве что нелюбимой учительнице в честь начала очередного унылого учебного года; это же такие грустные цветы, такие горькие, сдержанные, транслирующие тоску), вприпрыжку устремился к ожидавшей его красной машине, с той же блондинкой за рулем.

Миша был похож на мультипликационного человечка — даже его чистое счастье со стороны выглядело довольно комично. Блондинка же, казалось, похорошела еще больше — ее волосы золотым водопадом были разбросаны по узкой загорелой спине, которую открывало нарядное изумрудно-болотное платье, королевскую тонкость щиколоток подчеркивали замшевые туфли на высоких каблуках.

Такие девушки порхают над грязным асфальтом этого хмурого города разве что затем, чтобы найти кого-нибудь, кто отвезет их в Ниццу или Рио. Такие девушки надменно смотрят с глянцевых страниц и снимаются в кино в роли подружки Джеймса Бонда. Ариадна же со счастливой улыбкой приняла вялые хризантемы из не менее вялых Мишиных рук, затем поцеловала его в раскрасневшуюся проплешину на макушке.

— Бросит, — сказал кто-то, глядя вслед удаляющемуся красному авто. — Через пару дней и бросит.

Но все получилось не так: неделя бежала за неделей, к Мишиному лицу приросла рассеянная мечтательная улыбка, он все чаще смотрел не на цифры и графики в мониторе, а на клочок неба за окном, и пыльнокрылые городские голуби казались ему эдемскими птицами.

В первые дни он все время твердил об Ариадне: какая она красивая и как он почти теряет сознание, когда она прикасается губам к его губам (в этом месте его коллеги не то сочувственно, не то брезгливо переглядывались, ибо им было невозможно даже представить, как это может быть вообще — что некто по доброй воле прикасается к пересохшим и обкусанным губам Михаила), как она по утрам готовит омлет — с раскрошенным хлебом и зеленью, в духовке; и как они вместе принимали ванну, и как планировали, что поедут куда-нибудь к Балтийскому морю, где благодать, тишь и мухи в янтаре. Миша осунулся и стал прилично одеваться, с его лица исчезли прыщи, а из голоса — визгливые нотки. Это было чудесное и почти молниеносное преображение.

— Только вот похудел ты что-то уж слишком, — заметил однажды тот самый товарищ, который некогда и обратил Мишино внимание на распивающих сидр девушек.

— Это все Ариадна, — улыбнулся тот. — Хотела меня в йога-клуб записать, но я застеснялся. Вот она сама со мной дома занимается, каждый день. И за диетой моей следит.

И вот прошел уже месяц, в офисном центре появились другие сплетни, говорить о том, как волшебным образом изменилась жизнь местного клоуна, всем надоело. Да и сам он притих — то ли его оскорбило общее недоверие, то ли просто решил, что не стоит трезвонить о своем счастье на каждом углу.

Еще спустя пару месяцев Миша неожиданно пропал. Просто не вышел на работу, никого не предупредив. Миша был рассеянным, но никак не безответственным, работу любил и дорожил ею, мечтал однажды стать начальником отдела, поэтому отсутствие его сразу показалось всем подозрительным. Набрали номер его мобильного — «абонент находится вне зоны действия сети», позвонили домой — никто не берет трубку. А когда и на следующее утро он не вышел, было решено отправиться к нему и выяснить все на месте.

Миша жил на самой окраине Москвы — из окон виден лес и кольцевая дорога. Глухое место, гиблое. И сам дом был похож на декорацию постапокалиптического кино — потрескавшийся, даже заходить в подъезд страшно — кажется, что стены могут рухнуть от малейшего сквозняка. Возле подъезда на старенькой полусгнившей лавочке сидела местная баба яга, которая выглядела так, словно ей двести лет и сто пятьдесят последних она беспробудно пьет, — нос синий, глаза запавшие; несмотря на относительно теплый день, голова ее была обмотана толстенным шерстяным платком, от которого пахло плохо убранным хлевом.

— Стойте, вы к кому? — У нее неожиданно оказался хорошо поставленный бас — как будто она специально училась извергать звуки на устрашение толпе.

— Мы... К Васильевым, — промямлил кто-то.

Почему-то рядом с дворовой бабкой все они, успешные московские менеджеры, исколесившие весь мир, почувствовали себя нашкодившей школотой.

— Нету их, — объявила бабка.

— А вы соседка? Мы с Мишиной работы... Он два дня не появляется, вот мы и решили...

— Так он помер! — почему-то обрадовалась баба яга. — Почти.

— Как, помер? Что случилось?! — Они обступили вредную старуху, которая даже не сочла нужным смотреть им в лицо.

— А то вы только заметили! — Она еще и достала из кармана шерстяного жилета пачку крепких папирос и закурила, выпуская вонючий дым прямо в лица обступивших ее мужчин. — Хороши друзья... В такой-то больнице он, это недалеко, две остановки на троллейбусе. Поезжайте — может, застанете еще. Мать его там найдете, она ночует в палате теперь.

— Да что с ним случилось-то? Авария?

— Лярва к нему прицепилась, — будничным тоном ответила бабка. — Все соки жизненные высосала. Я уж сколько лет живу, много этих тварей повидала, но такую цепкую — впервые. Я все мать его предупредить пыталась, а она только отмахивалась — отстань от сына моего, ты просто завидуешь. Ну и получила... — Бабка закашлялась и сложила грязные толстые пальцы в кукиш.

Больницу они нашли быстро. Миша находился в реанимационном отделении — к нему не пускали.

Седой усталый врач сначала даже не пожелал разговаривать с ними — коллеги же, не родственники, — но получив несколько скомканных купюр, смягчился, снял очки, протер их краешком халата и покачал головой:

— Плох ваш товарищ... Диагноз поставить так и не смогли. По симптомам похоже на опухоль, но мы и в томограф его свозили, и анализ крови на Каширку в НИИ отправляли — нет никакой опухоли. Никогда такого не видел... Да вы с мамой его поговорите, она в холле сидит.

Мишина мать, Клавдия Ивановна, за эти два дня постарела словно лет на двадцать. Оно и неудивительно — и нервы, и отсутствие сна, и ела черт знает что — сникерсы из больничного автомата. На друзей сына она даже внимания не обратила — сидела с прямой спиной, прислонившись к стене, и пустым взглядом сверлила дверь реанимационного отделения. Как будто бы загипнотизировать пространство пыталась — чтобы дверь открылась, чтобы из нее вышел кто-нибудь осведомленный и хоть что-нибудь ей сказал. Подарил хоть какую-то точку отсчета — чтобы можно было покинуть это безвременье и снова начать жить.

Женщину потрясли за плечо — но она не сразу вышла из транса, а когда наконец сумела сфокусировать взгляд на их лицах, даже обрадовалась, выпорхнула из больничного кресла, но тут же ноги ее подкосились от слабости, и она тяжело упала обратно, с обеих сторон поддерживаемая коллегами сына.

— Я подозревала... — ее голос зазвенел. — Я ведь уже недели две подозревала... Нет бы мне раньше... Хотя он бы и слушать меня не стал — покорный ей был, как теленочек...

—Да о чем вы говорите? О девушке его? Ариадне?

Клавдия Ивановна закрыла лицо ладонями, ее худенькие плечи несколько раз вздрогнули, это было похоже не на тихие рыдания, а на судорогу. Но ей удалось быстро взять себя в руки, и когда она вновь подняла лицо, на ее впалых бледных щеках даже не было слез — только глаза покраснели.

—Мне же все говорили — и соседи, и родственники наши, что дело нечистое явно. С чего бы, мол, такой красивой и небедной девушке в Мишку влюбиться. А я как ослепла. Доказывала им, что она просто душу его разглядела, а душа у сына моего — красивая. А потом сложила все... Познакомились в баре каком-то, любовь-морковь с первого взгляда. Ну какая там душа... Наши-то думали, что аферистка она. Только непонятно, чего хочет. Миша-то — гол как сокол. Квартира на меня записана, дача — тоже. И только соседка с первого этажа, Галина, поняла все сразу. Отозвала меня в сторонку, прижала к стене и говорит: «Ты поосторожнее, я такие вещи сразу вижу, меня хрен проведешь. Твой сын не человека — нежить в дом привел. Лярву. Даже и не маскируется особо и скоро его совсем пожрет». Я и слушать не захотела — Галька-то выпить большая мастерица, и всегда была. Мало ли что таким мерещится. Уйти хотела, а она схватила меня за рукав и не выпускает. «Послушай, — говорит, — а то скоро поздно будет. Гоните ее взашей, любого экзорциста зовите — хоть колдуна, хоть батюшку». Я еще подивилась, слова-то она какие знает — экзорцист... Я-то филолог по образованию, а она — не пойми вообще кто... А права в итоге оказалось. Вчера, когда Мишу увозили, я с ней столкнулась во дворе, и она так зыркнула — мурашки по коже. Я разговор тот сразу, конечно, вспомнила, говорю: «Галь, делать-то теперь что?» А она так злобно смотрит и отвечает: «А нечего, Клава, теперь делать, раньше думать надо было... А теперь — не пускай ее в больницу, главное. Может, Мишка твой и очухается. Хотя вряд ли».

— Постойте... Но это же бред какой-то!

— Вот и я думала, что бред, — вздохнула Клавдия Ивановна. — Видела, что худеет Миша, что чувствует себя плохо. Раньше по вечерам мы сидели вместе с гостиной, он мне читал вслух. Я-то вижу плохо, а ему было приятно мне помочь. А последние дни — из ванны еле до кровати доползал. Как живой труп, за стеночки держался. А я, дура, думала, что это из-за диеты. Что он решил похудеть, чтобы девушке своей быть под стать. А она каждый день к нему приходила. Со мною сначала вежливая такая была, сироп и мед... А потом волком смотреть начала, здоровалась сквозь зубы. Поняла, что я ее подозреваю. Кстати, а зубы ее вы видели? Белые как немецкий унитаз и остренькие. Я тут потому и решила сидеть круглосуточно — чтобы она в палату не просочилась. А еще...

Договорить женщина не успела — дверь в отделение распахнулась, и оттуда выбежала молоденькая медсестра в светло-зеленом костюме и такого же цвета шапочке. Ее простое милое лицо разрумянилось от бега, и направилась она прямо к Клавдии Ивановне, которая привстала ей навстречу.

— Можете зайти к нему! Идемте! Только бахилы вон там возьмите, и халаты. Да идемте же скорее!

И на секунду лицо Клавдии Ивановны осветила радость, которая тут же померкла, — ведь понятно же, в каких случаях родственникам разрешают зайти в реанимационную палату, да еще и торопят так. И на друзей Мишиных никто внимания не обратил — они тоже надели бахилы и халаты и последовали за Клавдией Ивановной.

Из палаты, куда привела их медсестра, доносился пульсирующий писк — на мониторах аппарата, подсоединенного к Мише, плясали кривые линии, и по лицам находившихся в комнате медиков становилось ясно, что это данс макабр.

Вошедшие не сразу заметили девушку, что сидела на краешке кровати умирающего. Вернее, приняли ее за кого-то из персонала — ведь на ней был зеленый медицинский халат и такая же шапочка, как у медсестры. И только когда она обернулась, Клавдия Ивановна сделала широкий шаг назад и едва не рухнула на руки одного из коллег сына. Это была Ариадна, и в тот день она казалась еще более красивой, чем обычно. Более красивой, чем всем им запомнилось, — тогда, в баре, девушка показалась им миловидной, а сейчас она излучала потустороннюю, величественную красоту — какой славились одалиски из «Тысячи и одной ночи» или актрисы «старого» Голливуда.

— Но как же... Как ты сюда... — прошептала Клавдия Ивановна, но ее перебил сначала писк монитора, который теперь стал непрерывным, а потом и голос врача: «Время смерти такое-то и такое-то... Мне очень жаль».

И дальше была суматоха, которая обычно окружает внезапную смерть, и Клавдия Ивановна все-таки потеряла сознание, ей сделали какой-то укол, потом санитар из морга привез пустую каталку, и все отметили, что мертвый Миша был совсем не похож на себя живого: какой-то маленький он стал, усохший как мумия — молодой старик, даже личико скукожилось, даже кисти рук стали совсем-совсем узкими.

Ариадны же, когда о ней наконец вспомнили, в палате не обнаружилось — а как она ухитрилась выскользнуть, никто не помнил. Коллеги покойного пытались расспросить медсестру, но она так и не поняла ничего — что за девушка, какая девушка? — да у нее было круглосуточное дежурство, и она поклясться может, что никаких светловолосых девушек в палату к такому тяжелому больному не пускала.

Мишу похоронили, Клавдия Ивановна тоже не задержалась на этом свете — в мире, лишенном сына, она чувствовала себя пленницей.

И вот прошло уже года три, и кому-то из участников этой странной истории товарищ однажды вот что рассказал: якобы зашел он после работы в тот самый бар. С женой поссорился, просто захотелось побыть одному, выпить пива.

Он сидел у барной стойки, спиной к веселящимся горожанам, когда вдруг к нему подошла блондинка сказочной красоты. Человек он был избалованный, из повидавших, из привыкших к статусу лакомых кусочков, топ-менеджер сорока с небольшим лет, живший в городе, где женщины в той или иной форме продают свою красоту, некоторые — открыто, некоторые — под маской «я так одеваюсь и ношу пятнадцатисантиметровые каблуки исключительно для собственного удовольствия». Но, посмотрев в лицо девушки, он оторопел и даже смутился, чего с ним не случалось никогда ранее.

Она представилась Ариадной, попросила купить ей шампанского, рассказала, что учится в институте культуры на последнем курсе, хочет быть кинорежиссером и мечтает посмотреть Париж. Спустя всего пять минут знакомства мужчина уже чувствовал себя так, словно они провели вместе десяток лет, с ней было как-то легко, они о чем-то болтали, смеялись, а потом Ариадна сказала, что в баре ей душно, и он пригласил ее прогуляться по бульварному кольцу. На каком-то бульваре они уселись рядом на лавочке, и он потянулся к ее лицу, поцеловать хотел, а в уме уже перебирал адреса отелей, куда не стыдно пригласить такую девушку.

— А дальше я ничего не помню, — нахмурившись, рассказывал этот человек. — Как будто черное пятно... Утром очнулся в «Склифе» — оказалось, кто-то из прохожих вызвал «скорую». Мне плохо стало, а почему — даже врачи не поняли. И я сам не понял, вроде и не пил особо, и сердце у меня крепкое... Как будто бы в яму черную упал. И вот что еще обидно и удивительно — почему Ариадна убежала? Ну допустим, упал я в обморок, ну допустим, не любит девушка неприятности, но «скорую»-то она вызвать могла? У меня же кошелек сперли из кармана, и документы все, и даже ключи от машины, хотя сама машина хрен знает где была припаркована... Черт знает кто ко мне, бездыханному, подходил, меня же вообще убить могли! А она просто сбежала... До сих пор в голове не укладывается — ведь в баре я почти придумал нам альтернативную историю — как я сначала везу ее в Париж, а потом развожусь с женой и женюсь на Ариадне... Уже месяц прошел, а история до сих пор из головы не идет. И снится она мне иногда. Такое лицо, его невозможно забыть...

ПРИВОРОТ

В начале августа я вдруг обратила внимание, что Один Мужчина влюблен, и это горько и упоительно. Упоительно — потому что, как и большинству живущих под луной, это состояние было ему к лицу, делало его моложе и светлее. Горько — потому, что влюблен, да не в меня. Взгляд его теперь был устремлен куда-то в видимые одному ему дали, губы сами собою складывались в полуулыбку, морщинка, давно углубившаяся между бровей, разгладилась, как у блаженного или мертвеца.

Он улыбался, когда слушал музыку. Даже Леонарда Коэна. Dance me to the end of love — это на самом деле даже не об окончании романа песня, а о скрипичном оркестре, который играл в концлагерях, когда посеревших от немощи людей караванами отправляли в газовые камеры. Я когда-то прочитала об этом в Сети.

Он улыбался, когда читал эсэмэску. Я украдкой рассматривала его лицо и пыталась угадать, какие именно буквы явил ему экран мобильного.

Мы познакомились два года назад, ранней весной, а уже в начале лета я тоже писала ему дурацкие эсэмэски. Уверена, что он улыбался, их читая. Тогда, два года назад, наша близость распускалась вместе с летом — когда зацвела сирень, мы еще гуляли по Измайловскому парку «едва соприкоснувшись рукавами», а когда с рыночных рядов исчезла последняя клубника, уже была страсть. Бесконечное слияние — мы использовали любую возможность, чтобы прильнуть друг к другу, дома ли, в запаркованной ли машине, на последнем ли этаже дома, в подворотне, в сквере, на бульваре.

И вот было начало августа, последние жаркие дни, и я любовалась его одухотворенным лицом, а он все чаще смотрел мимо. Нет, он тянулся ко мне, но скорее как к хорошему товарищу. Мы болтали, смотрели кино, заказывали суши, он готовил для меня гуакамоле, а я для него — яблочный пирог. Я рассматривала его лицо, мне было и больно, и хорошо. Я очень скучала по тем дням, когда он ходил такой же вдохновенный, только причиной тому было мое существование.

Конечно, меня страшно заинтересовало, кто его вдохновляет теперь. Низшим аспектом этого интереса была банальная ревность, жгучая, раздирающая, по ощущениям похожая на сучковатое дерево, разросшееся в легких, — когда я думала об этом, становилось больно дышать — как будто бы изнутри меня царапали ветки. Высшим — жажда восхищения. Если я люблю и желаю этого мужчину, а он — любит и желает еще кого-то, значит, наверняка этот некто достаточно прекрасен для того, чтобы стать и моей путеводной звездой. В конце концов, нам нравилась одна и та же музыка, одни и те же книги, одна и та же еда — почему бы не восхищаться и одной и той же женщиной.

Мне было интересно, как она выглядит, какие духи любит и какие стихи, высокая ли она, понимает ли, как ей повезло. И что у них за отношения — еще пока нежно дружат или уже мнут пропотевшие простыни.

Тогда, в августе, я сомневалась, но уже в начале осени однажды ощутила от него странный запах — это было что-то неописуемое, на биологическом, животном уровне. Так собаки безошибочно чуют тех, кто смертельно напуган. Природа даровала мне сверхчуткость, я всегда была мастером полутонов, умела читать взгляд, понимать с полуслова, чувствовать ложь даже не осуществленную, а только еще задуманную. Я поняла, что яблоко надкушено, небеса разверзлись и Ева с Адамом провалились вниз, где их ждали коньяк и постель.

Я давно стараюсь не относиться ни к чему как к сугубо положительному или отрицательному событию. Мне кажется, это мудро — не окрашивать события в черный и белый цвет, а воспринимать их уроком. Нет, я отнюдь не блаженный бодхисаттва — в ту осень я плакала столько, сколько никогда в жизни. На людях держалась — все привычно считали меня веселой. И при Одном Мужчине держалась — он даже говорил, что я слишком много шучу.

Мужчина был человеком довольно замкнутым, и единственным местом, где он мог познакомиться со своей Евой, был Интернет. К ноябрю у меня окончательно поехала крыша, я зарегистрировалась на всех сайтах знакомств, чтобы найти его. Это оказалось намного проще, чем я думала, — я-то приготовилась пролистать сотни страниц, но он обнаружился на первом же сайте, в первой же сотне пользователей.

Там была его фотография — одно только лицо, задумчивый взгляд устремлен вниз. Вместо имени он указал слово — Самадхи. Состояние тончайшего блаженства, квинтэссенция рая. Это он в точку — лично для меня его присутствие так и воспринималось. Этим объясняется и то, что еще в августе я не послала все это к чертям.

Мне было очень, очень, очень трудно жить с этим секретом.

Но казалось, что если я буду доверчивой, то он сам мне расскажет, однажды. А он только говорил, что любит меня. И в его глазах было тепло, но не было желания, и Бога тоже не было. Бог смотрел из его глаз на ту, другую, Еву, которая увидела на сайте его лицо и написала ему что-то вроде: «Самадхи — это творческий псевдоним? У вас интересное лицо, я хочу вас увидеть».

К концу декабря я была похожа на запертую плотиной реку. Мне было жизненно необходимо вырваться, перестать клокотать и пениться белыми барашками волн и принять в объятия окрестные луга и долины. И тогда я рассказала обо всем подруге. Нарочно вызвала ее в гости, напоила горячим шоколадом и рассказала все по порядку. Та слушала молча, и ее резюме, поступившее после короткого осмысления, было неожиданным.

— А хочешь я дам тебе телефон одной бабки? — спросила она.

Я не сразу поняла, что подруга имеет в виду:

— Эта бабка — психолог? Или киллер?

— Просто бабка. Живет в деревне, в ста километрах от Москвы. К ней обычно запись за три месяца вперед, потому что бабка реально мощная. Но я хожу к ней уже пять лет, и, если попрошу, она тебя примет. Только это недешево.

— И что она сделает? Погадает на кофейной гуще?

— Что хочешь, — пожала плечами подруга, как будто мы говорили о чем-то совсем привычном и будничном. — Может, сделать «отсушку». Ты его забудешь. Он станет неприятным для тебя.

— Это вряд ли возможно.

— Ну или приворожит.

— Глупо.

— А ты попробуй. Что ты теряешь? Кроме денег, конечно. И времени на дорогу.

Той зимой мне исполнилось двадцать пять лет. Это была первая несчастливая любовь в моей жизни. Воспитанная атеистами советского розлива, я, разумеется, не верила в безусловное могущество какой-то неведомой бабки. Но, во-первых, нервы мои были расшатаны, во-вторых, многомесячная апатия, в болото которой погрузила меня вся эта история, требовала хоть какого-то деяния. В-третьих, деньги у меня были. В-четвертых, мы с подругой выпили вина. И я решилась.

— Ладно. Давай свою бабку. Я на девяносто девять с половиной процентов уверена, что это чушь. Но если не поеду, оставшаяся половина процента меня доест.

Подруга тотчас же набрала какой-то номер, а когда ей ответили, удалилась в ванную и недолго с кем-то разговаривала. А вернувшись, радостно сообщила, что бабка готова принять меня завтра же, денег с собою надо взять столько-то, адрес — вот.

— Только ни в коем случае не опаздывай, а то она может отказаться с тобой работать. Строптивая бабка, избалованная.

На следующий день я проснулась в половине шестого и, чувствуя себя дремучей идиоткой, потащилась на вокзал.

В электричке было холодно и душно. Я пыталась читать журнал, но ко мне все время привязывался какой-то пропойца моих лет, в грязных джинсах и с гитарой за спиной. Он почему-то считал, что мы должны выйти на ближайшем полустанке, купить пару бутылок водки, найти живописную лавочку и хором петь под гитару, а потом он на мне женится и у нас будут дети. К концу путешествия я готова была его убить.

Нужную деревню я нашла довольно быстро. От станции пришлось идти больше получаса, но подруга нарисовала подробный план.

Это была обычная деревенька — почерневшие от старости домики в два ряда, деревья в изморози, из труб к низкому серому небу поднимался парок.

Когда я шла между домов, разыскивая нужный, мне встретилась женщина средних лет, в повязанном крест-накрест платке. У нее было обветренное лицо, иней на бровях и сочные яркие губы. Хмуро на меня уставившись, она спросила:

—Ты... к этой, что ли? К Прасковье Петровне?

—А как вы догадались?

—Да вас тут сотни, — поджала губы женщина. — Я бы на твоем месте поехала восвояси. Пока цела.

—А то что?

—Сгубит, — приблизив ко мне рыхлое лицо, прошептала она.

Я сделала шаг назад. От женщины пахло лежалым ватником и кислой капустой. Глаза у нее были водянистые и пустые.

Дом Прасковьи Петровны с улицы выглядел заброшенным — невозможно было поверить, что на самом деле каждый день сюда приезжают десятки людей, чтобы оставить старушке немаленькие деньги в обмен на ее странное искусство. Отворив калитку, я прошла по узенькой тропинке между сугробами, поднялась на крыльцо и осторожно постучала.

На соседнем дворе завыла собака — монотонно, горько. Когда я была маленькая, родители на все лето отправляли меня к бабушке в деревню, и там все считали, что собаки воют к мертвецу. Первыми чуют смерть и начинают оплакивать того, кто еще дышит, но уже ходит в тени ее черных крыльев.

Дверь бесшумно распахнулась, и я увидела ту, ради которой и проделала этот длинный путь. Прасковья Петровна оказалась крошечной неулыбчивой старушкой, с поредевшими белыми волосами, частично обнажающими розовый, в пигментных пятнах, череп. У нее были очень светлые, почти белые, глаза, без зрачков. Слепая.

Когда я по ее приглашению ступила внутрь, Прасковья Петровна вскинула голову и повела носом, как животное. И с одной стороны, я понимала, что слепые вынуждены доверять другим органам чувств, а с другой — было неприятно смотреть, как она ко мне принюхивается.

Старушка пригласила меня в «залу». Дом ее был чистый и простой. Дощатые пол и стены, как принято в деревнях, цветы на подоконниках, недавно побеленная печь. Под ноги мне бросился кот, крупный и полосатый, хвост трубой — я хотела его погладить, но старушка отпихнула кота ногой.

—Садись за стол, — скомандовала она. — Привораживать пришла?

—Не знаю, — честно ответила я. — Может, и так. Плохо мне. Сердце болит. Подруга сказала — вы и «отсушку» можете, и приворот.

—Я и убить могу, — криво улыбнулась бабка.

Годы съели ее губы, и рот стал похожим на темную расщелину.

—Так вы мне... поможете?

—А то. Деньги вперед. И не думай, что если я слепая, то меня можно обманывать.

—И не собиралась. — Я передала ей заранее приготовленный конверт, в который бабка сунула нос, словно по запаху купюр можно было определить их «калибр».

—Значит, приворот, — видимо оставшись довольной, она небрежно сунула конверт в карман, — как и всем. Одна беда с вами, эгоистами, наслушаетесь сказок, а любить не умеете, только мучаете друг друга почем зря, а мне расхлебывать, и расплачиваться. Ты хоть знаешь, что за такие вещи платить придется?

—Так я же...

—Да не деньги я в виду имею, — брезгливо поморщилась Прасковья Петровна. — На всякий случай предупреждаю тебя, дуру, что на моем горбу в рай не въедешь. Я тебе оплачивать дорогу не собираюсь, сама заплатишь.

Поерзав на стуле, я покосилась на дверь. В тот момент мне показалось, что бабка — сумасшедшая. Мне было и не по себе, и немного страшно, и любопытно, что будет дальше. И кажется, впервые за эти месяцы сердце перестало саднить.

—Фотографию принесла? Вот тебе спирт, протри руку. — Она поставила на стол темную склянку и сунула мне в руки пакет с ватными дисками.

—А... Зачем руку?

Прасковья Петровна приблизила ко мне лицо. Мне было неприятно смотреть в ее страшные белые невидящие глаза, но я не посмела отвернуться — в старухе было что-то от дикого зверя, который кожей чувствует все, что происходит вокруг. И запах ее дыхания не был «человеческим», нутряным — я чувствовала пепел и горечь незнакомых трав.

—Тебе приворот нужен или что? У меня нет времени нянчиться с тобой. Если передумала — верну деньги и убирайся отсюда.

—Нет-нет!

Я выхватила из пакета диск, дрожащими руками откупорила бутылочку, торопливо протерла руку. Потом порылась в сумке, норовившей соскользнуть с колен, точно кот, которому приелась ласка. Накануне вечером я долго рассматривала фотографии Одного Мужчины, выбирая подходящую для ритуала, — хотя кто бы рассказал мне о критериях. Год назад мы провели выходные в Праге, это были счастливые солнечные дни, пропитанные и самой любовью, и детским нежеланием верить в формулу царя Соломона — о том, что «пройдет и это». И я сфотографировала его на мосту — он доверчиво смотрел в объектив, не подозревая, что спустя четыреста с чем-то дней эта направленная в мою сторону улыбка будет использована для того, чтобы ломать его волю и резать его крылья. Счастливый, красивый, волосы растрепаны.

—Вот.

Старуха провела по снимку желтым сухим пальцем. Этот момент — чужой палец на его отображенном лице — впоследствии вспоминался как точка невозврата и как самое страшное, что я пережила в тот день.

Я была почти спокойной, когда бабка завесила окна темными плотными шторами, когда зажгла длинную черную свечу, достала из кармана клубок ниток и нож с деревянной ручкой и коротким блеснувшим лезвием, когда она скомандовала:

—Руку! И больше ни слова, говорить буду только я.

С ледяным спокойствием, словно половину жизни она провела в операционной, Прасковья Петровна точным движением полоснула лезвием по моей руке. Надрез получился не настолько глубоким, чтобы впоследствии оставить мне на память шрам, однако достаточным, чтобы появилась кровь — сначала скупая капля, потом и тонкий ручеек.

Кровь капала на снимок, прямо на лицо Одного Мужчины, старуха же, запрокинув голову, бормотала что-то бессвязное на незнакомом певучем языке. Ее плечи тряслись, в горле клокотала слюна, а на сухих губах выступила белая пена. Затем она оттолкнула мою руку, схватила свечу и подожгла фотографию. Я видела, как скукоживается лицо, мост за ним, безмятежное пражское небо. Хотелось плакать.

В комнате стало душно, пахло воском, кровью, теплым деревом, кисловатым старческим потом. Старуха собрала воск, вмешала в него получившуюся горстку пепла и в два движения вылепила крошечного человечка. Потом в ход пошли красные нитки — толстые старухины пальцы двигались быстро, как у прядильщицы, — спустя, должно быть, минуту человечек был обмотан нитками, и черную восковую плоть скрыли красные одежды. Старухино тело содрогалось, она была похожа на одержимую. Закончилось все мгновенно, как тропический ливень. Вот она уже открыла глаза, встряхнула плечами и со спокойным: «На!» положила куклу мне в ладонь, и даже дыхание ее было глубоким и безмятежным.

Спустя минуту я начала сомневаться — не привиделось ли мне все это: ее бормотание, странные слова, взлетающие к потолку, конвульсии?

—Что это? Что мне с этим делать?

—Это он. Теперь твой, — криво усмехнулась старуха. — А что делать, тебе решать. Хранить, наверное. Но можешь и выбросить. Мне все равно. Твое время истекло, уходи.

Как в тумане я добралась до станции, дождалась электрички. У меня с собой была книга, но читать не хотелось. Я пребывала в странной прострации — смотрела на заснеженные ели за окном и чувствовала себя пустой, как высохшее озеро. Добравшись до дома, я не раздеваясь рухнула в кровать и проспала до полудня следующего дня.

Проснувшись, позвонила подруге — той самой, что рекомендовала обратиться к Прасковье Петровне. Новый день, начавшийся с будничной варки кофе в старенькой турке, увлажняющей маски для лица и тридцатиминутной йоги по видеоинструкции, стер тягостные впечатления дня минувшего. Во мне проснулся циник, и я начала жалеть, что потратила столько денег непонятно на что.

—Ты немного подожди, — попыталась успокоить подруга. — У Прасковьи Петровны результат быстрый — обычно двадцать четыре часа, не больше.

—Она ничего такого не обещала.

—Да она вообще не из разговорчивых, — рассмеялась подруга.

До самой ночи я пребывала в гнетущем состоянии опустошенности. А ближе к полуночи вдруг вспомнила о восковой куколке, обмотанной красными нитками. Там, в деревне, я обернула ее в бумажную салфетку и убрала в потайной карман сумки. И вот теперь, уложив ее на ладонь, я ощутила странное спокойствие, которое было похоже на эффект пилюли, а не на результат неких внутренних усилий. Мне казалось удивительным, что слепая старуха за тридцать секунд ухитрилась вылепить из твердеющего воска такую внятную и даже, пожалуй, красивую (насколько вообще может быть красивым схематичный символический предмет) куклу.

И вдруг мой телефон пискнул — не привыкшая к поздним эсэмэскам, я от неожиданности сжала ладонь и едва не сломала куколке шею.

Писал Один Мужчина, текст был странным. «Мне очень, очень, очень надо тебя увидеть». Это «очень», повторенное трижды, звучало как надрыв и совершенно не вписывалась в то, что я успела узнать об Одном Мужчине за почти восемьсот дней знакомства.

Я набрала его номер:

—Что случилось?

—Да в общем, ничего, — его голос звучал устало. — Просто вдруг вспомнил о тебе и понял, что мне немедленно надо тебя увидеть. Кажется, мы не виделись сто лет.

—На самом деле, дня три... Ты хочешь приехать? О чем-то поговорить?

—Нет, не поговорить... Просто приехать. Если ты не против.

Я была не против. Сон сняло как рукой, и за те три четверти часа, пока он добирался до моего дома, я успела уложить волосы, спуститься в круглосуточный супермаркет за эклерами и приготовить гаспачо. Но деликатесы Одного Мужчину не интересовали.

Он удивил меня с порога — странным блеском глаз и ярким румянцем. Как будто бы у него была высокая температура.

—Я так соскучился, — он прижал меня к влажной куртке.

На меховом воротнике таяли снежинки, дыхание было тяжелым, как у загнанного скакуна. «Неужели сработало? — мелькнула мысль. — Это же такая чушь... Какая-то дремучая старуха, какая-то восковая кукла... Скорее всего, просто совпадение». При этом всю жизнь я верила не в совпадения, а в непостижимую, но существующую логику мироздания.

Один Мужчина опрокинул меня на пол, торопливо развязал пояс на моем халате и набросился на меня с такой дикарской жадностью, словно я была колодцем в оазисе, а он — измученным странником, в морщины которого намертво въелся горячий песок. А потом на руках отнес меня в кровать и все гладил мое лицо:

—Я так соскучился... Вдруг такая нежность к тебе нахлынула...

Он остался на всю ночь, хотя у меня была неширокая кровать, а Один Мужчина всегда утверждал, что сон — святая территория, на которую желательно ступать в полном одиночестве. Совместное же засыпание — не показатель близости, а реверанс нищете.

Утром я проснулась от ощущения взгляда на моем лице. Приподнявшись на локте, он рассматривал меня так пристально, что я ощутила неловкость, быстро растаявшую от волшебной формулы: «Как же ты прекрасна». Мы вместе позавтракали, а потом отправились каждый в свой офис, но раз в четверть часа телефон являл мне его послания: что он скучает, что любит меня, что впервые в жизни у него такое желание близости.

В обеденный перерыв я вызвала подругу на кофе. Она работала в том же офисном центре, несколькими этажами выше.

—Ты не поверишь. Кажется, сработало! — возбужденно шептала я, дуя на горячую молочную пену. Аппетита не было, и большая чашка капучино стала моим обедом.

—Почему это не поверю? Я же тебе говорила — уже пять лет знаю Прасковью Петровну. Ни одной осечки.

—Его как подменили. Все время хочет быть на связи, спрашивает, когда увидимся. А раньше мы просто встречались раза два в неделю и были, вроде бы, довольны. У него даже взгляд изменился. Смотрит на меня как религиозный фанатик на икону.

—Ты же этого и хотела, да?

—Да... — я помолчала, — правда, теперь я чувствую себя виноватой. Вдруг он вовсе не этого хотел. Если бы он вел так себя по собственному желанию, я была бы на седьмом небе. А так... Все время маячит мысль, что я его заставила.

—Это естественный комплекс вины, — вздохнула подруга. — В первый раз я сон из-за этого потеряла. А потом ничего, привыкла.

Я взглянула на нее с интересом. Она была старше меня года на три. Обычная московская девушка, привыкшая карабкаться и бороться за все — работу, мужчин, счастье. Я называла ее «подруга», но на самом деле скрепила нас отнюдь не духовная близость — скорее территориальный фактор. О прошлом друг друга мы не знали почти ничего.

— А тебе часто приходилось обращаться именно за приворотом?

— Три раза, — пожала плечами она. — И не надо так на меня смотреть. В первый раз я тоже думала, что больше никогда. Но соблазн оказался слишком сильным. В конце концов, в городах и так все друг друга обманывают. Маски, которые мы носим, чтобы казаться хорошими. Наши каблуки. И поролон в лифчике. Сексуальный шантаж. Помнишь, ты сама рассказывала о психологической технике «бразильский душ»? Когда ты то обливаешь мужчину холодом, то обдаешь жаром. Шаг вперед, два шага назад, пока все нервы ему не вымотаешь и он не окажется у твоих ног. По-моему, приворот даже честнее. По крайней мере, он дарит счастье.

Прошла неделя, потом другая, третья. Наступила весна. Кажется, я была счастливой — впервые за последние дни вдруг ощутила ногами не шаткую палубу, а твердыню земли. Мне хотелось врасти в эту землю корнями, поднять ветви к небу и качать ими сотни лет, обрастая птичьими гнездами. С Одним Мужчиной мы почти не расставались. Сложно было понять, на чьей территории мы обитаем. Целый чемодан моих вещей «первой необходимости» перекочевал в его квартиру, я тоже освободила несколько полок для его рубашек, брюк и книг. Он вдохновенно планировал будущее — убеждал, что мы должны пожениться уже летом. Я была не против. Я стала сытой и спокойной. А маленькая восковая куколка лежала в специально купленной для нее шкатулке, в верхнем ящике стола.

Где-то в самом начале апреля я однажды проснулась среди ночи в странном ощущении тревоги.

Может быть, сон дурной увидела — и не запомнила. Сердце колотилось, пот пропитал ночную рубашку. Было светло — полная луна изливалась на одеяло. Я решила пойти в кухню и выпить воды, спустила с кровати ноги и вдруг увидела его.

Один Мужчина сидел на стуле возле кровати и смотрел на меня, и у него было такое лицо, что мое успокоенное пробуждением сердце забилось еще сильнее. Чужое лицо, страшное. Ноздри раздувались, губы были плотно сжаты, глаза — сияли. Я протянула руку и потрясла его за плечо:

—Что с тобой? Почему ты так смотришь на меня?

Он как-то странно дернул головой, и его лицо стало прежним — каким я привыкла его видеть. Он мелко заморгал и вообще казался удивленным:

—Что?.. Не знаю. Я не спал?

—Ты так смотрел на меня... Мне не по себе.

—Прости. — Он поцеловал меня в висок. Запах его волос и кожи успокаивал. — Может быть, заварить тебе чаю?

—Ты никогда не говорил, что был лунатиком!

—Я и сам не знал... Ладно, расслабься, что же ты. Подумаешь — полюбовался тобою. Это значит: я помню о том, что ты самый главный человек в моей жизни, даже когда сплю.

Сердце мое колотилось еще долго, но на рассвете мне все же удалось погрузиться пусть в нервный и поверхностный, но все-таки сон. А потом странный случай и вовсе забылся. Я была окружена вниманием и теплом и чувствовала себя так, словно меня баюкают в колыбели. И все окружающие заметили, какая я стала спокойная и красивая, и каждый второй норовил нарушить мою личную дистанцию бестактным вопросом: «А не беременна ли ты?» Один Мужчина тоже все чаще твердил о том, что хочет ребенка — девочку, чтобы видеть мое продолжение, чтобы она была похожа на меня и он бы словно в детство мое заглянул. Это казалось мне немного болезненным — детей ведь хотят не для того, чтобы заглянуть в чье-то прошлое или увидеть чье-то отражение. Но в целом я была счастлива. И ничуть не жалела о визите к бабке — тогда мне казалось, что это изменило всю мою жизнь.

Однако прошло еще несколько недель, и ночное происшествие повторилось — снова я проснулась с колотящимся сердцем от ощущения дурного предчувствия — беспричинного, потому что тот вечер был безмятежным, мы смотрели «Игры престолов», ели суши и болтали о том, как повезло нам встретить друг друга и какое удивительное будущее нас ждет.

Я подскочила на кровати и снова увидела его — на этот раз он склонился надо мною, низко, как будто принюхивался. И снова это незнакомое страшное выражение — ноздри раздуваются, в глазах — пустота, из уголка приоткрытого рта стекает струйка клейкой слюны.

Я протянула руку — хотела, как и в прошлый раз, потрясти его за плечо, разбудить, чтобы он снова стал родным, предлагающим заварить чаю, успокаивающим... — и даже не сразу поняла, что случилось, просто инстинктивно отдернула руку, которую словно кипятком обожгло. И только спустя несколько секунд до меня дошло — он же укусил меня! Молниеносно подал вперед лицо и куснул меня за руку, сильно, до крови! Кажется, я больше удивилась, чем испугалась. Никто и никогда не поднимал на меня руку. У меня были тихие интеллигентные родители, и я всегда влюблялась в тихих интеллигентных мужчин. Поглаживая укушенное место, я завопила:

— Проснись! Что же ты?! Сейчас же просыпайся!

Но это было бесполезно. Мужчина вел себя как дворовый пес, которого годы, проведенные в поиске тепла и пищи, сделали холодным и недоверчивым. Он быстро вскинул руку и нервно почесал лицо — в этом жесте тоже было что-то звериное. Я бросилась вон из комнаты — надеялась добежать до ванной, запереться или даже выбежать в ночнушке из квартиры и опозориться перед соседями, подняв крик. Но он настиг меня, он был сильнее.

Я оказалась на полу, Один же Мужчина навалился на меня всем своим весом, из его открытого рта капала слюна — на мое лицо, шею, грудь. В его горле клокотало рычание, его ногти царапали мою кожу. Я завизжала и зажмурилась, я так надеялась проснуться, не хотелось верить, что все это правда, что все это — и есть моя жизнь. Боли я почти не чувствовала.

На следующее утро врач травмпункта недоверчиво рассматривал укусы на моем теле. Выглядела я так, словно на меня напала стая зараженных бешенством обезьян. Синяки, кровоподтеки, следы зубов, откушена мочка уха, все волосы в запекшейся крови, на шее глубокие царапины. Вызвали милицию — с хладнокровием зомби я написала заявление. Никто мне не верил. «Что значит — ни с того ни с сего? — спрашивали меня. — Вот так и накинулся? Начал кусать? И он никогда раньше не проявлял агрессию?.. Искусал вас во сне?.. И куда же он делся?»

Один Мужчина и правда пропал. Утром я обнаружила себя на окровавленном грязном полу, и больше никого в квартире не было. Похоже, ушел он без куртки и босиком.

Все мне сочувствовали. Кто-то посоветовал снять другую квартиру — что я и сделала. Время шло, я принимала антидепрессанты, ела много сладостей и никогда не проводила вечера в одиночестве. Постепенно ужас отступил, я даже, кажется, перестала верить в реальность случившегося. И иногда ловила себя на стыдной мысли, что все еще по Одному Мужчине скучаю. Никто не знал, где он, его объявили в розыск, его телефон остался в моей квартире, он перестал ходить на работу, и все в глубине души считали, что, придя в себя той ночью, он ужаснулся содеянному и покончил с собой. И когда-нибудь Москва-река вынесет к грязным своим берегам его раздувшееся объеденное раками тело.

Но в середине лета в мою дверь позвонили — что меня не удивило, потому что я ждала курьера с пиццей. Легкомысленно распахнув дверь, я чуть не завизжала от ужаса, потому что на пороге стоял он — сильно похудевший, небритый, в каком-то странном пальто (ночь была душной и теплой, а пальто — шерстяное, молью поеденное, как будто бы у беспризорника отобранное). Он вдвинулся в прихожую так быстро, что я ничего не успела сделать, — и сразу бросился на колени, и по щекам его текли слезы.

— Прости меня... Это какой-то кошмар. Я не знаю, что делать. Жил на даче заброшенной, много размышлял. Я же все помню... Ты думала, что я спал, но я помнил, как все было. Как будто дикий зверь в меня вселился... Я смотрел на тебя, безмятежно спавшую, и думал, что люблю тебя так, что готов сожрать. Это пульсировало в висках — сожрать, сожрать... Знаешь, в каннибализме есть своеобразная эротика...

— Перестань. Замолчи! Я вызову милицию.

Он даже меня не слушал:

— Я представлял, что ты будешь со мною, во мне... Когда любовники снимают одежду и являют друг другу то, что скрыто от посторонних глаз, тело, — это лишь имитация близости. А я смотрел на тебя и желал близости истинной. Я увижу тебя всю, твою кровь, внутренности, кости. То, что обычно прячут... Мне так казалось... Я готов на все, лишь бы ты меня простила. Я пройду лечение, я лягу в психушку...

Он закрыл лицо грязными ладонями, плечи его затряслись. Это дало мне шанс — рванувшись к двери, я выбежала в подъезд, а потом и на улицу, и бежала до тех пор, пока хватало дыхания.

И вдруг я вспомнила — есть же шкатулка, в шкатулке лежит восковая куколка, которую дала мне бабка. Моя новая квартира окнами выходила на парк, главной достопримечательностью которого считали небольшой, но довольно глубокий пруд, с кувшинками, утками и непрозрачной темной водой. Тем же вечером я обмотала шкатулку скотчем и выбросила ее в пруд.

А утром раздался звонок. Следователь, который вел мое дело, сообщил, что Одного Мужчину наконец нашли — к несчастью, мертвым. То ли он желал этой смерти, то ли просто был неосторожен — принял большую дозу спиртного и зачем-то полез купаться в городской пруд.

Я никому и никогда не рассказывала об этой истории — с самого начала. Те, кто был знаком лишь с мозаичными ее деталями, мне сочувствовали, считали меня жертвой психопата и даже радовались, что этот кошмар позади, — насколько можно вообще радоваться истории, в которой замешана чья-то смерть. Чувство вины мучило меня только первые несколько лет — затем же я почти поверила сочувствующим.

КУКЛА

Случилось это в конце восьмидесятых. У Артамоновых были соседи — близкие родственники какого-то дипломата. Дом их полнился удивительными для советских людей излишествами. Хозяйка разгуливала по квартире в атласном халате с драконами и пионами, от нее тонко пахло абсолютом жасмина, расфасованным в золотые флаконы в каком-то французском парфюмерном доме.

Кофе (из размолотых электрической кофемолкой гватемальских зерен высшего качества) гостям подавали в фарфоровом сервизе тончайшей работы, и порой Артамоновой казалось, что соседке важнее не угостить человека кофе, а похвастаться наличием красивой посуды. «Впрочем, это я, наверное, завидую», — со вздохом добавляла она, когда об этом заходила речь.

На стенах у соседей висели африканские маски, слоновьи бивни, тарелочки с изображением неведомых городов и фотографии членов семьи на фоне синего океана. Все в белом, за спиной — бескрайнее море с «барашками» и треугольниками парусов, и сразу ведь понятно — не «наше» море, не Крым, не Прибалтика. Уж больно мелок и золотист песок, и чист пляж, и улыбчивы люди, и причудливы очертания пальм, застенчиво склонившихся к земле.

Был и видеомагнитофон со стопкой кассет в придачу. На диснеевские мультфильмы и боевики о каратистах собирались всем подъездом, имелась в коллекции и одна особенная кассета, неподписанная, производства небольшой немецкой студии, — ее смотрели только взрослые и только после заката. А потом, здороваясь друг с другом у лифта, казалось бы, неуместно краснели и начинали пристально изучать собственные туфли вместо того, чтобы посмотреть собеседнику в лицо.

Иногда соседи предлагали Артамоновым что-нибудь купить. По дружбе. Шелковое платье для старшей дочери, пятнадцатилетней. Вожделенную пудру с золотой розой, духи, хорошее мыло. Игрушки для младшей, семилетней, девочки.

Вот и в тот бесконечный вечер, какие случаются в конце ноября, соседи позвонили Артамоновым и без лишних реверансов поинтересовались: есть ли у тех лишние пятнадцать рублей? Если есть — им стоит срочно зайти на кофе с конфетками, в противном случае мимо их носа проплывет настоящее чудо.

Артамоновы не были богаты настолько, чтобы назвать лишней сумму в пятнадцать рублей, однако соблазн увидеть чудо, пускай и проплывающее мимо, оказался сильнее жадности. К тому же, аргумент в виде кофе и конфет был весомым — ведь какие попало шоколадки в том доме не водились.

Хозяйка с видом будничным и даже слегка рассеянным выставляла на стол коробочку «Моцарта» — так, словно это был не деликатес, не рай в миниатюре, тающий на языке и тонким запахом марципана и молочного шоколада словно намекающий на то, что где-то за туманами существуют лучшие миры. А что-то обычное. Белый хлеб. «Наверное, выпендривается. Не может же ей и в самом деле не быть жаль кормить кого попало такими конфетами, — говорила Артамонова, а потом со вздохом добавляла обычную мантру: — Впрочем, я опять, видимо, завидую».

К соседям отправились всей семьей. Артамонов — в пиджаке с галстуком, жена его — в платье с ромашками, сшитом по выкройке из «Бурды» и с неумело подведенными губами, обе дочери — аккуратно причесанные и с надеждой в глазах.

Старшая, Аля, надеялась, что чудо за пятнадцать рублей — это джинсовая куртка с «орлом» на спине. Она, конечно, понимала, что такая вещь стоит под сотню, но все равно думала — ну мало ли что? Все равно если куртка есть, то она досталась соседям так, задаром. Что же наживаться на близких (нет, о духовной близости речи тут не шло, но все же расстояние между их дверями составляло не более трех метров, а это аргумент). Можно отдать обновку за символическую сумму — и людям приятно, и самим не обидно.

Младшая же, Варенька, надеялась на кукольный домик. Чтобы можно было, склонив голову, заглянуть в крошечное окно, а там — белые кроватки с резными спинками, и постельное белье «как настоящее», и крошечная посуда на столе. А в гостиной — камин с полиэтиленовым оранжевым пламенем, тканый ковер и книжечки в шкафу. И чтобы в каждой комнате свет включался. Варенька уже и не помнила, откуда она знала о существовании подобных домиков. Но это была ее заветная мечта, уже несколько лет.

Забегая вперед, скажем, что через десять лет, когда в Москве можно будет приобрести все, что угодно, были бы деньги, постаревшая до неузнаваемости Артамонова купит в «Детском мире» такой домик, трехэтажный, розовый, с камином, посудкой и книгами. Купит и поставит на Варенькину могилу. Разумеется, домик не простоит и половины дня. Как только удаляющаяся спина женщины скроется за горизонтом, его подхватят местные бомжи, отнесут на железнодорожную станцию, продадут по дешевке, чтобы купить пару бутылок водки и батон сырокопченой колбасы и устроить пир на весь мир, с привлечением золотозубой вокзальной жрицы по имени Танька, со звездами в глазах и красными кружевами на лифчике.

Но Артамоновой было все равно.

В тот вечер, в волнительном предвкушении, они пришли к соседям, прихватив бесхитростные вафли и домашнюю настойку на лимонных корочках. И вот после того, как бельгийский шоколад был съеден, чай — выпит, а новые фотографии из жизни дипломатической семьи продемонстрированы, хозяйка дома с загадочной улыбкой поставила на стол небольшую картонную коробку.

Младшая дочь Варенька, как загипнотизированная, потянулась к ней. Вся коробка была в пастельных выцветших медведях, наряженных в смешные платья в оборочках. Варя решила, что это прямой намек на то, что внутри — игрушки. И хотя спустя несколько минут выяснилось, что девочка оказалась в смелых своих предположениях права, хозяйка квартиры шлепнула ее по руке. Будто бы оскорбленно. И это было удивительно — для человека, который привык гордиться нарочито пренебрежительным отношениям к вещам.

Впрочем, она успела извиниться до того, как соседи обиделись. И объяснила: просто то, что лежит в коробке, бесценно. И тот парижский старик, который продал ей эту вещицу, так и сказал: она не имеет цены. Он продает за символическую сумму, просто потому что ему понравились глаза жены дипломата.

Надо сказать, глаза у нее и правда были необыкновенные, кошачьего разреза, зеленоватые, с желтизной.

Хозяйка сама осторожно открыла крышку — к тому моменту все собравшиеся были так заинтригованы, что даже, казалось, перестали дышать.

В коробке лежала кукла.

В первый момент Артамонова не смогла удержать разочарованный вздох. Столько пафоса, столько оговорок, ребенка вон даже по руке ударила, а речь-то о банальной игрушке! Но рассмотрев куклу как следует, даже она не смогла не признать: это было настоящее произведение искусства. Работал Мастер. Фарфоровое личико было таким печальным, а распахнутые стеклянные глаза — такими живыми, что куклу хотелось прижать к груди и прошептать в ее маленькое ушко, что все будет хорошо. Артамонова осторожно погладила пальцем русые кукольные волосы — они казались шелковыми, это было так непривычно. У советских кукол, даже самых дорогих, волосы были из жестких синтетических волокон, поблескивающих в электрическом свете. Артамоновой всегда казалось, что кукла — это дурная имитация человека, но сейчас перед ней словно лежало не что-то, созданное по образу и подобию, а улучшенный вариант, существо из волшебной сказки, хрупкий эльф.

— Вижу, она вам нравится, — усмехнулась хозяйка дома. — Я и сама не удержалась, когда увидела ее. У нас совсем не оставалось денег, это была последняя покупка. И мне она точно ни к чему, но и выпустить из рук не получилось.

О, как понимала ее Артамонова-старшая. Ей было даже неловко за те яркие чувства, которые разбудило в ней прикосновение к бледным фарфоровым щечкам, — кажется, примерно то же самое она испытывала, когда врач в забрызганном кровью халате вручил ей, усталой, потной, измученной, только что родившуюся Вареньку.

Артамонова старалась скрыть волнение — взрослая все-таки баба, повидавшая, наплакавшаяся, с отцветшим букетом самых разнообразных надежд, давно научившаяся довольствоваться малым. И вдруг она ловит взгляд какой-то, пусть и очень дорогой, игрушки (бред, бред, ну разве это вообще возможно — поймать взгляд куклы) и ощущает себя словно без кожи. Была в этом какая-то магия.

Хозяйка квартиры, кажется, ничего не заметила — она буднично перечисляла достоинства игрушки. Старинная — ей не меньше пятидесяти лет. Хотя ее, конечно, реставрировали. Делал известный мастер — под немного облупившейся краской на спине можно разглядеть его клеймо. Волосы — натуральные. Когда-то это было модно — сделать кукле волосы из отрезанных кос хозяйки. Платье ручной работы, кружево. Туфельки из натуральной кожи, тоже сшиты руками. Сейчас таких кукол просто не делают...

Она говорила, говорила, пока старшая Артамонова не перебила:

— Мы ее берем!

И таким голосом, что супруг, в планы которого вовсе не входила покупка игрушки за пятнадцать рублей, не посмел ей возразить. Не то чтобы Артамонова была строптивой и вредной — даже наоборот, она уродилась с нравом покладистым и желанием жить в тени. Но в тот момент все понимали, что спорить просто бесполезно. Младшая дочь, Варенька, с визгом бросилась матери на шею и расцеловала ее, старшая выдала вымученную улыбку — ее мысли были уже далеко и от соседского стола, и от бесполезной куклы.

— Ее зовут Анжелика, — сказала соседка, когда Артамоновы уже уходили. — Это на коробке написано. Мне кажется, имя ей подходит... И правда, какая-то она... ангелоликая.

Куклу принесли домой. Старшая дочь Артамоновых, Аля, тут же убежала по каким-то своим делам, и мать даже не крикнула ей в спину обычное: «Не вернешься к десяти — убью!» Потому что в состоянии очарованности человек не способен предъявлять претензии.

Артамонов-отец уединился с телевизором — показывали какой-то матч. Варенька же склонилась над прекрасной Анжеликой. И это было удивительно для Артамоновой-старшей — то, что в свои неполные восемь лет ее дочь сумела почувствовать силу и тонкость этой красоты. С другими игрушками Варя обращалась иначе — фамильярно, небрежно. Другую куклу она бы немедленно переодела, перечесала, посадила за игрушечный стол и понарошку заставила бы есть деревянные овощи и фрукты. А эту — даже не то чтобы осторожно баюкала — нет, просто держала в руках.

Кукла была чудом, нездешним и хрупким, и все это понимали.

А дальше все так быстро получилось...

Артамонова потом пыталась вспомнить подробности, да мысли путались. После похорон дочери она все лежала в кровати — слез не осталось, кончились, так что она просто в стену смотрела и не выдавала никаких реакций миру. Казалось — ножом от нее куски отрезай — не заметит даже. Вот муж и пригласил к ней известного психиатра, и тот сжалился, помог достать немецкое лекарство, дорогое и дефицитное. Таблетки эти сделали Артамонову похожей на ребенка, она начала улыбаться и жить безмятежно и не задумываясь о прошлом и будущем, как живут деревья, цветы и, наверное, шаолиньские монахи.

На следующий день после появления куклы в доме Варенька слегла с температурой — никто не заволновался особенно, дети болеют часто.

На третий день вызвали «неотложку», полуобморочной Варе сделали какой-то укол. Она была такая осунувшаяся и притихшая, совсем не капризничала — вот только новую куклу отказалась выпускать из рук. Спала с ней, под одним одеялом, обнимая.

Кажется, именно тогда Артамоновой впервые показалось, что у куклы все же странное лицо — выражение его меняется в зависимости от освещения. Когда ее только принесли в дом, она была бледна и серьезна, а теперь фарфоровые губы словно потемнели, и едва заметная улыбка слегка растянула их, что было конечно же абсолютно невозможно. Варя больше не встала.

Через неделю они нашли профессора, тот немного успокоил — нет, ничего страшного, необходимости в госпитализации нет. В тот вечер Артамоновы немного расслабились и даже выпили домашнего вишневого вина. А ночью Варя отошла, даже не проснувшись.

Таблетки действовали на Артамонову-мать так, словно ее толстый ком ваты окутал, в этом даже было какое-то особенное растительное счастье. Однако иногда случалось, что муж задерживался на работе и забывал скормить ей пилюлю в определенный час, и вот тогда она оказывалась в аду — просыпалась на несколько десятков минут, и ей дышать даже становилось больно от сжирающей тоски.

В один из таких часов на глаза ей попалась кукла, которая так и осталась сидеть на пустой кровати дочери. Артамонова не смогла бы объяснить, что на нее нашло — вдруг проснулась ярость, похожая на Ктулху с трепещущими мускулистыми щупальцами. В один прыжок женщина достигла кровати. Схватила куклу за шелковые волосы и ударила о дверной косяк. Фарфоровое лицо разбилось сразу же, но Артамоновой показалось, что напоследок кукла посмотрела на нее с насмешливым Пониманием. В клочья разодрав кружевное платье куклы, Артамонова бросила ее на пол и топтала ногами осколки до тех пор, пока они не стали совсем крошечными.

Вдруг ей показалось, будто что-то белеет среди битого фарфора — она наклонилась, увидела аккуратно сложенный лист бумаги, развернула... «Памяти Анжелики Сазоновой, скончавшейся 1 января 1910 года в возрасте трех с половиною лет от болезни необъяснимой и скоротечной».

Так ее и обнаружил муж — тихо сидящую на полу, что-то беззвучно шепчущую, с бумажкой в руках. Артамонова подняла на него прояснившиеся глаза и прошептала:

— Волосы... У куклы были настоящие волосы. Этой бедной девочки, Анжелики... Ее так и назвали. Надо их похоронить.

— Кого... Кого «их»? Успокойся, сейчас я дам тебе лекарство.

— Волосы... Мы должны похоронить эти волосы.

То, что осталось от куклы — осколки, обрывки платья и клочок пшеничных волос, — супруги аккуратно собрали в коробку и закопали на одном из московских бульваров.

Артамонова и табличку хотела поставить, но муж не позволил — все же это были восьмидесятые, психиатрический диагноз закрывал для человека большинство дверей, и он боялся публичных проявлений ее безумия. Надеялся, что курс немецких таблеток поможет, время залечит раны, жена поправится. Так, в общем-то, и получилось.

Конечно, прежней она не стала, постарела в считаные дни, превратилась в тихую и хмурую бабку, но зато к ней вернулись и ясность ума, и самоконтроль. Теперь боль жила только в ее глазах — в остальном же Артамонова казалась обычным городским жителем.

О кукле они никогда не вспоминали.

О МЕРТВЫХ КОТАХ

Мой сосед нес к мусорным контейнерам нарядную бумажную коробку. В его поступи был какой-то неуместный торжественный пафос, что дало мне повод дежурно пошутить, встретившись с ним взглядом. Сосед вздохнул горько и сказал:

— Утром вот Самурай кончился... Старый был совсем, двенадцать лет. Последний год и не видел ничего, и ссал где попало. Отмучился.

Самурай был котом, персом, — я помнила его меховым клубком и в очередной раз удивилась, как быстро летит время. Мы немного постояли у помойки, покурили молча. Не говорить же прощальную речь над несуществующей могилой кота. Когда шли обратно, я не выдержала и спросила:

— А почему не похоронил? У тебя же машина. Вывез бы за город, выбрал место красивое...

— Да жизнь такая пошла, — махнул рукою сосед, — сегодня совещание, завтра — еще какая-то фигня... Да и разве важно сейчас ему, Самураю, все это. Это ведь просто тело. Никому не нужно это.

«Важно и нужно», — хотела сказать я, но промолчала. Все равно сосед не поверит. Не то чтобы мы приятельствовали, но по одному выражению его простого, словно циркулем очерченного лица было ясно, что едва ли он часто задумывается о «тонких материях». Обзавестись же репутацией дворовой сумасшедшей в мои планы пока не входило.

Я ничего ему не сказала, однако спустя несколько часов, когда стемнело, вернулась к контейнерам. Коробка лежала на самом верху мусорной кучи, она была открыта — видимо, любители порыться в шелухе чужой жизни понадеялись, что за такими красивыми картонными стенками находится что-нибудь годное для реинкарнации — в другом доме, у новых хозяев, которые не так привередливы и богаты. Постельное белье или посуда со сколами на ободках, например. Но в коробке был кот, мертвый остывший кот, неестественно вытянувший лапы.

Я переложила коробку в багажник моего авто. Когда торопливо вела машину по Ярославке, мне было немного не по себе, все время хотелось обернуться. Чувствовала на затылке чей-то взгляд. Но я знала, что, во-первых, реальной опасности это ощущение — беззащитности перед перешедшим на ту сторону существом — не представляет, и, во-вторых, — оборачиваться ни в коем случае нельзя. Потому что он действительно за моей спиной и действительно смотрит на меня, внимательно и равнодушно, и, встретив этот пустой взгляд, я могу машинально вильнуть рулем и выехать на встречную полосу.

Через какое-то время я свернула на боковую дорогу и припарковалась на обочине у жиденького леса. Ночь была прохладной, надкушенная луна пыталась облечься в обрывки серых облаков. Немного углубившись в лес, я попробовала землю носком туфли. Мягкая. Вернулась к машине — в багажнике была и лопата.

Работала быстро, с короткими перерывами — покурить и глотнуть вишневого морса из фляжки. Наконец мне показалось, что яма уже достаточно глубока. Я опустила на дно ее коробку. Никогда раньше мне не приходилось хоронить животных, и я на минуту замешкалась, не зная, стоит ли сказать что-то — хотя бы беззвучно, самой себе. В итоге просто зачерпнула рукой пригоршню рыхлой земли, с глухим стуком та посыпалась на крышку коробки. Спустя полчаса я уже рулила по направлению к дому.

Я ведь часто вижу их в городе. Мертвых животных. Чаще всего — кошек и крыс, но и собаки встречаются. Иногда мне удивительно — люди идут мимо, спешат по своим делам и не обращают внимания. Принимают их за живых. Однажды вообще забавное видела — какой-то подвыпивший мужчина попытался оттолкнуть такого кота ногой, чтобы пройти по нужной ему траектории. Мертвые коты никогда не уворачиваются от удара. Нога мужика провалилась в пустоту, и, потеряв равновесие, он едва не упал на пыльный асфальт. Огляделся удивленно, но кота уже рядом не было.

Отличить такое животное просто. Во-первых, появляется оно словно из ниоткуда — казалось бы, секунду назад перед тобою не было никакого кота, а вот он уже идет куда-то и кажется обычным, осязаемым. Иногда можно даже увидеть, как они появляются прямо из стен. Во-вторых, оно лишено нервной настороженности привыкшего к выживанию зверя. Не обернется, если вы обратитесь к нему с инфантильным «кис-кис-кис», не ускорит шаг, если вы попытаетесь его догнать, не поднимет голову, если вы остановитесь рядом. Поймать его взгляд, рассеянный, мутный, равнодушный, почти невозможно, но все же иногда это случается, и тогда человеку вдруг становится холодно и страшно, и это обычно списывается на трудный рабочий график, проблемы в семье или что-то подобное, ведь почти все мы, горожане, невротики.

Мертвые животные никогда не отводят взгляд первыми. Я точно не знаю, почему, но на всякий случай никому не советую долго вглядываться в другой берег Стикса.

Я вернулась домой под утро, а на следующий день, у лифта, встретила того соседа, который сначала приветствовал меня коротким кивком, а потом сказал, немного стесняясь:

— А я сегодня почти всю ночь не спал. Как закрою глаза, его морда перед глазами. Смотрит на меня. Самурай ведь ослеп совсем под конец. Вообще ничего не видел, только таращился в пустоту. А тут — смотрит, явно видит меня, только вот не понимаю — узнает ли. И жутко мне так было. Не грустно, а именно жутко... А утром что-то странное, ты не поверишь. Дверная обивка вся исцарапана с внешней стороны. Как будто когтями. Как будто в квартиру пытался войти какой-то кот... Наверное, приглашу священника. Что думаешь?

Ответив что-то формальное, я поспешила на работу.

АЛЕША

Рассказывали об одной девушке, к которой мертвец ходил. Дело было в деревне, во Владимирской области. Небольшая деревенька на двадцать домов, вокруг леса густые, церковь, кладбище старое.

И вот соседи заметили, что девушка та на кладбище что-то зачастила, хотя там никто из ее родных похоронен не был. Почти каждый день туда идет, а по пути — если лето — цветов полевых соберет, а если зима — обязательно принесет кусочек хлеба или что еще. Самим нечего есть, а она кладбищенских ворон кормить повадилась.

Родные пытались ее не пускать, так она — плачет, говорит, мол, не ваше это дело. А им и жаль ее, дуру, — одинокая совсем, мужика хорошего после войны днем с огнем не найдешь, годы идут — и страшно.

И вот однажды ее тетка проследила и выяснила, что ходит девица на могилу молодого парня, единственного сына одной из деревенских старух. Старуха та, получив с фронта «похоронку» и сама в считаные дни увяла. А вскоре умерла во сне — через месяц после странных похорон сына: никакого тела под наскоро сколоченным крестом не покоилось — только рубашка с пятнами крови. Фронтовой товарищ привез.

Родные посовещались и отстали от девицы — решили, что, наверное, до войны она любила парня того. Он красивый очень был, даже непонятно, в кого уродился, — узкое бледное лицо, тонкие черты, глаза огромные. Конечно, ничего у них быть не могло — она же до войны совсем девчонкой была, но, должно быть, заглядывалась, мечтала. Вот и оплакивает, как будто он был ее жених.

Однажды ночью отец той девицы услышал странные звуки из ее комнаты, где дочь спала с младшими сестрами. Возня какая-то, сдавленный смех, с трудом удерживаемый стон. Сначала мужик удивился, а потом и рассвирепел — что же она себе такое позволяет, при детях, сестрах маленьких. Совсем стыд потеряла, на всю голову больная баба. Ворвался, а там и нет никого из посторонних. Мелкие девчонки по своим лавкам спят, а старшая на кровати сидит и волосы длинные расчесывает.

—А смеялся тут кто? — спросил растерянно.

—Да тебе, отец, со сна все померещилось, — ответила.

А сама улыбается, и глаза — сытые и наглые, как у лисы. Но не пойман — не вор.

С тех пор девица стала часто отлучаться по вечерам, под разными предлогами. Соседи уже начали нехорошее о ней болтать. Якобы видели ее в лесу полуголой, а когда посрамить пытались, она только рассмеялась им в лицо. Но не запрешь же ее в доме — баба взрослая. Одно непонятно — если она полюбовника нашла себе, то где? В их-то деревне молодых мужиков и вовсе не было, а в соседней — только два брата, крепко выпивающих, и один из них даже однажды пытался ее посватать, но она только поморщилась брезгливо.

Первое время она несколько раз в месяц так пропадала, потом — каждую неделю, а потом и через день куда-то бегать начала. Сначала родные думали — ну пусть странная, зато как похорошела. Румянец на щеках горит, как будто три километра по морозу прошла, глаза блестят, улыбка с лица не сходит. А потом заметили — живот у девки округлился, и пусть та пытается прятать его под накрученным платком, а все равно уже срок такой, что правда сама в глаза лезет.

Тут уж, конечно, всем стало ясно. Отец к стенке прижал — приведи, мол, милого своего в дом, пусть женится, как родного примем. Но дочь только улыбнулась рассеянно да что-то невнятное ответила. Уехал, дескать, жених, нет больше его, и не вспоминайте. Но сама продолжала уходить куда-то — позор-то какой, уже на сносях, а губы свеклой натрет, и в лес. Да еще и оборачивается все время, чтобы за нею никто не увязался, — осторожная стала.

И вот наступил день, когда родился у нее малыш. Хороший малыш, крепкий, мальчик. На ангела похож — родился со светлыми кудрями и глазами цвета летнего неба. Да еще и взгляд такой, не младенческий, а как будто понимает что-то. В семье ему обрадовались — ну да, девка весь род опозорила, соседи уже не в спину, а в лицо смеются, но зато парень-то каков получился! Алешей его назвали.

И хоть вся семья вокруг маленького Алеши хороводы водила, хоть и всем хотелось повозиться с ним, но если кто, кроме матери, брал его на руки, начинал он орать так, что уши закладывало. Никого, кроме нее, не подпускал к себе. Даже над кроваткой склониться не давал. Сначала все пытались как-то перебороть, а потом вой этот так надоел, что лишний раз и подходить остерегались. Победил их Алеша маленький.

Мать же его до родов ходила вся налитая и румяная, а потом осунулась и побелела, как будто была при смерти. С каждым днем будто бы все слабее и слабее становилась. Ее уже и не дергал никто, чтобы по дому помогла.

В первые недели после рождения Алешеньки она еще вставала, а потом и это перестала — целый день валялась на кровати, с сыном на руках. Однажды пошла в сени — воды из кадки набрать, да там, обессиленная, и свалилась. И никто не мог понять, что с ней происходит. Вроде бы, и роды легкими были, и питалась она хорошо — все самое лучшее ей на тарелке несли. Даже младшие сестрички, жалея, лучшие куски ей отдавали. И хоть бы что.

А однажды пришла в их дом бабка, которая в деревне ведуньей слыла, — ее немного побаивались даже, хотя, вроде бы, никто не помнил, чтобы она кому-то зло сделала. Просто чувствовалась в ней какая-то сила, несмотря на то, что ростом бабка была с двенадцатилетнего мальчика, и глаза ее давно потухли, а все лицо иссохло и потемнело, как забытая в золе картофелина. Пришла она, от предложенного чая отказалась наотрез. И сразу заявила:

—Девку-то вашу вы проглядели, неужто не жалко вам ее?

Отец возмутился: вам-то, мол, какое дело. С мужем или без, все равно родная кровь, не гнать же в лес ее, в самом деле.

—Да я не про мужа, — как-то нехорошо усмехнулась старуха. — Неужели вы сами до сих пор не поняли ничего?

—А что мы должны понять? — насупился отец девицы.

—Сколько Алеше вашему стукнуло? Месяца, поди, два уже?

—Четвертый пошел. И что тебе с того?

—Недолго ей осталось, вот чего. Высосет ее до дна и за вас примется, упыреныш. А как ходить научится, так и всю деревню в страхе держать будет.

—Да что ты несешь, ведьма старая! И не стыдно тебе. Катись откудова пришла! — И дед Алешенькин поднялся из-за стола, давая понять, что за своих он горой и разговор окончен.

Но соседка не тронулась с места:

—Скажи, а девка твоя чахнет, небось? Бледная стала, с кровати не встает целыми днями? Ест хорошо, да не в коня корм?

—Ну и дальше что?

—А то! Мой тебе совет — посмотри, как она в следующий раз кормить малого будет. Не молоко он пьет. Кровь он ее пьет. Пока маленький — много не выпьет, так ведь растет с каждым днем, упыреныш.

—Пошла вон! — вышел из себя мужик, мрачной горой нависнув над злоязыкой бабкой. — Тебя сюда не звали. И чтобы я тебя и близко к дому нашему не видел, а то на вилы подыму, чертовка!

Старушка не испугалась. Даже сгорбленная спина не мешала ей держаться с таким достоинством, словно она была урожденной аристократкой, а не прожила всю жизнь в глуши среди лесов да полей.

—Я-то уйду, — вздохнула она, — а ты мои слова запомни. С мертвецом связалась девка твоя. На свидания к нему весь год бегала, а вы и не заметили. Хлебушек на кладбище носила, цветочки. Он и окреп, и вышел к ней, и стал ее любить. Только вот любить они не умеют, мертвые... И упыреныш ее — ручки к ней тянет, а у самого на уме только крови напиться, окрепнуть чуть-чуть.

В ту ночь плохо спалось отцу девицы. Мрачные мысли он гнал прочь, все повторял: «Дурная старая карга, дура темная!», да только что-то такое было в глазах старухи, что мешало ему вот так просто отмахнуться от ее суеверий. Проворочавшись до рассвета, он все-таки решил заглянуть в комнату, где жили молодая мать с Алешенькой. На цыпочках подкрался, украдкой заглянул.

Дочь его сидела на кровати, такая исхудавшая и бледненькая, белее ночной сорочки. Волосы, которые некогда походили на копну подсушенной на солнце пшеницы, стали тусклыми и редкими. Она склонилась над Алешей, который прильнул к ее груди, его круглые щеки работали, пил он жадно, словно боялся, что в любой момент отымут. Затаив дыхание, отец наблюдал — вроде бы, такая умилительная картина, мать кормит малыша, и все же было в этом что-то пугающее. А может, померещилось просто — после страшных соседкиных слов.

И вдруг Алеша заворочался, повел носом, как животное, почуявшее чужака, отлип от материнской груди, повернул голову и посмотрел прямо на деда, и взгляд его был серьезный и нечеловеческий какой-то, словно не три месяца от роду ему было, а сотня лет. Злое бессилие было в этом взгляде, и мужчине вдруг показалось, что если бы Алеша мог, то бросился бы вперед и вцепился ему в горло. Так смотрел бы старый цепной пес, у которого отобрали миску с требухой, — с ледяной яростью, с пониманием, что тяжелая цепь все равно не позволит немедленно отомстить обидчику, и надеждой, что когда-нибудь либо цепь порвется, либо отнявший пищу подойдет ближе, чем следовало бы. А на губах Алеши — пухлых младенческих губах — запеклась кровь.

Перекрестившись, мужчина ахнул, и только тогда дочь его заметила. Медленно подняла бескровное лицо, и отец в очередной раз отметил, как постарела она за эти месяцы, как заострились ее скулы, как запали глаза.

— Что тебе? — слабо отозвалась она. — Не видишь, Алеша есть не может, когда ты рядом.

— Доченька, — отец бросился к ней, — дай посмотреть! А почему он такой... Господи, что творится-то... Почему у него рот-то в крови?

— Да губу прикусил, — прошелестела дочь. — Шел бы ты уже... Алешенька голодный, а при тебе он нервничает, есть не будет.

С тех пор отец внимательнее присматривался к тому, как Алешу кормят. И младенец тоже будто бы присматривался к нему — словно почуял в нем врага. Иногда лежит в своей колыбели, спеленутый туго, а сам глазами следит за дедом. Куда дед пойдет, туда и Алеша смотрит.

Девице же даже ведро возле кровати поставили — не было у нее сил до дощатого туалета во дворе добраться.

Алеше исполнилось одиннадцать месяцев, когда он наконец достаточно окреп для того, чтобы пойти самостоятельно. Быстро это получилось. Он был намного более крепким, чем его ровесники, хрупкие послевоенные дети. Коренастый, румяный, ножки-столбики, которыми он бодро перебирал по комнате, придерживаясь за стены. Кажется, он вообще ни разу не упал.

Дед его в то время совсем сон потерял. Он и ругал себя за глупость, но и не мог поделать ничего. Страшно ему было засыпать, когда он знал, что в соседней комнате — Алеша, что тот может выбраться из кровати и прийти к нему.

Дочь же совсем разболелась. Лежала в кровати, бледная как простыня. Ни с кем, кроме сыночка, не общалась.

В тот месяц соседка еще раз навестила ее отца.

— Что же творишь ты, — мрачно сказала она. — Упыреныш почти совсем большой стал. Еще три-четыре месяца, и упустишь момент. Уйдет он в лес от вас, и потом уже не достанешь его. Всю деревню уничтожит, потом и за соседнюю примется.

— Сердце болит у меня... — честно признался Алешенькин дед. — Иной раз смотрю — и кажется мне, права ты. А иногда... Он же дитя совсем... Ну что же я могу сделать...

— Удавить его, когда дочь твоя уснет, вот что. Сам-то упыреныш не спит вовсе. Он тебе так просто не дастся, покусает. Нельзя, чтобы он укусил, после них раны гноятся долго. Знавала я человека, который руку вот так потерял. Так что ты к нему в рукавицах иди.

— А дочка моя...

— Знает все дочка твоя, — нахмурилась старуха. — Думаешь, не понимала она, что кровью поит его, а не молоком? А сейчас — ты откинь с нее одеяло-то, посмотри на тело ее!

— Да что ты говоришь срамоту какую-то! — рассердился мужик. — Болеет она, все это знают.

— Кровью поила, а теперь мясом своим подкармливает. Ты аккуратненько подойди к кровати ее и посмотри. Нож она где-то прячет. Отрезает этим ножом по кусочку и скармливает ему.

— Ох, прости господи, о чем же я тут толкую с тобой! — Нехорошо стало отцу, даже лицо его побелело. — Если ты говоришь, мол, покусать он может — что же он ее не кусает тогда?

— Пожилой ты мужик, а глупый, — усмехнулась старуха. — Говорю же — после их укусов раны гноятся быстро. Если не вырезать сразу, за сутки загнешься. Зачем же ему кормилицу убивать свою. Он же понимает все. Да она и сама отойдет скоро. Вот тогда Алеша ваш в лес и сбежит.

— А откуда ты знаешь это все? — прищурился отец.

— Да чай дольше тебя, дурака, на свете живу, — покачала головой соседка. — В общем, мой тебе совет — удави, пока не поздно.

Не спалось в ту ночь отцу. Ворочался-ворочался, смотрел на тонкий, как незаживающая рана, месяц в окне. Многое он видел — двух жен схоронил, на войне сына потерял, а сам уцелел — думал уже, что ничего ему теперь не страшно, потому что худшему горю все равно не бывать. И вдруг такое.

Уже под утро решил он в комнату, где дочь с Алешей жили, заглянуть. Комнатка теперь принадлежала им двоим — другие его дочери еще полгода назад сказали, что лучше уж они будут в прохладных сенях по лавкам спать, чем крики Алешины слушать.

В комнате было тихо. Отец крался как кот. Дочь спала, накрывшись одеялом почти по самую макушку. В последнее время она очень мерзла — куталась, как древняя старуха. Из Алешиной кровати доносилось только тихое сопение.

Отец подошел ближе, сердце его колотилось, во рту было сухо. Младенец спал, подложив руку под пухлую щеку, причмокивал во сне. В тот момент таким невинным он казался, таким спокойным.

Ангел во плоти. «А говорила соседка, что не спят они... Напридумывала, ведьма старая, а я чуть было не поверил ей... Взял бы грех на душу». Дед Алешенькин протянул руку и погладил малыша по влажноватым светлым кудряшкам — тот даже не шелохнулся, продолжал спать. Тогда мужчина подошел к дочери. Хотел только одеяло поправить, но любопытство взяло верх.

В синеватом свете луны дочь напоминала покойницу. Худая, сильно постаревшая, под глазами — коричневые тени, щеки впалые... Осторожно откинув одеяло, он остановился в растерянности — ну и что дальше? Не раздевать же ее... А вдруг проснется, потом позору не оберешься. Крик подымет, слухи по деревне поползут.

Дочь застонала во сне, и лицо ее скривилось — то ли больно ей было, то ли просто сон дурной пришел. Дрожащей рукой отец откинул подол ее платья. И ахнул, рука его взметнулась ко рту, помогая сдержать крик. Он увидел ноги женщины — синеватые, худые, как у ребенка, а бедра все — в ранах полузаживших, как будто бы с них ножом срезали мясо по кусочку маленькому. Как наяву услышал он соседкины слова: «Кровью его поила, а теперь мясом своим подкармливает...» И лицо Алеши вспомнил — напряженное, и глаза — умные и холодные.

Исполненный решимости, мужик в один прыжок оказался у колыбели. Лишь бы не проснулся младенец. Все у него получится. Войну прошел, на первой линии фронтовой побывал, а тут — ребенок, года еще нет, как с ним не справиться. Даже если и не человек он, а нежить опасная, но маленький такой все-таки.

Кроватка была пуста.

Мужчина метнулся было из комнаты — надо что-нибудь взять, топор, вилы, свечу... Но не успел — из-под стола на четвереньках выполз Алеша. Передвигался он быстро, как животное.

— Уйди... Не подходи! — Бывший фронтовик рассчитывал, что звук собственного голоса придаст ему сил.

Алеша оскалился. Зубы у него были белые и остренькие, как будто ножовкой обточенные. Бросился дед его к двери — но младенец оказался шустрее. И как только успел сил набраться! Оттолкнувшись четырьмя конечностями от пола, он одним кошачьим прыжком преодолел расстояние, отделявшее его от деда. Высоко прыгнул — в горло, видно, вцепиться хотел, но не достал, промахнулся. Укусил деда в бок, чуть выше печени, — дернулся от боли старик, уж больно остры были Алешины зубы. Младенец снова заполз под стол и теперь смотрел на деда оттуда — ни дать ни взять пес, охраняющий еду.

Пошатываясь, дед вышел из комнаты.

Ранним утром соседи сбежались к их дому на крик. Кричали девочки — младшие дочки хозяина. Проснувшись на рассвете, они сначала обнаружили мертвого отца — он лежал, скрючившись, на полу в кухоньке, на лице его застыла гримаса отчаянного ужаса, а к груди он прижимал остро заточенный топор. Что с ним случилось — никто так и не понял. «Может, до белой горячки допился», — неуверенно предположил деревенский фельдшер. Но всем было известно, что дед Алеши и не пил почти. На его боку обнаружили странную рану — как будто собака некрупная укусила. Следы маленьких зубов, а вокруг — чернота, и гнилью пахнет.

И это была не последняя страшная находка. В дальней комнате нашли старшую дочь несчастного — она тоже была мертва. Впрочем, ее кончина никого не удивила — девица болела давно, на улицу совсем не выходила, было понятно, что не жилец она. А вот сынишку ее маленького так и не нашли. Кроватка пустая стояла. И в доме — никого. Звали Алешеньку, звали — не откликнулся. А ему и годика не было, сам бы далеко не ушел.

С тех пор на деревню ту неприятности посыпались. Хорошо, что младшие дочки старика этого уже не увидели — на следующее утро их увезли доживать детство в казенном доме. А через несколько дней единственную на всю деревню корову волки загрызли. Непонятно, как и пробрались в сарай, — дверь была плотно заперта. Утром хозяйка вошла — а вместо Зорьки ее только шматки окровавленного мяса, над которыми мухи роятся.

Старуха, которую все в деревне ведьмой считали, что-то бормотала о том, что место это теперь проклятое и надо ноги уносить всем, кто хочет в живых остаться. Но ее никто не послушался — во-первых, она всегда что-то мрачное бубнила, а во-вторых, податься им было некуда. Но в итоге права старуха оказалась — все они, один за другим, в тот же год жизни лишились, и все одинаково погибли — в пасти волчьей.

Странно это было, никогда волки в тех краях не лютовали. Но стоило кому чуть от дома отойти в одиночестве — и вместо человека только косточки обглоданные находили. Правда, один мужик, лесником он был, после нападения выжил, приплелся в деревню, на руках полз — потому что одна нога у него была полуобглоданная.

Страшные вещи успел перед смертью рассказать: будто бы маленький ребенок напал на него в лесу.

Сам-то лесник в тот день за грибами отправился, и вдруг увидел — за кустом малины дитя прячется, мальчик, полностью обнаженный. Лесник подманил его: мол, ты иди, не бойся, не обижу. В райцентр отвезти хотел. Мало ли что, время смутное, сирот много вокруг. Но мальчик вдруг встал на четвереньки, звериными прыжками подбежал к нему и сразу же прокусил ногу через брючину. От неожиданности и боли лесник на несколько минут сознание потерял, а когда пришел в себя, обнаружил, что ребенок сидит на нем и ногу ест его. «Все лицо в крови, а глаза вообще ничего не выражают... Жрет — только челюсти ходуном ходят... Очень он похож на Алешу был, мальчика пропавшего...».

Конечно, не поверил леснику никто.

Но история эта передавалась из уст в уста, и даже сейчас в тех краях ее часто рассказывают, хотя никого из свидетелей давно в живых не осталось.

СОДЕРЖАНИЕ

Литературно-художественное издание

Бестселлеры Марьяны Романовой

Марьяна Романова

ПРИВОРОТ

Роман

Редакционно-издательская группа «Жанровая литература»

Зав. группой *М. Сергеева*
Ответственный редактор *Т. Захарова*

ООО «Издательство АСТ»
129085, г. Москва, Звездный бульвар, д. 21, строение 3, комната 5
Наш электронный адрес: **www.ast.ru**
E-mail: **astpub@aha.ru**

«Баспа Аста» деген ООО
129085, г. Мәскеу, жұлдызды гүлзар, д. 21, 3 құрылым, 5 бөлме
Біздің электрондық мекенжайымыз: www.ast.ru
E-mail: astpub@aha.ru
Қазақстан Республикасында дистрибьютор
және өнім бойынша арыз-талаптарды қабылдаушының
өкілі «РДЦ-Алматы» ЖШС, Алматы қ., Домбровский көш., 3«а», литер Б, офис 1.
Тел.: 8(727) 2 51 59 89,90,91,92
Факс: 8 (727) 251 58 12, вн. 107; E-mail: RDC-Almaty@eksmo.kz
Өнімнің жарамдылық мерзімі шектелмеген.
Өндірген мемлекет: Ресей
Сертификация қарастырылмаған

Подписано в печать 16.11.2015. Формат 84x108 $^{1}/_{32}$.
Печать офсетная. Усл. печ. л. 16.8.
Тираж 2000 экз. Заказ О-3291.

Отпечатано в полном соответствии с качеством
предоставленного электронного оригинал-макета
в типографии филиала АО «ТАТМЕДИА» «ПИК «Идел-Пресс».
420066, г. Казань, ул. Декабристов, 2.
E-mail: idelpress@mail.ru

ISBN 978-5-17-094570-2

Редакционно-издательская группа «Жанровая литература»

Что такое востребованная книга?
Ошибаются люди, думающие, будто для массового читателя писать легче, чем для «элитарного»; как раз наоборот, сделать то, что будет интересно сотне, гораздо проще, чем сочинить историю, которая будет интересна ста тысячам. Мало кто из современных писателей может похвастаться такой аудиторией, но все к этому стремятся; наша задача как сотрудников издательства — обеспечивать автору встречу с «его» читателем.

Наша специализация — «истории».
Увлекательные, хорошо сочиненные и хорошо написанные: на любой вкус и на каждый день!

Основные направления нашей редакции:
фантастика; остросюжетная проза; современная сюжетная проза, «мейнстрим»; сентиментальная литература. Мы издаем бестселлеры и делаем все, чтобы каждый наш автор нашел своего читателя.

В числе наших авторов —
Борис Акунин, Пауло Коэльо, Анна Гавальда, Януш Леон Вишневский, Павел Санаев, Полина Дашкова, Сергей Минаев, Дмитрий Глуховский, Екатерина Вильмонт, Наталья Нестерова, Юрий Поляков, Юрий Вяземский, Эдуард Тополь, Данил Корецкий, Елена Михалкова, Сергей Тармашев, Роман Злотников, Елена Колина, Виктория Платова, Анна Малышева, Наталия Левитина, Юлия Шилова, Наталья Андреева, Наталья Солнцева, Татьяна Луганцева, Слава Сэ, Марта Кетро, Анатолий Тосс, Анна Старобинец, Татьяна Соломатина и многие другие российские и мировые знаменитости. Мы издаем наследие Аркадия и Георгия Вайнеров, Аркадия и Бориса Стругацких, Иоанны Хмелевской и Владимира Орлова.

Наш адрес — https://www.facebook.com/Janry.AST